株主総会
取締役会
監査役会の
議事録作成
ガイドブック

第3版

三井住友信託銀行
ガバナンスコンサルティング部 編

商事法務

第3版はしがき

2019年の第2版補訂版刊行以降も、コーポレート・ガバナンス改革を促す制度改正や関係省庁からの指針等の公表が相次ぎました。2021年は令和元年改正会社法の施行やコーポレートガバナンス・コードの改訂が行われ、更に本年4月には東京証券取引所の市場再編を迎えるに至っています。

また、コロナ禍を踏まえ、バーチャル株主総会等の新たな実務が浸透してきているなど、上場会社を取り巻く環境は依然変化の大きい状況が継続しています。

このような中、上場会社の株主総会・取締役会・監査役会・監査等委員会が審議・決議する内容も変容していることを踏まえて、今般、第3版を刊行することといたしました。

具体的には、改正会社法への対応として役員報酬開示の拡充、会社補償やD&O保険契約の明文化、2022年9月に施行される株主総会資料電子提供制度の創設などへの対応が求められます。また、コーポレートガバナンス・コードの改訂を踏まえた、取締役会審議事項の変化も見られます。加えて、経済産業省の指針をベースとしたバーチャル株主総会の実施や産業競争力強化法に基づくバーチャルオンリー株主総会を実施する事例も幾つか見られます。こうした取組みが進展していることに鑑み、本書の内容もより一層の充実を図るべく、事例の追加収録をし、解説の見直しを行っております。

本書が議事録作成に際しての一助となれば幸いに存じます。

最後に、本書の出版に多大なご協力をいただいた株式会社商事法務の澁谷禎之氏および棚沢智広氏には心より厚く御礼申し上げます。

2022年3月

三井住友信託銀行
ガバナンスコンサルティング部
部長　長谷川　聡

第２版補訂版はしがき

2016年の第2版刊行以降、CGSガイドライン等コーポレート・ガバナンス向上への取組みを後押しする制度改正や関係省庁からの指針等の公表が相次ぎ、2018年にはコーポレートガバナンス・コードの改訂が行われるに至っています。

このような投資家との対話を中心にすえた各種施策を受けて、各社のコーポレート・ガバナンスへの取組みが深化したことにより、上場会社の取締役会等が審議・決議する内容も変容していることを踏まえて、今般、第2版補訂版を刊行することといたしました。

たとえば、コーポレートガバナンス・コードによる経営陣幹部への株式報酬の導入促進や、2017年度税制改正による株式報酬にかかる税務の取扱い整備を受けて、取締役に対する株式報酬を導入する会社が急増しています。また、特約部分の保険料の会社負担を認める解釈が示されたことを踏まえた役員の責任賠償保険（D＆O保険）の導入や、役員の指名・報酬手続きの透明性確保のための任意の委員会の設置も進んでいます。さらに、監査等委員会設置会社へ移行する会社が増加し、役員構成の変化に伴い取締役会の意思決定事項を取締役に権限委譲する事例も多くみられます。こうした取組みが進展していることに鑑み、本書の内容もより一層の充実を図るべく、事例の追加収録をし、解説の見直しを行いました。

本書が議事録作成に際しての一助となれば幸いに存じます。

最後に、本書の出版に多大なご協力をいただいた株式会社商事法務書籍出版部の岩佐智樹氏および澁谷禎之氏には心より厚く御礼申し上げます。

2019年1月

三井住友信託銀行
証券代行コンサルティング部
部長　長谷川　聡

第２版はしがき

近年、上場企業のコーポレート・ガバナンスを取り巻く環境は大きく変化しています。特に本年、平成27年は、社外取締役等に関する規律の整備や監査等委員会設置会社制度の導入が盛り込まれた改正会社法の施行、攻めのガバナンスを指向する「コーポレートガバナンス・コード」の適用開始など、上場会社の株式実務はもとより、企業経営にも多大な影響を及ぼすものとなっています。

このような環境変化を踏まえ、第２版刊行に際しては、主に２つの大きな改訂を行っています。

１つは、会社法の改正に基づき、関連する記載例および解説の改訂を行ったことです。特に、改正会社法において新設された機関設計に対応して、新たに「第４編　監査等委員会設置会社に関する議事録」を設け、その制度概要ならびに移行後の株主総会、取締役会および監査等委員会の各議事録に係る記載例と解説に相応の紙面を割いています。

もう１つは、金融商品取引所規則により定められた「コーポレートガバナンス・コード」は、取締役会の運営面にも影響があるところ、その記録書類である議事録にもその内容を反映させる必要があることから、関連した記載例と解説を盛り込んだことです。

これらに係る事項においては、改正または適用がなされたばかりであり、実務の蓄積はこれからであるものの、本書で示した記載例等が今後の実務の一助となれば幸いであると考えております。

最後に、初版に続き、本書の出版に多大なご協力をいただいた株式会社商事法務書籍出版部の岩佐智樹氏および澁谷禎之氏には心より厚く御礼申し上げます。

平成27年12月

三井住友信託銀行
証券代行コンサルティング部
部長　木内　知明

はしがき

近年、証券市場の信頼性向上を目的としたコーポレート・ガバナンス向上に向けた議論の高まりを受け、金融商品取引法や金融商品取引所規則が毎年のように改正されています。また、会社法については、平成24年9月7日に「会社法制の見直しに関する要綱」が法制審議会による採択を経て、法務大臣に答申されており、その改正が予定されています。

上場企業においてはこのような状況下、より一層の法令順守が求められており、株主総会・取締役会・監査役会の各機関を適法に運営し、その証拠書類としての各議事録を適正に作成することが、株主等からの議事録の閲覧請求等にも耐えうるという観点からも、より重要になっています。

本書は、三井住友信託銀行株式会社の証券代行コンサルティング部に所属する実務経験豊かな法務コンサルタントが中心となって執筆を担当いたしました。執筆に際しては、可能な限り多くの記載例を掲載するとともに、実務に即した解説を行い、判例等も紹介いたしました。また、株主総会・取締役会・監査役会という機関相互の関連性の明示に加え、「会社法制の見直しに関する要綱」に関連する事項および会社法以外の法令にも配慮するなど、議事録作成に携わる方々にとって、実用的なものとなるよう執筆いたしました。

なお、本書では、上場会社かつ監査役会設置会社を前提としていますが、上場会社の子会社・関連会社においても活用いただけるよう、未上場会社の実務にも一部対応いたしました。

本書が、議事録作成に際しての一助となれば幸いに存じます。

最後に、本書の出版に多大なご協力をいただいた株式会社商事法務書籍出版部の岩佐智樹氏および澁谷禎之氏には心より厚く御礼申し上げます。

平成25年5月

三井住友信託銀行
証券代行コンサルティング部
部長　斎藤　誠

凡　例

1　法令等の表記について

法　　令	本書本文中の記載	本書括弧内の記載
会社法（平成17年7月26日法律第86号）	条数のみ記載	条数のみ記載
令和元年法律第70号による改正後の会社法	改正会社法	改正会社法
会社法施行規則（平成18年2月7日法務省令第12号）	施行規則	施行規則
令和2年法務省令第52号による改正後の会社法施行規則	改正施行規則	改正施行規則
会社計算規則（平成18年2月7日法務省令第13号）	計算規則	計算規則
平成17年法律第87号による改正前の商法	旧商法	旧商法
株式会社の監査等に関する商法の特例に関する法律（昭和49年4月2日法律第22号）	旧商法特例法	旧商法特例法
会社法施行規則附則10条の規定による改正前の商法施行規則	旧商法施行規則	旧商法施行規則
上場株式の議決権の代理行使の勧誘に関する内閣府令（平成15年3月28日内閣府令第21号）	委任状勧誘府令	委任状勧誘府令
金融商品取引法（昭和23年4月13日法律第25号）	金融商品取引法	金商法
金融商品取引法施行令（昭和40年9月30日政令第321号）	金融商品取引法施行令	金商法施行令
企業内容等の開示に関する内閣府令（昭和48年1月30日大蔵省令第5号）	企業内容開示府令	開示府令
財務諸表等の監査証明に関する内閣府令（昭和32年3月28日大蔵省令第12号）	監査証明府令	監査証明府令
社債、株式等の振替に関する法律（平成13年6月27日法律第75号）	社債株式振替法	社債株式振替

法　　令	本書本文中の記載	本書括弧内の記載
社債、株式等の振替に関する法律施行令（平成14年12月6日政令第362号）	社債株式振替施行令	社債株式振替施行令
社債、株式等の振替に関する命令（平成14年12月6日内閣府・法務省令第5号）	社債株式振替命令	社債株式振替命令
株券等の保管及び振替に関する法律（昭和59年5月15日法律第30号）	旧保振法	旧保振法
民間事業者等が行う書面の保存等における情報通信の技術の利用に関する法律（平成16年12月1日法律第149号）	電子文書法	電子文書法
令和3年法律第70号による改正後の産業競争力強化法	改正産競法	改正産競法
産業競争力強化法に基づく場所の定めのない株主総会に関する省令（令和3年法務省・経済産業省令第1号）	産競法省令	産競法省令
東京証券取引所・有価証券上場規程	上場規程	上場規程
東京証券取引所・有価証券上場規程施行規則	上場規程施行規則	上場規程施行規則
証券保管振替機構・株式等の振替に関する業務規程	業務規程	業務規程
証券保管振替機構・株式等の振替に関する業務規程施行規則	業務規程施行規則	業務規程施行規則
コーポレートガバナンス・コード	CGコード	CGコード
日本監査役協会「監査役監査基準」（1975年3月25日制定、2021年12月16日最終改定）	監査役監査基準	監査役監査基準
日本監査役協会「監査役会規則（ひな型）」（1993年9月29日制定、2021年7月13日最終改定）	監査役会規則（ひな型）	監査役会規則（ひな型）

2　参考文献の引用について

参考文献略称	参考文献
相澤・一問一答	相澤哲編著『一問一答　新・会社法〔改訂版〕』（商事法務、2009）

参考文献略称	参考文献
相澤・論点解説	相澤哲＝葉玉匡美＝郡谷大輔編著『論点解説 新・会社法』（商事法務、2006）
稲葉・改正会社	稲葉威雄『改正会社法』（金融財政事情研究会、1982）
稲葉・議事録作成の実務	稲葉威雄＝岩城謙二＝多田晶彦＝南忠彦『取締役会・株主総会議事録作成の実務』（商事法務研究会、1983）
江頭・株式会社法	江頭憲治郎『株式会社法〔第8版〕』（有斐閣、2021）
大隅＝今井	大隅健一郎＝今井宏『会社法論（中）』（有斐閣、1992）
大隅＝今井＝小林	大隅健一郎＝今井宏＝小林量『新会社法概説〔第2版〕』（有斐閣、2010）
会社法コンメ(1)・(8)・(21)	江頭憲治郎ほか編『会社法コンメンタール(1)・(8)・(21)』（商事法務、2008・2009・2011）
株主総会ガイドライン	東京弁護士会会社法部編『新・株主総会ガイドライン〔第2版〕』（商事法務、2015）
2021年版株主総会白書	旬刊商事法務2280（2021年12月5日）号
株主総会ハンドブック	商事法務編『株主総会ハンドブック〔第4版〕』（商事法務、2016）
坂本・一問一答	坂本三郎編著『一問一答　平成26年改正会社法〔第2版〕』（商事法務、2015）
竹林・一問一答	竹林俊憲編著『一問一答　令和元年改正会社法』（商事法務、2020）
実務相談(1)～(5)	稲葉威雄ほか編『実務相談株式会社法1～5〔新訂版〕』（商事法務研究会、1992）
準備事務	森・濱田松本法律事務所編『株主総会の準備事務と議事運営〔第5版〕』（中央経済、2021）
商業登記ハンドブック	松井信憲『商業登記ハンドブック〔第4版〕』（商事法務、2021）
新版注釈会社法(1)～(15)	上柳克郎ほか編『新版注釈会社法(1)～(15)』（有斐閣、1985～1992・1996・1997・2000）
全株懇総覧	全国株懇連合会編『全株懇株式実務総覧』（商事法務、2011）

参考文献略称	参考文献
全株懇モデル	全国株懇連合会編『全株懇モデル〔新訂3版〕』（商事法務、2011）
全株懇モデルⅠ	全国株懇連合会編『全株懇モデルⅠ』（商事法務、2016）
全株懇モデルⅡ	全国株懇連合会編『全株懇モデルⅡ』（商事法務、2017）
逐条会社法(1)～(5)	『逐条解説会社法第1巻～第5巻』（中央経済、2008・2009～2011）
中村＝倉橋	中村直人＝倉橋雄作『コーポレートガバナンス・コードの読み方・考え方〔第3版〕』（商事法務、2021）
澤口＝内田	澤口実＝内田修平編著『コーポレートガバナンス・コードの実務〔第4版〕』（商事法務、2021）
取締役会ガイドライン	東京弁護士会会社法部編『新・取締役会ガイドライン〔第2版〕』（商事法務、2016）
弥永・コンメ施規	弥永真生『コンメンタール会社法施行規則・電子公告規則〔第3版〕』（商事法務、2021）

3　判例集の表記について

民集	大審院民事判例集・最高裁判所民事判例集
集民	最高裁判所裁判集民事
下民	下級裁判所民事裁判例集
判時	判例時報
判タ	判例タイムズ
金判	金融・商事判例
資料版商事	資料版商事法務

4　本書の対象とする機関設計について

本書の第1編から第3編においては、原則として、監査役会設置会社および会計監査人設置会社を対象としており、監査等委員会設置会社および指名委員会等設置会社は対象としていません。また、第4編「監査等委員会設置会社に関する議事録」においては、監査等委員会設置会社のみを対象としています。

5 「コーポレートガバナンス・コード」に関する解説・記載例について

「コーポレートガバナンス・コード」に関しては、主に第2編「取締役会議事録」において、各記載例において関連する主な事項を解説するとともに、取締役会における決議・報告の例として［記載例2-88］および［記載例2-104］を掲載しています。

目　次

執筆者一覧

三井住友信託銀行株式会社
ガバナンスコンサルティング部

川瀬　裕司
清瀬　　緑
倉持　　直
島田　廉史
谷野　耕司
寺岡　隆樹
牧村　卓哉
松原　嵩晃
茂木　美樹
矢田　一穂
吉田　陽祐

第1編

株主総会議事録

第１章　総　論

第１節　意義

１　株主総会の意義

(1)　概要

株主総会は、取締役とともに株式会社に必ず設置しなければならない機関とされる。株主総会は、会社法に規定する事項および会社に関する一切の事項について決議ができるとされたうえで（295条1項）、取締役会設置会社においては、会社法および定款に規定する事項について決議ができるとされる（同条2項）。すなわち、株主総会は、取締役会非設置会社では、すべての事項を決議できる万能的な機関と位置づけられるのに対し、取締役会設置会社では、決議できる事項に一定の制限がかけられていることとなる。もっとも、取締役会設置会社の定款で株主総会の権限に法定外の事項を加えることや、取締役会非設置会社の定款で法定外の事項につき株主総会の決議の対象外とする旨を定めることは可能であるから、実質的には株主総会の権限には差異はない（相澤哲＝細川充「株主総会等」商事法務1743号19頁）。

取締役会設置会社においても、定款の変更、取締役・監査役の選解任など会社の基本的かつ重要な決定事項は株主総会の決議が必要であることを勘案すると、会社の最高の意思決定機関という位置づけは機関設計の差異にかかわらないといえよう。

(2)　決議方法と決議事項

ａ　普通決議

議決権を行使することができる株主の議決権の過半数を有する株主が出

席し（定足数）、出席した当該株主の議決権の過半数の賛成で可決する方法である（309条1項）。定足数は定款で排除するのが一般的であるが、取締役の選解任および監査役の選任は、定款をもってしても議決権を行使することができる株主の議決権の3分の1未満とすることができない（341条）。決議事項としては、上記の場合のほか、取締役・監査役の報酬等の改定（361条1項、387条1項）、計算書類の承認（438条2項）、剰余金の配当（454条1項）などがある。

b　特別決議

議決権を行使することができる株主の議決権の過半数を有する株主が出席し、出席した当該株主の議決権の3分の2以上の賛成で可決する方法である（309条2項）。定足数は定款で3分の1以上に緩和しているのが一般的である。決議事項としては、株式の併合（180条2項）、有利な金額での募集株式の発行（199条2項・3項、200条1項）、定款の変更（466条）、吸収合併契約、吸収分割契約および株式交換契約の承認（783条1項、795条1項）などがある。

c　特殊決議

議決権を行使することができる株主の半数以上であって、当該株主の議決権の3分の2以上の賛成で可決する方法等である（309条3項・4項）。

決議事項としては、株式の譲渡につき会社の承認を要する旨の定めをする定款変更（107条1項1号・2項1号）などがある。

⑶　決議に特別の利害関係を有する者

決議について特別の利害関係を有する株主でも、株主総会において議決権を行使することができる（特定の株主から自己株式を取得する場合の当該株主等（140条3項、160条4項、175条2項）を除く）。もっとも、その株主によって著しく不当な決議がなされたときは、決議取消しの原因となるものとされている（831条1項3号）。株主総会においては、そのような株主の議決権を排除する措置をとるよりも、むしろ事後的な是正措置を講ずることが妥当であると考えられている（会社法コンメ(8)292頁〔森本滋〕）。

2　議事録作成の意義

株主総会議事録は、議事の経過の要領およびその結果を中心に記載する(318条1項、施行規則72条)。法令に基づき、正確かつ明確な記載がなされることで、株主総会議事録には証拠力が備わる。それが具現される場合として、①訴訟上の証拠資料とする場合、②商業登記申請時に添付される場合、③株主等による閲覧・謄写の請求がなされる場合がある。

その内容は、次の①〜③のとおりである。

① 訴訟上の証拠資料

株主総会決議の取消しの訴え（831条）等が提起された際に、議事進行や決議の方法に瑕疵がないかなどについて、証拠資料となり得る。有効な証拠資料とするためには、修正動議が提出された場合、質疑打ち切りの場合など株主の権利に係る議事運営については、特に正確な記載が求められるものと思われる。

もっとも、議事録に記載された内容の真実性については、一応の推定があるにすぎず、当該記載と反対の事実を立証することにより、当該推定を覆すことも許される（稲葉・議事録作成の実務6頁）。

② 商業登記申請時の添付書類

登記すべき事項につき、株主総会または種類株主総会の決議を要するときは、申請書にその議事録を添付しなければならない（商業登記法46条2項）。この場合、議事録に記載された内容が、株主総会決議と相違するものであったとしても、当該記載内容に基づき、登記がなされ得るので留意する。

③ 株主等による閲覧・謄写請求

株主および債権者等は、株主総会決議の取消しの訴えの提起等の権利を行使するため、株主総会議事録の閲覧・謄写の請求をすることができる(318条4項・5項)。それに対して、会社には株主総会議事録の備置義務が課せられている（同条2項・3項）。

以上のとおり、株主総会議事録は、その議事の経過の要領等を記録するという対内的な目的だけでなく、対外的にもその価値を見出すことができる。

取締役等は、株主総会議事録に記載・記録すべき事項を記載・記録せず、または虚偽の記載・記録をしたときは、100万円以下の過料に処せられる（976条7号）。過料となるのは、不記載・不記録および虚偽記載・虚偽記録のいずれについても、当該取締役等に過失がある場合である（会社法コンメ(21) 176頁〔佐伯仁志〕）。

第2節　議事録作成の実務

1　主な記載内容

(1)　通常の株主総会の場合

会社法では、株主総会議事録は、［図表1-1］に示される事項を、その内容としなければならない（318条1項、施行規則72条3項）。

［図表1-1］　株主総会議事録の記載事項（施行規則72条3項）

①　株主総会が開催された日時および場所（1号）
②　株主総会の議事の経過の要領およびその結果（2号）
③　監査役、監査等委員である取締役または会計監査人等より、株主総会において述べられた意見または発言があるときは、その意見または発言の内容の概要（3号）
④　株主総会に出席した取締役、監査役または会計監査人の氏名もしくは名称（4号）
⑤　株主総会の議長がいるときは、議長の氏名（5号）
⑥　議事録の作成に係る職務を行った取締役の氏名（6号）

［図表1-1］のうち、①については、「株主総会が開催された場所にいない取締役、監査役、会計監査人または株主が、株主総会に出席をした場合における当該出席の方法」が含まれる。これは、たとえば、株主総会の開

催場所となる主たる会場以外に別の会場を設けた場合や、一部の取締役等や株主がインターネットや電話等を通じて参加した場合において、その出席方法を明らかにすることを求めるものである（相澤哲＝郡谷大輔「会社法施行規則の総論等」商事法務1759号15頁）。ただし、上記の場合は、情報伝達の双方向性および即時性が確保される必要があるとの見解が示されており（弥永・コンメ施規381頁）、会社から一方的に情報発信がされるのみで、株主からは何ら権利行使されない事態を想定するものではない。

当該規定が該当するのは、別拠点に存している取締役等が説明義務を果たすためにインターネット、テレビ会議システム等を利用して出席する場合のほか、株主が互いに面識のある閉鎖的な会社において一部の株主が同様の方法で出席する場合などが想定される。これに対し、拠点間の双方向性および即時性を確保したうえで複数拠点を開催場所とし、招集通知にその旨が記載された場合は、これらの拠点が開催場所となり、何れの拠点での出席についても開催場所に出席したものと位置づけられるのであろう。

会社法上は、開催「場所」の定めのない株主総会については、株主総会を開催したものとは評価できないとされていた。もっとも、改正産競法に基づき、上場会社においてはいわゆる「バーチャルオンリー型」の株主総会を開催することが可能となった。すなわち、上場会社は、省令に定める要件に該当することにつき経済産業大臣および法務大臣の確認を受け、開催「場所」の定めのない株主総会とすることができる旨を定款に定めた場合には、当該上場会社の取締役が株主総会を招集するに際して、開催「場所」の定めのない株主総会とすることができる（改正産競法66条1項・2項）。この場合において、株主総会議事録には、「場所」および上記の「株主総会が開催された場所にいない取締役、監査役、会計監査人または株主が、株主総会に出席をした場合における当該出席の方法」の記載に代えて、ⅰ）株主総会を場所の定めのない株主総会とした旨、および、ⅱ）通信の方法（障害に関する対策方針およびインターネット使用に支障のある株主の利益確保に関する配慮方針に基づく対応の概要を含む）を記載することになる（産競法省令5条）。

③については、具体的には次の事項が該当する。

a　監査役、監査等委員である取締役または会計監査人によるこれらの者の選解任等および辞任についての意見（施行規則72条3項3号イ・ニ）。

b　辞任等をした監査役、監査等委員である取締役または会計監査人の理由等（同号ロ・ホ）。

c　監査等委員である取締役以外の取締役の選解任等に関する監査等委員会の意見（同号ハ）。

d　監査役または監査等委員が株主総会に提出する議案等につき、法令・定款違反または著しく不当な事項があると認める場合についての報告（同号ヌ・ヲ）。

e　監査役または監査等委員である取締役の報酬等についての意見（同号ヘ・ル）。

f　監査等委員である取締役以外の取締役の報酬等に関する監査等委員会の意見（同号ト）。

g　計算関係書類の法令・定款への適合性について会計監査人と監査役または監査等委員会もしくは監査等委員との意見が異なる場合における会計監査人の意見（同号ワ）。

h　会計監査人が出席を求められた場合における会計監査人の意見（同号カ）。

⑵　株主総会における決議および報告の省略

取締役または株主が株主総会の目的事項について提案をした場合において、当該提案につき議決権を有する株主の全員が書面または電磁的記録より同意の意思表示をしたときは、当該提案を可決する旨の株主総会の決議があったものとみなすこととなっており（319条1項）、株主総会の書面決議と称されている。この場合の株主総会議事録は、［図表1-2］に示される事項がその内容となる。

［図表 1-2］　株主総会の書面決議の場合の議事録の記載事項
（施行規則 72 条 4 項 1 号）

①　株主総会の決議があったものとみなされた事項の内容
②　上記①の事項の提案をした者の氏名または名称
③　株主総会の決議があったものとみなされた日
④　議事録の作成に係る職務を行った取締役の氏名

また、取締役が株主の全員に株主総会の報告事項を通知した場合において、当該事項を株主総会に報告することを要しないことにつき株主の全員が書面または電磁的記録により同意の意思表示をしたときは、当該事項の株主総会への報告があったものとみなすこととなっており（320 条）、株主総会の書面報告と称されている。この場合の株主総会議事録は、［図表1-3］に示される事項が内容となる。

［図表 1-3］　株主総会の書面報告の場合の議事録の記載事項
（施行規則 72 条 4 項 2 号）

①　株主総会への報告があったものとみなされた事項の内容
②　株主総会への報告があったものとみなされた日
③　議事録の作成に係る職務を行った取締役の氏名

2　作成義務者

株主総会議事録の作成は取締役が行い、その取締役の氏名が株主総会議事録の内容の１つとなる（施行規則 72 条 3 項 6 号）。この定めでは、取締役が議事録作成に係る職務を行うこととされており、業務執行とは区別されている。したがって、議事録は業務執行取締役（2 条 15 号イ括弧書）のみならず、それ以外の取締役でも作成が可能であると考えられる（相澤・論点解説 495 頁、それに対し、業務執行取締役とするのが適切とする見解として、逐条会社法⑷ 181 頁〔浜田道代〕）。ここで、業務執行取締役とは、代表取締役、代表取締役以外の業務を執行する取締役（いわゆる業務担当取締役）および業務を執行したその他の取締役とされている。

当該職務を行った取締役は、大きく区分して、代表取締役社長と総務担当（株式担当）取締役とがあり、その割合は、前者が68.0％、後者が23.8％となっている（2021年版株主総会白書154頁）。議事録作成は、現実には、取締役自らが行うわけではなく法務部門や総務部門などで作成している。これについては、当該職務を行う取締役が直接手を下して作成する必要はなく、他人に作成させた議事録につき、その内容の真実性を判断し確認したうえで、それを自分で作成したものとして取り扱えばよいとするのが通説である（稲葉・議事録作成の実務34頁）。

なお、少数株主の招集した株主総会であっても、取締役が作成義務者であることは変わりない（大隅＝今井＝小林176頁注120）。

3　作成時期

株主総会議事録の作成時期や期限については、明文の定めはない。しかしながら、商業登記の添付書類として株主総会議事録が必要となる場合、変更の登記は、登記事項に変更が生じたときから2週間以内にしなければならないことから（915条1項）、この期間内での作成が目安の1つとなろう（1週間以内を目安とする見解として、株主総会ハンドブック455頁）。商業登記が関連しない場合でも、上記期間を過ぎても作成がなされない事態は、合理的な理由がある場合を除き、避けるべきものと思われる。

株主総会議事録の作成を完了した時期としては、株主総会翌日が25.3％と最も多く、次いで、当日23.4％、3日目15.7％となっている（2021年版株主総会白書153頁）。株主総会の議事は、あらかじめ準備されたシナリオに基づき進められるので、事前に可能な範囲で株主総会議事録を作成しておき、株主から質問等がなされた場合は適宜補充する方法がとられる場合がある。株主および債権者による閲覧・謄写請求（318条4項・5項）への万全な備えという意味でも、そのような方法で早期に備置きをすることは有意義であろう。

なお、会社は株主総会の日から10年間、株主総会議事録を本店に備え置く必要があるが（318条2項・3項）、このうち、「株主総会の日から」とあるのは、備置期間の起算点を示しているだけであり、同日より備置きが必要であるという趣旨ではない。

4　記名押印

旧商法244条3項で求められていた出席取締役の署名または記名押印は、会社法関係法令では求められていない。これは、株主総会議事録に対する出席取締役の署名には、法的な意味がなく、偽造や真正性の問題が署名や記名押印を要求することによってどれだけ解消されるかについても程度問題にすぎないことから、特に法令上、署名または記名押印を義務づける必要性がないとの見解に基づく（相澤哲＝郡谷大輔「会社法施行規則の総論等」商事法務1759号15頁）。旧商法下では、出席取締役が記名押印をする旨を定款に定めるのが通例であったが、会社法施行後も引き続き定款に当該定めを有する会社は一定数ある。原本判別性の容易さもあり、出席取締役全員が押印を行う会社の割合は41.2%、議長のみが押印を行う会社の割合は28.7%となっている（2021年版株主総会白書154～155頁）。

5　電磁的記録による作成

株主総会議事録は、電磁的記録（26条2項括弧書）をもって作成することができる（施行規則72条2項）。電磁的記録とは、磁気ディスクその他これに準ずる方法により一定の情報を確実に記録しておくことができる物で調製するファイルに情報を記録したものとされ（同規則224条）、具体的な媒体としては、フロッピーディスク、USBメモリ、ICカード、CD-ROM、DVD-ROMなどが該当する（弥永・コンメ施規1217頁）。

6　様式および体裁

株主総会議事録の様式や体裁には、法令上特段の定めはない。しかしながら、登記申請につき書面をもって行う場合、申請書の記載は横書きが義務づけられていること（商業登記規則35条1項）やA4判を用いることが好ましいとされていること（法務局ホームページ）に併せ、最近のビジネス文書がA4判で作成されることが通例的であることを考慮すると、A4

判で横書きとするのが合理的であろう。

なお、株主総会議事録では、株主総会招集通知を合綴しそれを参照させる方法をとることが多い。

第3節　登記申請

登記すべき事項につき、株主総会または種類株主総会の決議を要するときは、登記申請書にその議事録を添付しなければならない（商業登記法46条2項）。また、株主総会決議の省略がなされた場合（前記第2節1⑵）は、申請書に、当該場合に該当することを証する書面を添付しなければならない（同法46条3項）。この書面は、［図表1-2］の記載事項を示した議事録が該当するのであり、会社の代表者が作成した証明書に実際に送付した書面の見本を合綴したものでは足りない（商業登記ハンドブック154頁）。

株主総会議事録が添付書類として必要となる場合は、たとえば、商号や目的事項などの登記事項に変更が生じる定款変更をした場合や取締役・監査役の選任を行った場合がある。後者の場合は、株主総会議事録に加え、被選任者が就任を承諾した旨を議事録に記載するときを除き、就任承諾書が必要となる（商業登記法54条1項）。また、これらに併せて、被選任者が再任であるときを除き、本人確認証明書の添付が求められる（商業登記規則61条5項）。

株主総会または種類株主総会の決議を要するときは、株主リストの添付も必要となる。この場合における株主リストには、対象となる株主の氏名または名称および住所、株式数、議決権数ならびに議決権数割合を記載しなければならない（商業登記規則61条3項）。対象となる株主は、議決権割合の上位10名（または議決権割合の上位3分の2に達するまでの人数のいずれか少ない人数）であり、株主総会に出席した株主に限られない。

また、株主総会決議の省略がなされた場合（前記第2節1⑵）も、一定の事項を証する株主リストの添付が必要である。この場合における株主リストには、株主全員の氏名または名称および住所、株式数ならびに議決権数を記載しなければならない（同条2項）。

なお、株主リストの書式例等については法務省ホームページ（https://www.moj.go.jp/MINJI/minji06_00095.html）参照。

第４節　備置きと閲覧・謄写請求

1　備置き

会社は、株主総会議事録を、株主総会の日から10年間本店に備え置かなければならない（318条２項）。また、支店においては、その写しを同日から５年間、備え置かなければならない（同条３項）。ただし、電磁的記録をもって作成されている場合で、会社の使用に係る電子計算機を電気通信回線で接続した電子情報処理組織を使用する方法であって、当該電子計算機に備えられたファイルに記録された情報の内容を、電気通信回線を通じて支店において使用される電子計算機に備えられたファイルに当該情報を記録する措置をとっているときは、支店における写しの備置きが免除される（同条３項但書、施行規則227条）。これは、物理的に電磁的記録が記録されている媒体が支店と異なる場所に所在していても、当該記録が支店において使用するパソコン等にダウンロードできる状態であることを要求するものとされる（弥永・コンメ施規1224頁）。

ここで、支店とは、会社が使用する名称および支店の登記の有無にかかわらず、本店からある程度独立して営業活動の決定をし、対外的な取引をし得る体制を備えているものをいう（実務相談⑴491頁）。

前記第２節１⑵のとおり、株主総会の決議および報告を省略した場合であっても、議事録の作成が必要であり、本店での備置きが求められるが、株主総会決議の省略の場合は、それに加え、株主が同意の意思表示をした書面または電磁的記録を、株主総会の決議があったものとみなされた日から10年間、本店に備え置かなければならない（319条２項）。

前記の支店における写しの備置きが免除される場合にかかわらず、保存スペースの省略等の観点から、書面での保存に代えて当該書面に係る電磁的記録での保存ができる旨の定めがある（電子文書法３条１項、施行規則

232条10号～12号)。これに基づくと、株主総会議事録（支店における写しおよび前段の同意書面を含む）の備置きは、スキャナ等で読み取った電磁的記録をフロッピーディスク、USBメモリ、ICカード、CD-ROM、DVD-ROMなどに保存することで足りる（施行規則233条)。

株主総会議事録を備え置かなかった場合は、100万円以下の過料に処せられる（976条8号)。

2　閲覧・謄写請求

株主および債権者は、会社の営業時間内は、いつでも株主総会議事録（株主が同意の意思表示をした書面または電磁的記録（前記1）を含む。以下、この項において同じ）の閲覧または謄写の請求をすることができる（318条4項、319条3項)。また、会社の親会社の株主（親会社社員（31条3項括弧書))は、その権利を行使するために必要があるときは、裁判所の許可を得て、株主総会議事録の閲覧・謄写の請求をすることができる（318条5項、319条4項)。ここで、株主総会議事録が書面で作成されているときは、当該書面または支店における当該書面の写しが請求の対象となり、電磁的記録で作成されているときは、当該電磁的記録に記録された情報の内容を法務省令で定める方法により表示したものが請求の対象となる。法務省令で定める方法とは、電磁的記録に記録された事項を紙面または映像面に表示する方法とされ（施行規則226条17号・18号)、具体的には、紙面に表示する方法としては紙に印刷すること、映像面に表示する方法としてはパソコンの画面に表示することが考えられる。

上記の請求については、株主名簿や会計帳簿のような拒絶理由（125条3項、433条2項）は定められていない。もっとも、権利の濫用に該当するなどの場合は、閲覧・謄写を拒むことができるものとされるので（逐条会社法(4) 182頁〔浜田道代〕)、上記の株主名簿等における拒絶事由を参考にして、拒絶の可否を判断することとなろう。正当な理由がないのに、閲覧・謄写の請求を拒んだときは、100万円以下の過料に処せられる（976条4号)。

株主総会議事録にかかわらず、法定備置書類の閲覧・謄写等の請求がなされた場合に備えて、その取扱いを全般的に定めた「法定書類閲覧謄写等取扱要領」を設けておくことが考えられ、その例は［図表1-4］のとおりである。

なお、閲覧・謄写の請求に対し、請求者間において不平等が生じないよう統一的な取扱いに留意しつつ、会社判断で謄抄本を交付する場合がある。この場合を含め、閲覧・謄写等の請求への対応に際し、その事務負担および発生費用等を勘案し、手数料を申し受けることもあり得る。

［図表1-4］　法定書類閲覧謄写等取扱要領例

法定書類閲覧謄写等取扱要領

第1条（目的）　当会社の会社法に定める法定備置書類の閲覧もしくは謄写または謄抄本の交付請求は、この要領の定めるところによる。

第2条（手続）　法定備置書類の閲覧もしくは謄写を行い、または謄抄本の交付を受けようとする者は、当会社所定の「法定書類　閲覧・謄写・謄抄本交付　請求書」（以下「請求書」という）に必要事項を記入して署名または記名押印のうえ、請求しなければならない。

2　前項の請求を行う者が株主であるときは、請求書に個別株主通知の受付票（注1）を添付し、かつ、株主本人であることを証明する書類を添付または提供しなければならない。なお、当該請求は当会社に個別株主通知が到達した日から4週間以内になされたものでない場合には、当会社は当該請求を拒否することができる。

3　第1項の請求を行う者が債権者であるときは、請求書に債権者であることを証明する書類を添付し、かつ、債権者本人であることを証明する書類を添付または提供しなければならない。

第3条（手数料）　謄写または謄抄本の交付については、以下に掲げる費用または実費および消費税を申し受けることができる。

①　謄写　　1枚　○○円　　謄本・抄本　1枚　○○円

②　郵送料　実費

③　消費税　請求ごとに計算し、円未満の端数は切り捨てるものとす

る。

第4条（閲覧等請求書類）　当会社の株主または債権者の閲覧等請求権者は、会社法に定める期間内に限り、営業時間内はいつでも、所定の手続を経て以下に掲げる書類（債権者については③の書類を除く）の閲覧または謄写の請求をすることができる。ただし、当該請求の目的が会社法に定める拒否事由に該当する場合その他閲覧等請求権の濫用等に該当する場合は、当会社は当該請求に応じることを拒否することができる。

① 株主総会議事録

② 株主名簿

③ 株主総会委任状または議決権行使書面

2　当会社の株主または債権者は、裁判所の許可を得て、以下に掲げる議事録の閲覧または謄写を請求することができる。

① 取締役会議事録

② 監査役会議事録

第5条（計算書類等の閲覧等）　当会社の株主または債権者は、会社法の定めに従い、営業時間内はいつでも、以下に掲げる書類の閲覧を請求し、または第3条に定める手数料を支払って謄抄本の交付を請求することができる。なお、株主から以下に掲げる書類について閲覧または謄抄本の交付請求があった場合には、第2条第2項の定めにかかわらず、個別株主通知の受付票の添付を要しないこととすることができる（注2）（注3）。

① 事業報告

② 同附属明細書

③ 計算書類（貸借対照表、損益計算書、株主資本等変動計算書、個別注記表）

④ 同附属明細書

⑤ 監査報告書（会計監査人・監査役会・監査役）

⑥ 定款

⑦ 株式取扱規則

第6条（役員退職慰労金規程の閲覧）　取締役または監査役の退職慰労金に関する株主総会の議案が一定の基準に従い退職慰労金の額を決定することを取締役会または監査役その他の第三者に一任するものであるときは、

当該株主総会において議決権を有する株主は、役員退職慰労金規程の閲覧を請求することができる。なお、この場合は、第2条第2項の定めにかかわらず、個別株主通知の受付票の添付を要しないものとする（注4）（注5）。

2　当会社が前項の請求に応じる期間は、取締役または監査役の退職慰労金に関する議案が株主総会に付議される場合において、株主総会招集通知の発送の時から当該株主総会の終結の時までとする。

第7条（本要領規定以外の事項）　この要領に定めのない事項については、会社法その他の法令の定めるところによる。

（注1）　株式取扱規則（規程）等において、少数株主権等の行使に当たって受付票の添付を要求していない発行会社では、「請求書に個別株主通知の受付票を添付し、かつ、」の箇所は不要である。

（注2）　事業報告、計算書類および定款等については、証券取引所のウェブサイトやEDINETで閲覧することができ、かつ、インターネット上の自社ウェブサイトに掲載されている発行会社も多いことから、個別株主通知を要しないとすることができる。

（注3）　株式取扱規則（規程）等において、少数株主権等の行使に当たって受付票の添付を要求していない発行会社では、なお書き中「の受付票の添付」の箇所は不要である。

（注4）　既に役員退職慰労金制度を廃止し、かつ、株主総会で役員退職慰労金の打切り支給を決議された発行会社および当初から役員退職慰労金制度のない発行会社では、本条は不要である。

（注5）　役員退職慰労金規程は株主総会参考書類への記載が求められているが、株主が当該規程の内容を知ることができる適切な措置を講じていれば、株主総会参考書類への記載を省略することが認められている（施行規則82条2項・84条2項等）。すなわち、役員退職慰労金規程の閲覧は、個別株主通知の要否の問題ではなく、株主総会参考書類への記載を省略することができるかどうかの問題であるため（中村直人「本年の株主総会の振り返りと今後の課題（講演録）」東京株式懇話会会報第685号26頁）、発行会社は、株主名簿の記録に基づき閲覧請求者が議決権を有する株主であるかどうかを確認したうえで、閲覧請求に応じればよいと考えられる。

株主等から閲覧・謄写の請求があったときのポイントは、次のとおりである。

a　閲覧・謄写・謄抄本交付請求書への記載要請

会社法では、株主等が閲覧・謄写の請求をする際に、書面により請求することまでは求めていない。しかしながら、請求の目的を明らかにさせるため、閲覧・謄写・謄抄本交付請求書への記載を求めることが実務であり、その根拠として、株式取扱規則（規程）に少数株主権等（社債株式振替147条4項、閲覧・謄写請求権は少数株主権等の一種である）の行使をするときは、書面により行うものとする旨が記載されるのが一般的である（この取扱いを肯定する見解として、相澤・論点解説127頁）。

［図表1-5］　法定書類の閲覧・謄写・謄抄本交付請求書例

法定書類　閲覧・謄写・謄抄本交付　請求書

年　月　日

○○○○株式会社 御中

私は、以下の請求書類の閲覧または謄写もしくは謄抄本の交付（謄抄本の交付請求は定款、株式取扱規則および計算書類等に限られます。）を請求いたします。

<table>
<tr><td>請求者</td><td colspan="2">（氏名）　　　　㊞（届出印または実印）
（住所）　　　　電話</td></tr>
<tr><td>資格
（○印で表示）</td><td>株主</td><td>債権者</td></tr>
<tr><td>参考事項</td><td>（ご所有株式数）
株</td><td>債権種類
債権額</td></tr>
<tr><td>請求書類</td><td colspan="2"></td></tr>
</table>

請求目的 または理由	
請求日時	年　月　日　午前/午後　時から　午前/午後　時まで
ご注意：本請求により取得した「個人情報」を請求の目的または理由以外には使用しないでください。	
(社用欄) 1．特別口座株主は届出印、一般口座株主および債権者は原則実印を押印し印鑑登録証明書を添付 2．代理人による場合は代理権を証明する書面および代理人の本人確認資料を添付 3．手数料（実費）　円	

b　本人確認

株主総会議事録の閲覧・謄写請求がなされた場合、当該請求者が本人であるか否かの確認が必要である。2009年1月の株券電子化の際に、株主本人の確認手段であった株主届出印が廃止された（前記 a の請求書例における届出印は、特別口座管理機関に対する届出印である）。これに伴い、閲覧・謄写・謄抄本交付請求書に通例的に求められる記名・押印時に使用される印鑑の種類が問題となる。当該印鑑については、本人確認の厳格性という観点からは、実印の押印に加え、その確認書類として印鑑登録証明書の添付を求めることも考えられる。しかしながら、閲覧・謄写請求の場合はともかく、たとえば、株主提案権の行使は株主共同での提案がなされる場合があり、これらの株主全員に印鑑登録証明書の提出を求めることは、株主の権利行使を制限する懸念が少なからずある。また、使用される印鑑は、少数株主権等の種類に応じて、実印であるか否かなどの指定することは可能とは考えられるが、円滑な実務遂行の観点からは、統一的な取扱いが望まれるところである。会社としては、以上を勘案のうえ、使用される印鑑を決定しておく必要があろう。

本人確認を行う際には、印鑑登録証明書のほかに、たとえば、運転免許証、各種健康保険証などの写しの提出を求めることが考えられる（本人確認資料を列記するものとして、株主本人確認指針・全株懇モデルⅠ 353頁）。

本人確認資料が提出された場合、当該資料に記載されている氏名または名称および住所が、閲覧・謄写・謄抄本交付請求書および個別株主通知に示されているものと一致するか否かの確認を行う。

c　個別株主通知の確認

株式を取得した者の会社への対抗要件は、株主名簿への記載または記録により備わるところ（130条）、振替株式発行会社への少数株主権等の行使においては当該規定の適用が排除され、個別株主通知により対抗要件を具備することになる（社債株式振替154条1項・2項）。これは、振替株式発行会社の株主名簿が、株式の移転の都度、その情報が反映されるものではないことに起因する。また、少数株主権等の行使は個別株主通知後、4週間以内になされるものとされている（同条2項、社債株式振替施行令40条）。

上記により、株主総会議事録の閲覧・謄写請求がなされた際には、個別株主通知が事前になされており、当該請求が法定期間内（前段の4週間以内）になされているかを確認することになる。

ちなみに、個別株主通知により、株主の氏名または名称および住所ならびに株式数およびその増加・減少の数とその記録日などが通知される（社債株式振替154条3項）。

第２章
記載内容と記載例

第１節　日時および場所

株主総会が開催された日時および場所は株主総会議事録の法定記載事項である（施行規則72条3項1号）。

内容としては招集通知に記載されたとおりに記載することでよいが、形式としては箇条書きで記載する場合と文章形式で記載する場合がある。

［記載例１-１］　箇条書きで記載する場合

1　開催日時　○○年○月○日（○曜日）午前○時
2　開催場所　東京都○○区○○町○丁目○番○号　当社本店○階会議室

［記載例１-２］　文章形式で記載する場合

○○年○月○日（○曜日）午前○時から、東京都○○区○○町○丁目○番○号当社本店○階会議室において、当社第○回定時株主総会を開催した。

［記載例１-３］　テレビ会議システムで参加した株主がある場合

1　開催日時　○○年○月○日（○曜日）午前○時
2　開催場所　東京都○○区○○町○丁目○番○号　当社本店○階会議室
なお、○○県○○市○○町○丁目○番○号当社○○支店会議室における株主も、テレビ会議システムにより本総会に出席し、当該出席者の発言が即時に株主総会会場の出席者に伝わり、一堂に会するのと同等の意見表明が、互いにできる状態であることが確認された。

当該場所に存しない取締役（監査等委員会設置会社にあっては、監査等委員である取締役またはそれ以外の取締役)、執行役、会計参与、監査役、会計監査人または株主が株主総会に出席した場合、当該出席の方法を記載する必要がある(施行規則72条3項1号括弧書)。

総会場に存しない者が出席する方法としては、取締役会においてみられるようなテレビ会議システムを利用したものがまず挙げられるが(旧商法下においてテレビ会議を利用した取締役会につき、川見裕之「〔実務相談室〕テレビ会議システムによる取締役会の議事録」商事法務1458号41頁、会社法における解説として相澤・論点解説472頁、商業登記ハンドブック147～148頁参照)、上記事例はそれに当たるものである。

第2節　議決権数の記載

株主総会において行使された議決権の数は、株主総会議事録の法定記載事項ではないが、定足数(議案を審議するために必要な行使議決権数)を充たしていることを示す観点から、一般的に株主総会において報告されており、また株主総会議事録にも記載されている。なお、定足数は、剰余金配当議案等の普通決議においては定款の定めにより排除されているのが通例であるので(309条1項)、取締役・監査役の選任議案や(341条)、定款変更議案および合併等の組織再編議案等の特別決議(309条2項)において存在することになるが、定足数を要しない普通決議のみの場合も報告され、議事録に記載されている。

また、特殊決議(309条3項・4項)を除いて、出席株主数は定足数の要件となっていないが、出席株主数も把握されており、同じく株主総会に報告したうえで議事録に記載されるのが通例である。

なお、記載する株主数および議決権数については、株主総会において報告した数を用いる場合と、株主総会終結の時までに集計された最終の数を用いる場合があるが、定足数を充たしていることが確認できればいずれでも差し支えないと考えられる。株主総会の議決権行使結果に係る臨時報告書上は最終の数をもとに賛成率を記載するであろうから、株主総会議事録において、株主総会において報告した数を重視するのか、臨時報告書との平仄を重視するのかによるものともいえる。

[記載例 1-4]　出席株主数および議決権数の記載例

3	出席株主数および議決権数	
	議決権を行使することができる株主の数	○,○○○名
	その議決権数	○○○,○○○個
	本日出席の株主数（議決権行使書によるものを含む）	○,○○○名
	その議決権数	○○○,○○○個

[記載例 1-5]　内訳まで記載する場合

3	議決権を行使することができる株主の状況		
		○,○○○名	○○○,○○○個
4	出席株主の状況		
	本人出席株主	○,○○○名	○○○,○○○個
	委任状提出株主	○○名	○,○○○個
	議決権行使書提出株主	○,○○○名	○○○,○○○個
	合　　計	○,○○○名	○○○,○○○個

[記載例 1-6]　内訳まで記載する場合（電子投票制度を採用した場合）

3	議決権を行使することができる株主の状況		
		○,○○○名	○○○,○○○個
4	出席株主の状況		
	本人出席株主	○,○○○名	○○○,○○○個
	委任状提出株主	○○名	○,○○○個
	議決権行使書提出株主	○,○○○名	○○○,○○○個
	インターネットによる議決権行使株主	○○名	○○○,○○○個
	合　　計	○,○○○名	○○○,○○○個

定足数を充足していることを示すことを目的としているため、株主総会において議決権行使方法の内訳まで報告する例は少ないが（2021 年版株主

総会白書118～119頁によると区別せず議決権個数合計のみを報告が89.2%)、株主総会議事録上は内訳まで記載する例がみられる。

なお、前記記載例のうち、「インターネットによる議決権行使」とは、「電磁的方法による議決権の行使」(312条1項)を意味し、そのように記載する場合もある。また、機関投資家向けの議決権電子行使プラットフォームを採用している場合、当該議決権行使は電磁的方法ではあるが、インターネットを利用したものではないため、招集通知上の記載に合わせ、「インターネット等による議決権行使」と記載することも考えられる(「電磁的方法による議決権行使」と記載する場合はかかる区別は存在しない)。

第3節　役員の出席状況

株主総会に出席した取締役(監査等委員会設置会社にあっては、監査等委員である取締役またはそれ以外の取締役)、執行役、会計参与、監査役または会計監査人の氏名または名称は、株主総会議事録の法定記載事項である(施行規則72条3項4号、1号)。

[記載例1-7]　出席した取締役または監査役の記載例

4　出席した取締役および監査役

出席取締役　○○○○、○○○○、○○○○、……および○○○○の○名

出席監査役　○○○○、○○○○、○○○○、……および○○○○の○名

取締役、会計参与、監査役および執行役は、株主総会における説明義務が課せられており(314条)、説明をするためには、総会に出席していることを要することから、この規定は、取締役等の総会出席義務を間接的に定めたものと解されている(株主総会ガイドライン67頁)。

もっとも、監査役会設置会社の場合、執行役は存在せず、また、会計参与を設置することもまれであるため、役員の出席状況の記載としては、取

締役および監査役となることが一般的である。

他方、会計監査人は、大会社、監査等委員会設置会社、指名委員会等設置会社および上場会社において設置義務があるものの（328条、327条5項、上場規程437条）、株主総会における説明義務、出席義務は有していないが、定時株主総会において、出席を求める決議があったときは、会計監査人は、定時株主総会に出席して意見を述べなければならない（398条2項。会計監査人が意見陳述権（同条1項）を行使しない場合に株主総会の決議によって意見陳述を要請するものとされている（逐条会社法⑸184～185頁〔川島いづみ〕））。しかしながら、通常かかる決議がなされることはなく、会計監査人が出席することはまれである。ただし、株主総会に出席しないものの（したがって議事録に出席した旨記載されることはないが）、別室に待機する例は相応にみられる（2021年版株主総会白書139～140頁によると別室待機は24.4％）。

なお、コロナ禍における感染予防対策として、出席役員を限定する取扱いや、ウェブ会議システムなどで会場と会場外の役員が現在する場所を繋ぎオンライン参加する方法もみられる。

［記載例1-8］　正当な理由により欠席した者がある場合

4　出席した取締役および監査役

出席取締役	○○○○、○○○○、○○○○、……および○○○○の○名 なお、取締役○○○○は病気療養中のため欠席した。
出席監査役	○○○○、○○○○、○○○○、……および○○○○の○名

前記のとおり、取締役、会計参与、監査役および執行役には、株主総会における説明義務が課せられているが、確保されるべきはあくまでも株主の質問に対する説明であるので、他の出席取締役等により説明義務を尽くしうるのであれば、必ずしも全員が出席している必要はないとされている（株主総会ガイドライン67～68頁）。

しかしながら、これらの者に善管注意義務があることからすると（330条、402条3項、民法644条）、欠席するには正当な理由が求められるところであり、その旨議事録に記載することが考えられる。

なお、正当な理由の例としては、①遠隔地駐在、出張もしくは重要な商談などの業務従事中または病気、②（当該他社の業務従事中である場合の）他社取締役の兼務があるとされている（株主総会ガイドライン67～68頁）。

第４節　株主総会の議長

株主総会の議長の氏名は、株主総会議事録の法定記載事項である（施行規則72条3項5号）。

株主総会の議長は、株主総会の決議により選任されることが原則であるが、定款の任意的記載事項（29条）としてあらかじめ定めておくことが可能とされている（相澤哲編著『新・会社法の解説（別冊商事法務295号）』（商事法務、2006）86頁）。

議長は議事整理権・秩序維持権を有するので（315条）、議事運営の円滑化のために定款上あらかじめ代表取締役社長等を議長として定めておくことが一般的である。

［記載例１-９］　株主総会の議長の記載例

5　株主総会の議長　代表取締役社長○○○○

第５節　議事の経過の要領およびその結果

１　議長の就任および開会宣言

株主総会の議事は、議長の開会宣言によって開始される。

なお、議長の開会宣言前に、不祥事が発生した場合のお詫びとその状況の説明などが行われる例がみられるが、株主総会前に行われるものであるため、議事録にその旨記載する必要はない。

[記載例 1-10]　予定の日時どおり議事が開始された場合

> 定刻、取締役社長○○○○は、定款第○条の定めに基づき議長席に着き開会を宣した。

株主総会の議事は招集通知に記載された日時どおり開催されるべきであり、その場合、開始時間は「定刻」と記載される。

[記載例 1-11]　事情により予定の日時どおり議事が開始されなかった場合

> 地震発生による交通機関の遅延のため、午前○時○分、取締役社長○○○○は、定款第○条の定めに基づき議長席に着き開会を宣した。

たとえば、電車の事故などで、予想される出席株主がきわめて少ないといったやむをえない事由があるときは、議長はその権限において開会の宣言をしないで常識的な程度（たとえば30分あるいは1時間程度。2時間以上遅延する場合は延期の決議（317条）が必要）、開会時間の繰り下げができる（株主総会ガイドライン4～5頁）。

この場合、具体的な開始時間が記載されることになるが、併せてその理由も記載することが望ましいとする指摘がある（稲葉・議事録作成の実務367頁）。

[記載例 1-12]　あらかじめ定めた次順位者が議長に就任する場合

> 定刻、取締役副社長○○○○は、取締役社長○○○○が病気のため欠席しているため、定款第○条の定めに基づき、取締役会においてあらかじめ定めた順序に従い議長に就任する旨述べた後、議長席に着き開会を宣した。

定款上、取締役社長に事故があるときは、取締役会においてあらかじめ定めた順序に従い、他の取締役が株主総会を招集し、議長となる旨定められていることが一般的であり、その場合、取締役会においてあらかじめ定めた順序に従い、次順位者が議長に就任する。この場合、第4節株主総会の議長の記載も、議長に就任した次順位者を記載することになる（前記事例でいえば、［記載例1-9］における議長の記載は取締役副社長○○○○になる）。

2　議事進行ルールの説明

議長は議事整理権・秩序維持権を有するので（315条）、議場内での株主の発言は議長の許可を得る必要がある。このことから、開会直後の発言は報告事項の報告が終了した後に発言を受け付ける旨をあらかじめ説明することが一般的である。この場合、報告事項の報告が終了する前になされた発言は取り上げる必要はなく、議長は議事整理権を行使して、発言を制止することも行われる。なお、議事録上は「議事の経過の要領及びその結果」（施行規則72条3項2号）にあたる部分であり、議事の経過は逐一詳細に（たとえば速記録の形で）記載する必要はなく、それらを要約したものでよいとされていることから（稲葉・議事録作成の実務12頁）、これを記載しないことも多い。

［記載例1-13］　発言を許可する時期を説明する場合
（事前質問状に対する一括回答を行わない場合）

議長は、株主の発言は報告事項の報告が終了した後に受け付ける旨述べた。

上記は、個別審議方式（議案を1つずつ上程・審議・採決する議案の審議方法）により株主総会を運営する場合であって、事前質問状に対する一括回答（後述の、株主からの事前質問状に対して、株主との個別の質疑応答前に一括して回答する対応）を行わない場合のものである。

［記載例1-14］　発言を許可する時期を説明する場合
（事前質問状に対する一括回答を行う場合）

議長は、株主の発言は報告事項の報告および事前質問に対する回答が終了

した後に受け付ける旨述べた。

3　出席株主数および議決権数の報告

第2節にて触れたとおり、株主総会における出席株主数および議決権数を報告し、取締役等の選任議案および特別決議である定款変更議案等の定足数を充たしている旨報告されるのが一般的である。

[記載例1-15]　議長が報告する場合

議長は、出席株主数および議決権数について報告し、本総会の各議案の決議に必要な定足数を充たしている旨を述べた。

具体的な出席株主数および議決権数は、報告した旨に続けて記載する例もあるが、議事録の前段に箇条書きで記載する例もある。

[記載例1-16]　定足数を必要とする議案がない場合

議長は、出席株主数および議決権数について報告した。

定足数を必要としない剰余金の配当議案等のみとなっている場合には、定足数を充たしている旨は述べないことになるので、出席株主数および議決権数を報告した旨のみ記載する。

[記載例1-17]　事務局が報告する場合

議長は、出席株主数および議決権数について事務局から報告させ、本総会の各議案の決議に必要な定足数を充たしている旨を述べた。

報告者については、議長が報告する場合（2021年版株主総会白書117頁によると30.4%）と事務局等の職員が報告する場合（同36.5%）となっており、後者が多くなっている。議長への数字の伝達等を回避することにより議事運営をスムーズにするためのものと考えられる。

また、報告の時期に関しては、総会開会直後がほとんどであるが（2021年版株主総会白書118頁によると92.0％）、一部に報告事項終了後に行う例がみられる（同5.6％）。なるべく採決時点に近い数字を報告することを意図したものと考えられる。

4 監査報告

取締役が株主総会に提出しようとする議案、書類、電磁的記録その他の資料を調査し、法令もしくは定款に違反しまたは著しく不当な事項があると認める場合の監査役の調査結果を監査役が報告する場合（384条、施行規則106条）、ならびに連結計算書類を作成する場合の監査役および会計監査人の監査の結果を取締役が報告する場合（444条7項）を除き、監査報告は義務づけられていない。

前者の総会提出議案等に係る法令・定款違反が認められるケースは通常みられず、また後者の連結計算書類の監査結果も取締役が報告するものであり、監査役が報告するものとされていないが、実務上は、定時株主総会において、監査役から監査報告が行われる場合がほとんどである（2021年版株主総会白書120頁によると監査報告を実施は67.8％）。

なお、報告の時期は、会計監査報告の内容が無限定適正意見である等の承認特則規定を充たす場合、計算書類が決議事項でなく報告事項になることから（439条、計算規則135条）、そのことを示す意味でも報告事項の報告の前に行われる場合がほとんどである（2021年版株主総会白書120頁によると63.9％）。

［記載例1-18］ 監査報告の記載例

> 議長が連結計算書類の監査結果を含め監査役に監査報告を求めたところ、常勤監査役○○○○から、当事業年度の監査結果は別添の「第○期定時株主総会招集ご通知」○頁の監査役会の監査報告書謄本に記載のとおりである旨の報告がなされた。また、連結計算書類の監査結果について、同じく○頁から○頁の会計監査人および監査役会の監査報告書謄本に記載のとおりである旨の報告がなされた。

株主総会において報告される監査報告の内容は、具体的に記載することも考えられるが、招集通知に添付された監査報告書謄本のとおりとなるのが通例であり、監査報告書を含めた招集通知全体は株主総会議事録に参考資料として綴じ込まれることが一般的であるため、議事録の記載上は監査報告書謄本記載のとおりとすることでよいことになる。

なお、連結計算書類の監査結果は、法文上は取締役が報告するとされているが（444条7項）、監査役の監査結果については、監査役に委ねることも可能とされており、また、少なくとも監査役会の監査結果の報告は、監査主体である監査役会が主体的に行うべきとされていることから（日本監査役協会・会計委員会「連結計算書類の監査役監査要綱」月刊監査役479号42頁）、会計監査人の監査結果も含めて監査役が行うことが一般的である。

なお、招集通知に添付される監査報告書謄本は、電磁的に提供される場合も考慮して、法文上は「監査報告」とされており（施行規則133条、計算規則133条、134条）、招集通知添付書類・株主総会議事録ともにそのように記載することも考えられるが、従来からの実務を踏襲して「監査報告書」と記載することも少なくない（日本監査役協会「監査報告のひな型について」月刊監査役583号103頁参照）。

また、監査報告は、監査役会設置会社の場合、各監査役が監査報告を作成した後、これらをとりまとめて監査役会の監査報告が作成され（施行規則130条1項、計算規則128条1項）、当該監査役会の監査報告のみが招集通知に添付されるので（施行規則133条1項2号ロ、計算規則133条1項3号ホ）、株主総会の報告および議事録上も監査役会の監査報告書謄本の内容のみを対象とするのが通例である（仮に異なる内容の監査役監査報告がある場合、監査役は、当該内容を監査役会監査報告に付記することができる。施行規則130条2項、計算規則128条2項）。

[記載例1-19]　監査報告を具体的に記載する場合の記載例

> 議長が連結計算書類の監査結果を含め監査役に監査報告を求めた。
> 常勤監査役○○○○は、別添の「第○期定時株主総会招集ご通知」○頁の

監査役会の監査報告書謄本に記載のとおり、当該事業年度の事業報告およびその附属明細書は法令および定款に従い、会社の状況を正しく示しているものと認めること、取締役の職務の執行に関する不正の行為または法令もしくは定款に違反する重大な事実は認められないこと、内部統制システムに関する取締役会決議の内容は相当であり、当該内部統制システムに関する事業報告の記載内容および取締役の職務の執行についても、指摘すべき事項は認められないこと、計算書類およびその附属明細書の監査結果について、会計監査人○○○○の監査の方法および結果は相当であると認められることを報告するとともに、連結計算書類の監査結果についても、同じく○頁の会計監査人の監査報告書謄本に記載のとおり、会計監査人からは、我が国において一般に公正妥当と認められる企業会計の基準に準拠して、会社および連結子会社からなる企業集団の財産および損益の状況をすべての重要な点において適正に表示しているものと認められるとの報告を受けており、会計監査人の監査の方法および結果は相当であると認められることを報告した。

具体的な監査報告の内容を記載する場合の例である。この場合、実際に株主総会に提出された監査報告書の内容（施行規則129条1項、130条2項、計算規則126条、127条、128条2項）に即して記述する必要がある。したがって、たとえば、監査報告書の法定記載事項のうち、①事業報告に記載されている会社の財務および事業の方針の決定を支配する者の在り方に関する基本方針もしくは②事業報告またはその附属明細書に記載されている親会社等との間の取引についての取締役会の判断およびその理由等についての意見（施行規則129条1項6号、118条3号5号、128条3項）は、事業報告（またはその附属明細書）に①②の記載がなければ監査報告書に当該意見は記載されないため、上記例ではこれらに触れていないが、①②の記載があればその意見（通常は指摘すべき事項は認められないこと等）が監査報告書に記載されるので、上記例のように具体的に記載する株主総会議事録の場合には、これらも反映することになる。

なお、コロナ禍における感染防止対策として、従前より短時間での株主総会を企図するならば、監査報告の概要の報告、または、招集通知の該当箇所の指摘にとどめるという方法も考えられる。

5　報告事項の報告

[記載例1-20]　報告事項の報告の記載例

> 続いて、議長から、事業報告、連結計算書類および計算書類の内容について別添の「第○期定時株主総会招集ご通知」○頁から○頁に基づき報告がなされた。

前項で触れたとおり、承認特則規定（計算規則135条）を充たす会社においては、計算書類が決議事項でなく報告事項になることから、取締役は、株主総会において、計算書類、事業報告および連結計算書類の内容を報告しなければならないので（438条3項、439条、444条7項）、その旨も当然に議事録に記載される。

報告事項の内容は大部に渡るため、実際の株主総会の場においても招集通知の記載を参照することでその一部を省略することが通例であるところ、株主総会議事録において求められるのは、「議事の経過の要領及びその結果」であり（施行規則72条3項2号）、前述のとおり、議事の経過は逐一詳細に（たとえば速記録の形で）記載する必要はなく、それらを要約したものでよいとされていることから（稲葉・議事録作成の実務12頁）、議事録上はその内容のすべてを招集通知の記載に委ねる形でよいことになる。

[記載例1-21]　映像等を用いて報告している場合

> 続いて、議長から、事業報告、連結計算書類および計算書類の内容について別添の「第○期定時株主総会招集ご通知」○頁から○頁に基づき、映像も用いて報告がなされた。

一般株主の出席が浸透したことにより、株主総会における報告・説明に際して、招集通知のみならず、映像（およびナレーション）をも用いる、いわゆる株主総会のビジュアル化が広く行われている（2021年版株主総会白書63～65頁によると85.7%）。

ビジュアル化の対象は、報告事項の内容とする会社が多い（2021年版株主総会白書64～65頁によると、事業報告の内容93.6%、計算書類の内容52.1%、連結計算書類の内容68.8%、議案の内容59.6%）。

［記載例1-22］ インターネット開示（ウェブ開示）を行っている場合

> 続いて、議長から、事業報告、連結計算書類および計算書類の内容について別添の「第○期定時株主総会招集ご通知」○頁から○頁に基づき、映像も用いて報告がなされた。なお、これらの内容のうち、連結注記表および個別注記表については、本日配布した別添の「法令および定款に基づくインターネット開示事項」に基づき報告がなされた。

定款の定めに基づき、株主総会参考書類および事業報告の一部事項、ならびに個別注記表および連結計算書類については、インターネットに掲載することにより、株主に提供する招集通知への添付を省略することができ（施行規則94条、133条3項～5項、計算規則133条4項～6項、134条4項～6項（2022年9月施行後は5項～7項））、インターネット開示（ウェブ開示）と称されている。東日本大震災を契機とする省資源化への対応等を契機としてこれを行う会社が目立つようになり、現在では上場会社の過半が実施するまでになっている（2021年版株主総会白書74頁によると80.6%）。

上記はインターネット開示（ウェブ開示）を行った事項を記載した書類を当日配布した場合の記載例である（このほか、映像に表示する方法のほか、総会では特段の対応をしないケースもみられる）。

コロナ禍における感染防止対策として、株主総会の所要時間を短縮する会社が増加したこともあり、「事業報告、計算書類および連結計算書類はお手許の書類（招集ご通知）○頁から○頁に記載のとおりです。なお、連結注記表、個別注記表は当社ウェブサイトに提供しております。」などと総会で述べるにとどまるケースも増加した。

インターネット開示（ウェブ開示）の対象としては、実際の株主総会の場において、説明を省略しているものの中から選択されている。当初は、個別注記表・連結注記表のみを対象とする会社がほとんどであったが、招集通知のビジュアル化や任意の情報拡充等によってページ増への対応策として、近年、株主資本等変動計算書・連結株主資本等変動計算書や、事業報告中の業務の適正を確保するための体制・新株予約権等に関する事項を対象とする会社が急増している（2021年版株主総会白書74～76頁によると個別注記表97.3%、連結注記表93.0%、株主資本等変動計算書55.0%、連結株主資本等変動計算書52.2%）。

なお、令和元年会社法改正で、株主総会資料の電子提供制度が導入された。本制度は、令和4年9月1日に施行される予定であるが、これにより、上場会社は、株主総会の日の3週間前の日までに、狭義の招集通知と議決権行使書面を除く株主総会資料（株主総会参考書類、事業報告、計算書類など）につき、ウェブサイトに掲載する等の電磁的方法により、株主が情報の提供を受けることができる状態に置く電子提供措置を実施する必要がある（325条の2～325条の7）。

電子提供措置制度においては、上場会社は、電子提供措置をとる旨の定款の定めを設ける必要があるところ、本制度施行日における上場会社については、同施行日を当該定款変更の効力発生日とする電子提供措置をとる旨の定款の定めを設ける定款変更決議をしたものとみなされる（325条の2、整備法10条2項）。

そして、電子提供制度の下においては、書面交付請求をした株主に交付する電子提供措置事項記載書面の記載事項につき一部記載を要しない旨を定款に定めることができるとされているが（325条の5第3項）、同定款変更については、前記電子提供措置をとる旨の定款変更と異なり、みなし規定が存しない。したがって、実務的には、施行日より前に、電子提供措置事項記載書面に記載すべき電子提供措置事項の一部除外するための定款の定めの創設とともに、みなし規定のある電子提供措置をとる旨の定款変更についても、あわせて株主総会の決議をしておくことが考えられる。さらに、その際には、事実上不要となるウェブ開示にかかる定款規定を削除することが考えられる。

6　事前質問状に対する一括回答

株主総会において、株主が説明を求めた事項について説明するために調査を要する場合、取締役等は説明を拒否することができるが、相当の期間前に会社に対して通知した場合は拒否することができないとされている（314条、施行規則71条1号イ）。当該通知を実務上、事前質問状と称している。

［記載例1-23］　事前質問状に対する一括回答

次に、議長の指名により、○○に関し株主からあらかじめ提出されている質問状について、専務取締役○○○○から、……と説明した。

事前質問状はあくまで質問の予告であって、株主総会における質問に代わるものではないため、当該質問状を提出した株主があらためて総会に出席して質問することが必要であるとされているが、株主との個別の質疑応答前に、一括して回答する対応をとられることがある（株主総会ガイドライン104～110頁）。

質問状を提出した株主から長時間に渡る説明を受けることなく説明することになり、株主総会の円滑な議事運営を図るうえで有用であることから、一括回答が行われることの方が多いようである（2021年版株主総会白書144～145頁によると、事前質問を募集していない場合で事前質問状があった会社の43.2%が一括回答）。

7　報告事項に関する質疑応答

報告事項に関する質疑応答の内容は、「議事の経過の要領およびその結果」（施行規則72条3項2号）として株主総会議事録に記載する必要がある。

［記載例1-24］　報告事項に関する質疑応答の記載例

次いで、議長は報告事項について出席株主に質問を求めたところ、株主○

○○○氏から……の件について質問があり、議長から、……の回答がなされた。

前述のとおり、議事の経過は逐一詳細に（たとえば速記録の形で）記載する必要はなく、それらを要約したものでよいとされているものの、総会の意思決定の過程を明らかにするためには、一般的にどのような報告や説明がされたか、これに関し、どういう質問が行われ、これに対してどのような説明がされ、どういう意見が出たかを逐語的でないにしろ他人が理解できるように記載する必要はあるとの指摘がある（稲葉・議事録作成の実務12〜13頁）。

しかしながら、一般株主が多数出席し、多数の質問が行われるようになるとすべての質問を網羅することは難しくなる。この点、近年の一般株主の質問が、招集通知に記載されている株主総会の目的事項（報告事項および決議事項）に関しないものが多くなっており、そのような質問には取締役等の説明義務がないことを鑑みると（314条）、株主総会の目的事項に関せずかつ重要でないと考えられる質問については相応の記載省略もやむをえないと思われる（2021年版株主総会白書155〜156頁によると、質問者と質問、回答（要旨を含む）を記載が17.9%、質問と回答（要旨を含む）を記載が15.4%、質問事項のみを記載が14.4%、質問があったが記載せずが5.3%）。

また、質問者である株主の氏名については、一般株主が多数出席する上場会社の総会の場合、質問者の氏名が議事の内容上重要であることはほとんどないとの整理から、質問者の氏名が省略されることもある。

[記載例1-25]　議長以外の者も回答に当たる場合

次いで、議長は報告事項について出席株主に質問を求めたところ、株主○○○○氏から……の件および……の件について質問があり、……の件については議長から、……との回答がなされ、……の件については専務取締役○○○○から……との回答がなされた。

取締役等は、株主総会における説明義務が課せられている（314条）。

説明は一般に業務執行であり、取締役会で決定し、代表取締役がその執行（説明）を行うことになるが、質問のあるごとに取締役会を開くわけにはいかないので、代表取締役が説明の授権を包括的に受けたものとしてその履行をなすべきとされている（株主総会ガイドライン 114 頁）。もっとも、代表取締役は質問者に対して質問事項の説明を尽くすことが義務の内容であり、また、それをもって足りるので、株主の指名に拘束されず、自ら説明するか、または説明を尽くすに適当な取締役を自らの責任において指名して説明させることができるとされている（同 114 頁）。

事業内容が多岐に渡り、かつ株主から広範な質問がなされるような場合に、質問に対して適切な回答者が当たることや、議長である代表取締役の負担を軽減すること等の観点から、議長以外の取締役が当たる場合も少なくなく、場合によっては取締役でない執行役員等が回答する例もある（2021 年版株主総会白書 114 ～ 115 頁によると、主たる回答者を分担しなかったが 41.3%、分担したが 33.7%であり、同 138 頁によると取締役でない執行役員を議長側に出席が 37.0%）。

［記載例 1-26］　監査役が回答に当たる場合

> 次いで、議長は報告事項について出席株主に質問を求めたところ、株主○○○○氏から、当該事業年度の監査役の監査の方法について、……のとおり質問があり、常勤監査役○○○○から、……の回答がなされた。

監査役の監査に関する質問は、各監査役が別個の独立した機関であることから、各監査役が説明義務を負うことになる。実際には、事前に監査役の協議、あるいは監査役会の決議で定めた答弁に当たる監査役を、議長となる代表取締役に通知しておくことで、議長が当該監査役を指名し、協議された内容に基づいて当該監査役が回答を行う対応が取られることが一般的である（株主総会ガイドライン 122 頁）。

なお、監査には、①内部統制システム等を用いて取締役が行う内部監査、②監査役が行う監査および③会計監査人が行う会計監査があるので、それぞれ区別して対応することになる。この場合、①は取締役（もしくは執行役員等の説明補助者)、②は(事前に協議等で定められた)監査役、③は会計監査人が出席することは通常ないので、取締役(もしくは執行役員等の説明補助者)または(344条や計算規則127条2号・4号等の、監査役の監査・職務に関するものであれば)監査役が当たることになる。

8　決議事項の上程、審議および採決の結果

(1)　概要

決議事項、すなわち株主総会に提出された議案の上程、審議および採決の結果も、「議事の経過の要領及びその結果」(施行規則72条3項2号)として株主総会議事録に記載する必要がある。前述のとおり、議事の経過は要約でよく、それと議事の結果を記載すればよいが、総会の意思決定の過程を明らかにするために、報告や説明、質疑応答、意見の内容が他人が理解できる程度に記載され、そして、決議の効力の関係においても問題はない形で議事が進行されたことがはっきりとわかるようにする必要があるとされている(稲葉・議事録作成の実務12～13頁)。具体的には、決議事項に関していえば、議事の経過の要領とは、提出議案の内容・提出者、審議経過、議決方法、議決経過等の大綱を要約したものであり、議事の結果とは審議し最終的に確定した決議内容を意味する(新版注釈会社法(5)255～256頁〔関俊彦〕)。

このうち、提出議案の内容については、招集通知記載の議題の内容として株主総会参考書類に記載されるもの(施行規則73条1項1号)と当該議題に対して株主から提案されるもの(いわゆる修正動議。304条、309条5項)がある。

なお、株主総会参考書類に記載される議案は、取締役が提出するもの(いわゆる会社提案。施行規則74条～92条)と株主が提出するもの(いわゆる株主提案。305条、施行規則93条)がある。

決議事項における説明義務違反は株主総会の決議取消事由にあたるので(831条1項1号)、適切な説明を行うことが必要である。株主総会決議取消訴訟が提起された場合、株主総会議事録は当該説明義務違反のないことが明らかになる程度には、審議経過を記載しておく必要がある。もっと

も、訴訟が提起された場合の証拠としては、株主総会議事録のほかに、ビデオ等による映像・音声の記録も有用であるので、株主総会議事録の記述はことさらに詳細にする必要まではないと思われる（株主総会場におけるビデオ撮影は肖像権侵害にあたらないとしたものとして、大阪地判平成2年12月17日資料版商事83号38頁以下参照）。

また、決議の方法については、判例上、定款に別段の定めがない限り、株主総会の決議は、議案に対する賛否あるいは反対が可決ないし否決の決議の成立に必要な数に達したことが明確になったときに成立するものであるから、議案の賛否について判定できる方法であれば、いかなる方法によるかは総会の円滑な運営の職責を有する議長の合理的裁量に委ねられているとされており（東京地判平成14年2月21日判時1789号157頁）、賛否の帰趨が不明でない限り、一般株主への受け入れやすさ等から、拍手で行われることがほとんどである（2021年版株主総会白書119～120頁によると96.7％）。このような場合、決議の効力の関係において問題ないといえるであろうから、決議の方法についてあえて「拍手」等と記載されないのが一般的である。

なお、上場会社において株主総会に提案される議案の決議要件は、剰余金の配当および取締役等の選任議案等の普通決議の場合は、出席株主の議決権の過半数の賛成であり、定款の変更および合併等の組織再編議案等の特別決議の場合は、（書面投票・電子投票を含め定足数を充たす議決権数を有する株主が出席したうえで）出席株主の議決権の3分の2以上（定款で加重することはできるが通常なされない）の賛成であるため（309条1項・2項）、可決の場合、それぞれその旨が記載されることになる。

なお、本項における記載例は、個別審議方式（議案を1つずつ上程・審議・採決する議案の審議方法）により株主総会を運営する場合のものであるので、一括審議方式（全議案をまとめて上程、一括して審議した後は採決のみを行う議案の審議方法）により運営する場合のものは、本章第8節も参照していただきたい。

⑵　計算書類の承認

会計監査人設置会社でない会社の場合、または会計監査人設置会社であっても、会計監査報告の内容が無限定適正意見である等の承認特則規定（計算規則135条）を充たさない場合、定時株主総会において計算書類の承認を受けなければならない（438条2項、439条）。

ただし、承認特則規定を充足しないものには、特定監査役が監査報告期限までに監査報告の内容を通知しない場合（すなわち監査未了により監査を受けたものとみなされる場合）も含まれるが（計算規則135条4号）、このような場合、上場会社では有価証券報告書を提出することができない場合にあたることが多く（有価証券報告書の提出遅延や虚偽記載・不適正意見等は上場廃止基準に抵触する。上場規程601条1項10号・11号）、実務上は、延会・継続会の決議（317条）を行ってでも、監査が終了する前に計算書類の承認決議を行うことはしない対応が取られているようである。

［記載例1-27］　計算書類の承認議案を付議する場合

> 第○号議案　計算書類承認の件
> 　議長から、第○期計算書類について、別添の「第○期定時株主総会招集ご通知」○から○頁に基づいてその内容を説明し、議場に諮ったところ、出席株主の議決権の過半数の賛成をもって原案どおり承認可決された。

計算書類の内容も大部に渡るため、添付された招集通知の記載に委ね省略することでよい。

計算書類承認議案は、株主総会の普通決議事項であり、出席株主の議決権の過半数の賛成が確認できれば可決されるので（309条1項）、その旨記載されることになる。

⑶　剰余金の配当その他剰余金の処分

剰余金の配当、および任意積立金の積立て・取崩し等の剰余金の科目間振替えに当たる剰余金の処分は、中間配当規定に基づく場合（454条5項）、および取締役会が決定する旨の定款規定がある場合（459条1項3

号・4号）を除いて、株主総会決議が必要である（454条1項、452条）。

これらの剰余金の配当議案または剰余金の処分議案は、株主総会の普通決議であり、出席株主の議決権の過半数の賛成が確認できれば可決されるので（309条1項）、その旨記載されることになる（定款規定に基づく取締役会決議は［記載例2-25］参照）。

［記載例1-28］　剰余金の配当および剰余金の処分（任意積立金の積立て）を付議する場合

> 第○号議案　剰余金の処分の件
> 　議長から、経営体質の強化と今後の事業展開等を勘案して、内部留保にも意を用い、当社をとりまく環境が依然として厳しい折から、期末配当を、普通株式1株につき金○円、総額○○○円、配当の効力発生日を○○年○月○日とするとともに、将来の積極的な事業展開に備えた経営基盤の強化を図るため、繰越利益剰余金を○○○円取り崩し、同額を別途積立金に振り替えたい旨を説明し、議場に諮ったところ、出席株主の議決権の過半数の賛成をもって原案どおり承認可決された。

剰余金の配当（454条1項）と任意積立金の積立て・取崩し等の剰余金の科目間振替えに当たる剰余金の処分（452条）は別個のものであるが、どちらも広い意味での剰余金の処分にあたるため、合わせて付議されることが一般的である。

なお、招集通知に添付される株主総会参考書類には、提案の理由の記載が必要であり（施行規則73条1項2号）、剰余金の配当および剰余金の処分議案の場合、配当方針等が記載されることになる。株主に対する還元を重視し、また配当政策を積極的に説明する姿勢が高まっていることから、近年はより具体的な内容が株主総会参考書類に記載され、株主総会に説明されることも少なくない。このような場合、議事録にそのまま記載するのは冗長となるため、「別添の「第○期定時株主総会招集ご通知」○頁から○頁に記載のとおり、期末配当を……」等と記載する場合もある。

株主提案が行使された場合、株式取扱規程において記載の分量を定めていれば（施行規則93条）、それに従うこととなる（全株懇モデルⅠ 131頁）。株主提案の配当議案について、可決も見込まれる場合、実際の配当金の支払を基準日から3カ月以内とする（124条2項括弧書）ことが困難となることも想定されるため、配当金支配開始日を後ろ倒しする取扱いが示されている（全株懇モデルⅡ 207頁）。

⑷ 資本金および準備金の額の減少

会社法459条1項各号に定める事項について取締役会の決議によって定める旨の定款の定めがあることにより、欠損填補（マイナスの分配可能額をゼロまで増加させること）のため準備金の額の減少を取締役会の決議により行う場合（459条1項2号）（[記載例2-26] 参照）や資本金・準備金が減少しない形で同時に株式の発行を行う場合（447条3項、448条3項）を除いて、資本金の額の減少および準備金の額の減少は株主総会の決議が必要である（447条1項、448条1項）。

[記載例1-29] 資本金の額の減少を付議する場合

第○号議案　資本金の額の減少の件 議長から、機動的な株主還元策を実施できるようにするため、別添の「第○期定時株主総会招集ご通知」○頁に記載のとおり、資本金の額を○○○,○○○,○○○円減少し、その他資本剰余金の額を同額増加させ、その効力発生日を○○年○月○日としたい旨を説明し、議場に諮ったところ、出席株主の議決権の3分の2以上の賛成をもって原案どおり承認可決された。

資本金の額を減少し、株主に分配が可能なその他資本剰余金に変えることは、事業規模の縮小等、会社の基礎に関わる事態が生じる可能性があることから（江頭・株式会社法721頁）、株主総会の特別決議が必要である（309条2項9号）。

株主総会においては、①減少する資本金の額、②減少する資本金の額の全部または一部を準備金とするときは、その旨および準備金とする額、③効力発生日を定めなければならないが（447条1項）、債権者保護手続きが必要であるため、債権者異議申述公告（公告方法が官報である場合は催告も必要）した後１カ月を経過し（当該公告および催告は総会前に開始可能）、債権者保護手続きが終了した以後となるよう③の効力発生日を定める必要がある（449条６項１号）。

［記載例１-30］　資本準備金の額の減少を付議する場合

第○号議案　資本準備金の額の減少の件 　議長から、機動的な株主還元策を実施できるようにするため、別添の「第○期定時株主総会招集ご通知」○頁に記載のとおり、資本準備金の額を○○○，○○○，○○○円減少し、その他資本剰余金の額を○○○，○○○，○○○円増加させ、その効力発生日を○○年○月○日としたい旨を説明し、議場に諮ったところ、出席株主の議決権の過半数の賛成をもって原案どおり承認可決された。

準備金の額の減少は株主総会の普通決議により行われる（309条１項）。資本金の額の減少の場合と同様に、株主総会において、①減少する準備金の額、②減少する準備金の額の全部または一部を資本金とするときは、その旨および資本金とする額、③効力発生日を定めなければならないが（448条１項）、原則として債権者保護手続きが必要であるため、債権者保護手続きが終了した以後となるよう③の効力発生日を定める必要がある（449条６項２号）

［記載例１-31］　欠損填補のため資本金および準備金の額の減少を付議する場合

第○号議案　資本金および資本準備金の額の減少ならびに剰余金の処分の件 　議長から、繰越損失を解消し、財務体質の強化を図るために、別添の「第○期定時株主総会招集ご通知」○から○頁に記載のとおり、資本金の額を○○○，○○○，○○○円、資本準備金の額を○○○，○○○，○○○円それぞれ減少し、効力発生日を○○年○月○日とするとともに、当該効力発生を条件として、これらの全額を欠損填補に充てる剰余金の処分を行いたい旨を説

明し、議場に諮ったところ、出席株主の議決権の過半数の賛成をもって原案どおり承認可決された。

資本金の減少は株主総会の特別決議が必要であるが、定時株主総会において資本金の額の減少議案を付議し、かつ減少額を欠損填補に充てる場合は、株主総会の普通決議によりこれを行うことができる（309条2項9号）。

他方、資本準備金の額の減少はそもそも株主総会の普通決議により行われる（309条1項）。なお、上記の事例にはあてはまらないが、準備金の額のみを減少する場合であって、定時株主総会において準備金減少議案を付議し、かつ減少額を欠損填補に充てる場合は、債権者保護手続きは不要となる（449条1項但書）。

欠損填補（ここでは、具体的には繰越利益剰余金のマイナスを埋めるため、資本金および資本準備金の額の減少により増加した後のその他資本剰余金を減少させ、プラスにならない範囲で繰越利益剰余金を増加させること）は、剰余金の科目間振替えにあたる剰余金の処分（452条）に該当し、株主総会の普通決議により行われる（309条1項）。

これらの資本金の額の減少、資本剰余金の額の減少および剰余金の処分は、別個の議案として付議することでもよいが、欠損填補のための一連の手続きであることから同一議案として付議されることも多い。

(5) 定款一部変更

定款の変更は、株式会社の根本規範である定款を変更する会社の行為であり（江頭・株式会社法868～869頁）、原則として株主総会の特別決議が必要である（466条、309条2項11号）。

[記載例1-32] 商号を変更する場合

第○号議案　定款一部変更の件
　議長から、企業の今後の飛躍を期し、企業イメージを一新するために、次のとおり商号を変更するとともに、当該変更は○○年○月○日をもって効力が生ずること、および当該効力発生後これを削除する附則を設けることとしたい旨を説明し、議場に諮ったところ、出席株主の議決権の3分の2以上の賛成をもって原案どおり承認可決された。
（商号）
第○条　当会社は、○○○○株式会社と称し、英文では、○○○○と表示する。

商号は、定款の絶対的記載事項である（27条2号）。

旧商法下と異なり、会社法においては、類似商号規制（同一の市町村において同一の営業を行うために、同一の商号または類似の商号を登記することはできないとするもの）が廃止されているため、同一市町村内において同一住所でない限り、同一商号の登記は可能である（商業登記法27条）。ただし、不正の目的をもって他の会社であると誤認されるおそれのある名称または商号を使用する者に対する侵害の停止または予防の請求をすることができることになっている（8条）。

商号変更の場合、期初（または中間期初）を効力発生日とすることが多いが、登記手続上これを明らかにするために、上記のように記載するか、または、「別添の「第○期定時株主総会招集ご通知」○頁から○頁に記載のとおり、」とすることで、そのことが記載された招集通知・株主総会参考書類により明らかにされている必要がある。

［記載例1-33］　事業目的を追加する場合

第○号議案　定款一部変更の件
　議長から、新規事業への進出を図るため定款第○条所定の事業目的に「○○○○……」を追加したい旨を説明し、議場に諮ったところ、出席株主の議決権の3分の2以上の賛成をもって原案どおり承認可決された。

事業目的は、定款の絶対的記載事項である（27条1号）。

前述のとおり、類似商号規制が廃止されているため、目的についての具体性を要求すべき法的要請は存在しないとされている（相澤・論点解説11

頁)。

ただし、目的は登記事項でもあるため(911条3項1号、915条1項)、事前に所轄の法務局に照会・確認すること等は行っておくべきである。

[記載例1-34] 本店の所在地を変更する場合

第○号議案　定款一部変更の件
　議長から、本社機能を○○県○○市に集約することにより経営の効率化を図るため、本店の所在地を次のとおり変更するとともに、当該変更は、○○年○月○日までに開催される取締役会において決定する本店移転日をもって効力が生ずること、および当該効力発生後これを削除する附則を設けることとしたい旨を説明し、議場に諮ったところ、出席株主の議決権の3分の2以上の賛成をもって原案どおり承認可決された。
　(本店の所在地)
第○条　当会社は、本店を○○県○○市に置く。

本店の所在地は、定款の絶対的記載事項である(27条3号)。

同一市町村内において、同一商号・同一住所となる本店の所在場所を登記することはできない(商業登記法27条)。定款には、具体的な地番までは記載せず、最小行政区画(市町村、東京都の特別行政区)まで記載することが一般的であるが、その場合、最小行政区画内の本店移転については、定款の変更は必要ない。

なお、定款の変更を検討している段階では本店の移転日が確定しない場合、取締役会において具体的な移転日を決定する等の対応をとることになるが、その場合、上記のように記載するか、または、「別添の「第○期定時株主総会招集ご通知」○頁から○頁に記載のとおり、」とすることで、そのことが記載された招集通知・株主総会参考書類により明らかにされている必要がある。

[記載例1-35]　取締役の任期を1年に短縮する場合

第○号議案　定款一部変更の件
　議長から、経営責任の明確化を図るとともに、経営環境の変化に迅速に対応するために、取締役の任期を次のとおり変更するとともに、増員または補欠として選任された取締役の任期は、在任取締役の任期の満了する時までとする規定を削除することとしたい旨を説明し、議場に諮ったところ、出席株主の議決権の3分の2以上の賛成をもって原案どおり承認可決された。
　（任期）
第○条　取締役の任期は、選任後1年以内に終了する事業年度のうち最終のものに関する定時株主総会の終結の時までとする。

　毎年株主の信任を得ること等を目的として、取締役の任期を2年から1年に短縮するために、上記記載例のような定款変更を行う場合がある。
　定時株主総会においてかかる定款変更を行う場合、在任中の取締役にも定款変更の効力が及ぶことになるため、同時に取締役全員の改選議案を付議する必要がある。在任中の取締役の改選を行わないようにするには、前年の定時株主総会において選任された取締役の任期は従前のとおりとする旨の附則を設ける必要がある。
　また、上記の記載例では、増員または補欠として選任された取締役の任期調整規定を削除しているが、この場合、たとえば、3月決算会社において、4、5月に選任する等、事業年度末日後当該事業年度に係る定時株主総会の前に選任された取締役は当該定時株主総会において任期が満了しないこととなるのを避けるのであれば、削除しないことでもよい。

[記載例1-36]　役員等の責任の一部免除に関する規定および業務執行取締役等でない取締役等の責任限定契約に関する規定を設ける場合

第○号議案　定款一部変更の件
　議長から、取締役および監査役が期待される役割を十分に発揮できるようにするために、次のとおり取締役および監査役の責任免除に関する規定ならびに業務執行取締役等以外の取締役および監査役の責任をあらかじめ限定する契約を締結することができる旨の規定を新設し、それに伴う条数の変更を行いたい旨、ならびに取締役の責任免除に関する規定および業務執行取締役等以外の取締役の責任をあらかじめ限定する契約を締結することができる旨の規定の新設については監査役の全員の同意を得ている旨を説明し、議場に諮ったところ、出席株主の議決権の3分の2以上の賛成をもって原案どおり承認可決された。

（取締役の責任免除）

第○条　当会社は、取締役（取締役であった者を含む。）の会社法第423条第1項の責任につき、善意でかつ重大な過失がない場合は、取締役会の決議によって、法令の定める限度額の範囲内で、その責任を免除することができる。

2　当会社は、取締役（業務執行取締役等であるものを除く。）との間で、当該取締役の会社法第423条第1項の責任につき、善意でかつ重大な過失がないときは、金○○万円以上であらかじめ定める金額または法令が定める額のいずれか高い額を限度として責任を負担する契約を締結することができる。

（監査役の責任免除）

第○条　当会社は、監査役（監査役であった者を含む。）の会社法第423条第1項の責任につき、善意でかつ重大な過失がない場合は、取締役会の決議によって、法令の定める限度額の範囲内で、その責任を免除することができる。

2　当会社は、監査役との間で、当該監査役の会社法第423条第1項の責任につき、善意でかつ重大な過失がないときは、金○○万円以上であらかじめ定める金額または法令が定める額のいずれか高い額を限度として責任を負担する契約を締結することができる。

（以下の条数を繰り下げる）

取締役会の決議による取締役、会計参与、監査役または会計監査人の責任の一部免除（426条）を行い、取締役（業務執行取締役等であるものを除く）、会計参与、監査役または会計監査人の責任限定契約（427条）を締結することができるようにするためには、その旨の定款の定めが必要である。

取締役の責任の一部免除および取締役（業務執行取締役等であるものを除く）の責任限定契約にかかる定款の規定に関する議案を株主総会に提出する際には、各監査役の同意が必要であり（426条2項、427条3項、425条3項)、その旨株主総会参考書類に記載されることが一般的である。したがって、上記のように記載するか、または、「別添の「第○期定時株主総会招集ご通知」○頁から○頁に記載のとおり、」とすることで、そのことが記載された招集通知・株主総会参考書類により明らかにされていることが望ましい。

なお、平成26年会社法改正により、責任限定契約の対象範囲が、社外取締役等から非業務執行取締役等（427条1項）に拡大された。

(6) 取締役選任

取締役の選任決議は、株主総会の普通決議であり（329条1項、341条)、その定足数は、会社法上の本則は議決権を行使することができる株主の議決権の過半数であるが、定款に定めることにより3分の1に緩和している会社がほとんどである。

会社と取締役とは委任関係にあり、被選任者が就任承諾することによって就任の効力が発生することになる（民法643条)。したがって、役員（取締役、監査役または執行役）の再任を除く就任の登記を申請するときには、就任承諾書に加え（商業登記法54条1項)、就任承諾書に記載された氏名および住所と同一の氏名および住所が記載されている印鑑証明書または本人確認証明書の添付が必要となる（商業登記規則61条5項)。本人確認証明書の例としては、住民票記載事項証明書（住民票の写し)、戸籍の附票のほか住基カード（住所が記載されているもの）もしくは運転免許証等のコピー(裏面もコピーし、本人が「原本と相違がない。」と記載して記名押印する）がある。

別途、株主総会議事録に被選任者が就任承諾した旨の記載があれば議事録を援用できるため、就任承諾書は不要である（商業登記ハンドブック403

頁）が、再任を除く就任の場合は、議事録に住所および氏名の記載ならびに印鑑証明書または本人確認証明書の添付が必要となることから、就任承諾書による実務が一般的であるものと考えられる。

再任の場合は、印鑑証明書または本人確認証明書の添付は不要であり、就任承諾書または議事録の援用（就任承諾した旨の記載があり、住所の記載は不要）で足りる。

[図表1-6]　就任承諾書

○○年○月○日

○○○○株式会社

取締役社長　○○○○殿

東京都○○区○○町○丁目○番○号

○　○　○　○　㊞

○○年○月○日開催の貴社第○回定時株主総会において取締役に選任されました際には就任を承諾します。

以　上

（注1）　再任を除く就任の場合には、登記申請のための印鑑証明書または本人確認証明書を添付する。

（注2）　再任による就任の場合には、株主総会当日、株主総会に出席し就任承諾する場合、就任承諾書に代えて株主総会議事録を添付することで選任登記を行うことができる。新任による就任の場合で、株主総会議事録に被選任者の住所・氏名の記載がある場合は同様の取扱いが可能だが、本人確認証明書等の添付が必要。

（注3）　国家公務員法（平成19年法律第108号）附則第4条により就任が制限される場合等、株主総会後に作成する場合は次のように記載することが考えられる。

○○年○月○日開催の貴社第○回定時株主総会において取締役に選任されましたので就任を承諾します。

[記載例1-37]　取締役全員が任期満了・全員再選する場合

第○号議案　取締役○名選任の件 議長より、取締役○名全員は、本総会終結の時をもって全員任期満了となることから、別添株主総会参考書類記載のとおり取締役候補者○名を選任したい旨を説明し議場に諮ったところ、出席株主の議決権の過半数の賛成により原案どおり○○○○、○○○○、○○○○、……および○○○○の○名が取締役に選任された。なお、被選任者全員がその場で就任を承諾した。

全員が任期満了で再選となることから、それぞれがその場で就任を承諾した旨を記載して、登記に際しての就任承諾書の添付を不要とするものである。

[記載例1-38]　取締役の辞任に伴う補欠選任の場合

第○号議案　取締役1名選任の件 議長より、取締役○○○○は、本総会終結の時をもって辞任することから、その補欠として別添株主総会参考書類記載のとおり取締役候補者○○○○を選任したい旨を説明し議場に諮ったところ、出席株主の議決権の過半数の賛成により原案どおり○○○○が取締役に選任された。なお、被選任者はその場で就任を承諾した。

[記載例1-39]　取締役を増員する場合

第○号議案　取締役1名選任の件 議長より、経営体質の強化およびコーポレート・ガバナンス強化の観点から取締役を1名増員し、別添株主総会参考書類記載のとおり社外取締役候補者○○○○を選任したい旨を説明し議場に諮ったところ、出席株主の議決権の過半数の賛成により原案どおり○○○○が新たに社外取締役に選任された。なお、被選任者はその場で就任を承諾した。

取締役の任期が2年の会社が、その任期満了時期を揃える趣旨から、定款に「増員または補欠として選任された取締役の任期は、在任取締役の任

期の満了するときまでとする」旨の規定がある会社の場合には、補欠または増員として選任する旨を記載しておく。登記申請に際しては、就任承諾については前述のとおりだが、辞任については、辞任の旨の記載が議事録にあれば、辞任届の添付は不要である。

なお、監査役会設置会社においては、「社外取締役である旨」について登記が必要となるのは、特別取締役（373条1項）を置く旨の定款規定がある場合のみである（911条3項21号）。この点、平成26年改正前会社法では、責任限定契約の相手方は社外取締役または社外監査役であり、その旨の定款の定めが登記事項とされていたことと異なる。現行法は、責任限定契約の相手方となり得るかどうかは、社外性の有無ではなく、責任が発生するリスクを自ら十分にコントロールできる立場にあるといえるかどうかという観点から判断することとし、「非業務執行取締役等」（427条1項）であることを要件としている（911条3項25号、427条1項）。

⑺ 監査役選任

監査役の選任決議は、取締役と同様、株主総会の普通決議であり（329条1項、341条）、その定足数は、会社法上の本則は議決権を行使することができる株主の議決権の過半数であるが、定款に定めることにより3分の1に緩和している会社がほとんどである。

また取締役と同様、登記申請に際しては、再任を除く就任の場合には、就任承諾書に加え、印鑑証明書または本人確認証明書の添付が必要となっている（詳細は前記⑹取締役選任の解説を参照願いたい）。

監査役の選任議案について、監査役会設置会社では監査役会の、そうでない会社の場合には監査役（監査役が2人以上ある場合では、その過半数）の同意を得なければならないため（343条）、議事録にも同意を得ている旨を記載しておくことが考えられる（監査役会の同意については、［記載例3-25］参照）。

[記載例 1-40]　監査役全員が任期満了・全員再選する場合

> 第○号議案　監査役○名選任の件
> 　議長より、監査役○名全員は、本総会終結の時をもって全員任期満了となることから、別添株主総会参考書類記載のとおり監査役候補者○名を選任したい旨および本議案の提出については監査役会の同意を得ている旨を説明し議場に諮ったところ、出席株主の議決権の過半数の賛成により原案どおり○○○○、○○○○、○○○○、……および○○○○の○名が監査役に選任された（○○○○および○○○○は社外監査役）。なお、被選任者全員がその場で就任を承諾した。

　全員が任期満了で再選となることから、それぞれがその場で就任を承諾した旨を記載して、登記に際しての就任承諾書の添付を不要とするものである。なお、社外監査役である旨の登記申請（911条3項18号）に際しては特段の添付書類は必要ないが、社外監査役として選任した場合はその旨を株主総会議事録に記載することでその事実が明確になることから、記載しておくことが考えられる。

[記載例 1-41]　監査役の辞任に伴う補欠選任の場合

> 第○号議案　監査役１名選任の件
> 　議長より、監査役○○○○は、本総会終結の時をもって辞任することから、その補欠として別添株主総会参考書類記載のとおり監査役候補者○○○○を選任したい旨および本議案の提出については監査役会の同意を得ている旨を説明し議場に諮ったところ、出席株主の議決権の過半数の賛成により原案どおり○○○○が監査役に選任された。なお、被選任者はその場で就任を承諾した。

[記載例 1-42]　監査役の辞任に伴い新たに監査役を選任するため任期調整をしない場合

> 第○号議案　監査役１名選任の件

議長より、監査役○○○○は、本総会終結の時をもって辞任することから、新たに別添株主総会参考書類記載のとおり監査役候補者○○○○を選任したい旨および本議案の提出については監査役会の同意を得ている旨を説明し議場に諮ったところ、出席株主の議決権の過半数の賛成により原案どおり○○○○が新たに監査役に選任された。なお、被選任者はその場で就任を承諾した。

監査役の任期満了時期を揃える趣旨から、定款に「任期の満了前に退任した監査役の補欠として選任された監査役の任期は、退任した監査役の任期の満了するときまでとする」旨の規定がある会社の場合には、任期満了前に退任した監査役の補欠として選任するのか、補欠としてではなく任期は揃えないものとして選任するのかを明確に記載しておく必要がある。なお、ここでいう「補欠」はあくまで、監査役候補者が任期満了前に退任した監査役の補欠となるものであり、後記(8)における「補欠監査役」とは別のものである。

(8) 補欠監査役選任

役員が欠けた場合または法令および定款で定めた役員の員数を欠くこととなるときに備えて補欠の役員を選任することができる（329条3項、施行規則96条）。社外監査役の補欠として選任する場合には、その旨の記載が必要となる（施行規則96条2項3号）。

この補欠監査役選任は、前記(7)の［記載例1-41］にあるような、監査役候補者が任期満了前に退任した監査役の補欠となるものとは異なるものである。

監査役の選任議案について、監査役会設置会社では監査役会の、そうでない会社の場合には監査役（監査役が2人以上ある場合では、その過半数）の同意を得なければならないため（343条）、議事録にも同意を得ている旨を記載しておくことが考えられる（監査役会の同意については、［記載例3-25］参照）。

補欠の会社役員の選任に係る決議が効力を有する期間は、定款に定めがある場合を除き、当該決議後最初に開催する定時株主総会の開始の時までである（株主総会の決議によってその期間を短縮することが可能）（施行規則96条3項）。

補欠監査役は、株主総会で選任されたとしても、監査役に就任するまではその責任や義務が発生することはなく、登記も不要である。実際に、補欠として監査役に就任する場合には、補欠監査役として選任がされた旨の記載のある株主総会議事録および就任承諾書ならびに本人確認証明書が必要となる（詳細は前記(6)取締役選任の解説を参照願いたい）。監査役就任時における登記申請のため、あらかじめ就任承諾書および本人確認証明書をもらっておくことが考えられるが、登記に際し本人確認証明書を直近のものに差し替える必要があることが想定されることから、監査役就任時に改めて就任承諾書および本人確認証明書をもらった上で変更登記を行うことが考えられる。

［記載例1-43］　法令員数に欠く場合に備え補欠監査役を選任する場合

第○号議案　補欠監査役１名選任の件
　議長より、監査役が法令または定款に定める員数を欠くことになる場合に備え、別添株主総会参考書類記載のとおり補欠監査役候補者○○○○を選任したい旨および本議案の提出については監査役会の同意を得ている旨を説明し議場に諮ったところ、出席株主の議決権の過半数の賛成により原案どおり○○○○は補欠監査役に選任された。

補欠監査役選任議案の一般的な記載例である。補欠監査役が株主総会に出席することは少ないと考えられ、その場合は就任承諾に関する議事録上の記載はされないこととなる。

［記載例1-44］　法令員数に欠く場合に備え補欠監査役を選任する場合
（就任前の選任取消を定める場合）

第○号議案　補欠監査役１名選任の件

議長より、監査役が法令または定款に定める員数を欠くことになる場合に備え、別添株主総会参考書類記載のとおり補欠監査役候補者○○○○を選任したい旨、本議案の提出については監査役会の同意を得ている旨およびその就任前に限り監査役会の同意を得て取締役会の決議によりその選任の取消しを行なうことができる旨を説明し議場に諮ったところ、出席株主の議決権の過半数の賛成により原案どおり○○○○は補欠監査役に選任された。

補欠監査役候補者について、就任前にその選任の取消しを行う場合があるときは、その旨および取消しを行うための手続きを決定することができ（施行規則96条2項6号）、それを明記した記載である。

[記載例1-45]　特定の監査役に対する補欠監査役を選任する場合

第○号議案　補欠監査役2名選任の件
議長より、監査役が法令または定款に定める員数を欠くことになる場合に備え、別添株主総会参考書類記載のとおり、補欠の社外監査役候補者○○○○は現任社外監査役××××の補欠として、補欠の社外監査役候補者△△△△は現任社外監査役□□□□の補欠として、それぞれ選任したい旨および本議案の提出については監査役会の同意を得ている旨を説明し議場に諮ったところ、出席株主の議決権の過半数の賛成により原案どおり○○○○および△△△△は補欠の社外監査役に選任された。

補欠監査役候補者について、それぞれ特定の現任監査役の補欠として選任されること（施行規則96条2項4号）を明記した記載である。実際の監査役就任に当たり登記申請の際に必要となる。議事録の内容として、具体的にどの候補者がどの現任監査役の補欠となるかについては株主総会参考書類記載のとおりとすることで、議事録の記載を簡潔にすることができる。なお、補欠の社外監査役候補者として選任する場合はその旨を決定する（施行規則96条2項3号）とされており、あわせて株主総会議事録にも記載しておくことが考えられる。

[記載例 1-46]　補欠監査役の就任順位を明記する場合

> 第○号議案　補欠監査役2名選任の件
> 　議長より、監査役が法令または定款に定める員数を欠くことになる場合に備え、別添株主総会参考書類記載のとおり補欠監査役候補者○○○○および△△△△をそれぞれ選任したい旨、就任順序は第一順位が○○○○、第二順位が△△△△とする旨、および本議案の提出については監査役会の同意を得ている旨を説明し議場に諮ったところ、出席株主の議決権の過半数の賛成により原案どおり○○○○および△△△△は補欠監査役に選任された。

補欠監査役候補者について、就任の優先順位を明記した記載である（施行規則96条2項5号）。

(9)　会計監査人選任

[記載例 1-47]　会計監査人の退任に伴い新たに選任する場合

> 第○号議案　会計監査人選任の件
> 　議長より、現在の会計監査人○○○○監査法人が本総会終結の時をもって退任するため、新たに会計監査人として別添株主総会参考書類記載のとおり監査役会の決定に基づき、□□□□監査法人を選任したい旨を説明し議場に諮ったところ、出席株主の議決権の過半数の賛成により原案どおり□□□□監査法人は会計監査人に選任された。

大会社（2条6号）、監査等委員会設置会社、指名委員会等設置会社および上場会社のいずれかに該当する会社は会計監査人の設置が義務づけられている（327条5項、328条、上場規程437条）。会計監査人を変更する場合も同様に株主総会での普通決議により選任される（定足数はない）（329条1項）。

なお、監査役会設置会社では監査役会の、そうでない会社の場合には監査役（監査役が2人以上ある場合では、その過半数）が会計監査人の選任および解任ならびに会計監査人を再任しないことに関する議案の内容についての決定権を有することとされた（344条）。

登記に際しては、会計監査人として選任がされた旨の記載のある株主総会議事録、就任承諾書および会計監査人が法人であるときは当該法人の登記事項証明書が必要である（登記ハンドブック470～471頁）。議事録上には、前任の会計監査人を再選しない旨を記載しないと追加選任となるので、退任の旨を明記する必要がある（338条2項参照、商業登記ハンドブック472頁）。

定時株主総会において別段の決議がされなかったことにより、会計監査人が再任されたものとみなされる場合（338条2項）の重任の登記の申請書には、商業登記法54条2項2号および3号の書面（会計監査人の登記事項証明書等）ならびに当該定時株主総会の議事録（同条4項）を添付すれば足り、会計監査人が就任を承諾したことを証する書面の添付は要しない（登記ハンドブック472～473頁）。

⑽　役員報酬額改定

［記載例1-48］　役員報酬額を改定する場合

第○号議案　取締役の報酬額改定の件

議長より、当社の取締役の報酬額は、○○年○月○日開催の第○期定時株主総会において、年額○○○○円以内と決議され現在に至っているが、経済情勢等諸般の事情を考慮して、取締役の報酬額を年額○○○○円以内に改定したい旨および取締役の報酬額には従来どおり使用人兼務取締役の使用人分給与は含まないものとする旨を述べ、当該改定は取締役の個人別の報酬等の内容についての決定方針に沿い相当であると判断しており、また、本議案を承認いただいた場合も、当該方針を変更することは予定していない旨を説明し、議場に諮ったところ、出席株主の議決権の過半数の賛成により原案どおり承認可決された。

取締役の報酬は、定款に当該事項を定めていない場合は株主総会の決議により定めることとされており（361条1項本文）、実務上、報酬上限額を株主総会決議で定め、具体的配分は取締役会の決議によるものとする場合がほとんどである。

株主総会との関連では、取締役の報酬等に関する議案を株主総会に提出した場合には、取締役に当該事項を相当とする理由の説明義務が課されていること（361条4項）が重要である。

令和元年会社法改正において、①監査役会設置会社（公開会社かつ大会社であるものに限る）であって、有価証券報告書提出義務を負う会社、又は、②監査等委員会設置会社においては、取締役会の決議で、取締役（監査等委員である取締役を除く）の報酬等の決定方針を定めなければならないこととされた（361条7項、施行規則98条の5）。

記載例は、上記説明義務にかかる理由として、株主総会に提出した議案が取締役会において決議した報酬等の決定方針に沿うことを述べた上、本議案の承認後においても報酬等の決定方針として同様の内容を予定していることを告げた場合を想定している。

なお、同改正で、株式や新株予約権を報酬として交付する場合について、株式等の数の上限等を定款又は株主総会決議により定めることとされるなど、インセンティブ報酬（業績連動報酬・非金銭報酬）についての規定等も具体化されている（361条1項3号～5号）。

［記載例1-49］　監査役の報酬額を改定する場合

第○号議案　監査役の報酬額改定の件

議長より、当社の監査役の報酬額は、○○年○月○日開催の第○期定時株主総会において、年額○○○○円以内と決議され現在に至っているが、経済情勢等諸般の事情を考慮して、監査役の報酬額を年額○○○○円以内に改定したい旨を説明し、議場に諮ったところ、出席株主の議決権の過半数の賛成により原案どおり承認可決された。

監査役の報酬は、報酬等の面からもその地位の独立性を確保するという観点から、定款に当該事項を定めていない場合は株主総会の決議により定めることとされており（387条1項）、監査役が2人以上ある場合の各別の報酬は、株主総会決議の範囲内において、監査役の協議によって定めることとされている（同条2項）。

⑾　役員退職慰労金贈呈

退任取締役および退任監査役に対する退職慰労金の支払いについては、職務執行の対価として支給される趣旨を含むと認められる限り、「報酬等」に該当すると解されるため、株主総会決議が必要となる（361条1項、387条1項。なお、最判昭39.12.11に同旨）。

そして、前記⑽役員報酬額改定で述べたとおり、取締役の報酬等については、令和元年会社法改正により、その決定方針を取締役会決議で定めなければならないとされるとともに、株主総会における取締役がその提案した議案の事項につき相当とした理由を説明しなければならない（361条4項、7項、施行規則98条の5）。したがって、議事録には、前記⑽役員報酬額改定の議案と同様、株主総会の決議により定めた旨（361条1項本文参照）とともに、報酬等の内容（同条1項各号の事項）を相当とする理由（同条4項）について記載することが考えられる。

[記載例1-50]　退任取締役に対する退職慰労金を支給する場合

> 第○号議案　退任取締役に対する退職慰労金を支給する場合
> 　議長より、退任取締役○○○○氏に対し、在任中の労に報いるため、当社における一定の基準に従い退職慰労金を贈呈することとし、その具体的金額、贈呈の時期、方法等は取締役会に一任願いたい旨説明し、当該基準は取締役の個人別の報酬等の内容についての決定方針に沿い相当であると判断している旨を説明し、議場に諮ったところ、出席株主の議決権の過半数の賛成により原案どおり承認可決された。

本議案に関し、質疑応答があった場合については、［記載例1-60］参照されたい。

[記載例1-51]　取締役に対し退職慰労金制度廃止に伴う打ち切り支給する場合

> 第○号議案　取締役に対する退職慰労金制度廃止に伴う打ち切り支給の件
> 　議長より、株主総会参考書類に記載のとおり、○○年○月○日開催の取締

役会において、報酬制度改革の一環として、本総会終結のときをもって退職慰労金制度を廃止する旨を決議したことから、在任取締役○○○○氏に対し、在任中の労に報いるため、当社における一定の基準に従い退職慰労金を贈呈することとし、その具体的金額、方法等は取締役会に一任願いたい旨支給の時期については各氏の退任時としたい旨、本支給の内容は報酬諮問委員会で審議済である旨、および当該基準は取締役の個人別の報酬等の内容についての決定方針に沿い相当であると判断している旨を説明し、議場に諮ったところ、出席株主の議決権の過半数の賛成により原案どおり承認可決された。

役員退職慰労金制度を廃止することを事前に取締役会において決議し（[記載例2-50] 参照)、打ち切り支給議案を上程する記載例である。退職慰労金の決議方法として、①在任時に支給する精算支給決議、②退任時に決議、③本記載例にある退任時支給する旨の決議のいずれかが考えられるが、③によることが多い。役員退職慰労金制度は、年功的な色彩が強いものとして機関投資家からの反対の声が強いことや税制上のメリットも薄れていることもあり、退職慰労金制度を廃止する会社が増えている（第2編第2章第3節2(4) f 参照)。

⑿ 役員賞与支給

[記載例1-52] 取締役賞与を株主総会決議により支給する場合

第○号議案　取締役賞与支給の件

議長より、当期末時点の取締役○名（うち社外取締役○名）に対し、当期の業績等を勘案して、取締役賞与総額○○○万円（うち社外取締役分○○○万円）を支給したい旨、本支給の内容は報酬諮問委員会で審議済である旨、および当該内容は取締役の個人別の報酬等の内容についての決定方針に沿い相当であると判断している旨を説明し、議場に諮ったところ、出席株主の議決権の過半数の賛成により原案どおり承認可決された。

役員賞与は、株主総会で承認を受けた役員報酬の範囲を超えることとなる場合には、株主総会決議が必要となることは当然であるが（361条1項本文)、株主総会で承認を受けた報酬枠の範囲を超えるか否かにかかわらず、会社方針として株主総会に付議する会社もある。

取締役賞与を株主総会決議により支給する場合の株主総会議事録には、前記⑽役員報酬額改定の議案と同様、株主総会の決議により定めた旨(361条1項本文参照)とともに、賞与の内容(同条1項各号の事項)を相当とする理由(同条4項)について記載することが考えられる。

なお、社外取締役に支給する場合は、他の取締役との区分記載が必要となる(施行規則82条3項)。また、取締役の具体的な配分は取締役会決議によるものとし、監査役の具体的な配分は監査役の協議によるものとしているのがほとんどである(取締役会議事録は[記載例2-45]参照)。

コーポレートガバナンスの観点では、任意の報酬委員会において審議済である旨に言及しておくことが考えられる。

⒀　自己株式の取得

[記載例1-53]　自己株式の取得枠確保を決議する場合

第○号議案　自己株式取得の件
議長より、経済情勢に応じた機動的な経営に資するため、本定時株主総会終結の日から1年間を経過する日までに、当社普通株式○○百万株、取得価額の総額○○億円を限度として自己株式を取得したい旨を説明し、議場に諮ったところ、出席株主の議決権の過半数の賛成により原案どおり承認可決された。

155条に定める自己株式の取得には、会社と株主との合意による取得、法令・定款の定めによる取得、組織再編に伴う取得などがあるが、上場会社において一般的になされるものは、株主との合意による取得のうち市場取引等による取得(165条)である。市場取引等により自己株式を取得することを取締役会の決議によって定めることができる旨の定款規定(165条2項)または459条1項各号に掲げる事項を取締役会の決議によって定めることができる旨の定款規定がない場合は、株主総会において決議(普通決議)を要する(156条)。この株主総会の決議を受け、取締役会において具体的に取得の決議を行う（[記載例 2-57、58] 参照）。

⒁ 募集株式の発行等

[記載例 1-54]　有利発行による第三者割当増資の場合

> 第○号議案　第三者割当による募集新株式発行の件
> 　議長より、経営再建を目的として、○○○○株式会社より、別添株主総会参考書類のとおり、募集株式の数の上限を当社普通株式○○○○株、払込金額の下限を1株あたり○○○円として特に有利な価額をもって募集新株式を発行したい旨および割当日等については取締役会に一任願いたい旨を説明し議場に諮ったところ、出席株主の議決権の3分の2以上の賛成により原案どおり承認可決された。

募集株式の発行および自己株式の処分は、公開会社であれば取締役会決議となるが（201条）、その払込金額等が引受人に特に有利な価額による場合は株主総会の特別決議が必要となる（201条1項、199条2項、309条2項5号）。また、200条の規定により、募集事項の決定を取締役会に委任することができ、記載例では募集事項の決定を委任する方法によっている（委任を受けた取締役会議事録は、[記載例 2-62] 参照）。

有利な価額に該当するかどうかは、「払込金額は、株式の発行に係る取締役会決議の直前日の価額（直前日における売買がない場合は、当該直前日からさかのぼった直近日の価額）に0.9を乗じた額以上の価額であること。ただし、直近日又は直前日までの価額又は売買高の状況等を勘案し、当該決議の日から払込金額を決定するために適当な期間（最長6カ月）をさかのぼった日から当該決議の直前日までの間の平均の価額に0.9を乗じた額以上の価額とすることができる」（日本証券業協会「第三者割当増資の取扱いに関する指針」（2010年4月1日））とされている。

また、証券取引所規則により、第三者割当てによる議決権の希釈化率が25％以上となる場合または支配株主の異動が生じる場合は、株主総会における株主意思確認（普通決議）か経営者から一定程度独立した者による当該割当ての必要性および相当性に関する意見の入手が必要となる（上場規程432条）。

なお、公開会社の場合、第三者割当実施後の引受人の議決権比率が過半数を超える場合には、当該引受人の名称等の開示が必要となり（206条の2第1～3項）、また議決権比率10％以上の株主からの反対通知があった場合には、原則として株主総会の普通決議による承認が必要である（同条4項）。

⒂　ストック・オプションの付与

ストック・オプションとしての新株予約権の発行は、公開会社の場合は職務執行の対価として適正なものであれば、必ずしも有利発行には該当せず、取締役会決議により発行が可能である（236条、238条、240条）。

取締役に対する職務執行の対価としてのストック・オプション付与は、報酬等の支払に該当するため、前記⑽役員報酬額改定の議案と同様、株主総会の決議により定めた旨（361条1項本文参照）とともに、内容（同条1項各号の事項）を相当とする理由（同条4項）について記載する必要がある。なお、令和元年会社法改正において、ストック・オプションなどのインセンティブ報酬についてその数の上限等を定めることとされた（同条1項3号～5号）。監査役に対するストック・オプション付与については、387条に非金銭報酬に関する定めはないが、取締役への付与に準じた取り扱いとなる（相澤・論点解説406頁）。社外取締役への付与の場合は、社外取締役以外の取締役分と分別して株主総会参考書類に記載する（施行規則82条3項）ことから、議事録にもそのように記載しておくことが考えられる。

なお、報酬等の部分は株主総会における普通決議であるが、ストック・オプション付与、すなわち募集新株予約権の発行が有利発行に該当する場合は、その部分は公開会社においても株主総会の特別決議となる（238条、239条、309条2項6号）。

さらに、公開会社の場合、第三者割当実施後の引受人の議決権比率（当該引受人の新株予約権を行使した際の交付株式を勘案）が過半数を超える場合には、当該引受人の名称等の開示が必要となり（244条の2第1～4項）、また議決権比率10%以上の株主からの反対通知があった場合には、原則として株主総会の普通決議による承認が必要となる（同条5項）。

[記載例1-55] 取締役に対するストック・オプション報酬を決議する場合

第○号議案　取締役に対するストック・オプション報酬額および内容決定の件

議長より、別添株主総会参考書類のとおり、当社取締役の業績向上に対する士気向上を目的として、当社取締役に対するストック・オプション報酬として、年額○○万円（うち社外取締役○○万円）の範囲で新株予約権を発行したいこと、その発行する新株予約権の内容については以下のとおりである旨、本内容は報酬諮問委員会で審議済である旨、および当該内容は取締役の個人別の報酬等の内容についての決定方針に沿い相当であると判断している旨を説明し、議場に諮ったところ、出席株主の議決権の過半数の賛成により原案どおり承認可決された。

＜新株予約権の内容＞

(1)　新株予約権の総数および目的となる株式の種類および数

新株予約権の個数　　○,○○○個を1年間の上限とする。

目的となる株式　　普通株式　○,○○○,○○○株を1年間の上限とする。

新株予約権1個あたりの目的となる株式数は1,000株とする。

なお、当社が合併、募集株式の発行、会社分割、株式分割または株式併合等を行うことにより、株式数の変更をすることが適切な場合は、当社は必要と認める調整を行うものとする。

(2)　各新株予約権の行使に際して払込みをなすべき金額

新株予約権1個あたりの払込金額は、次により決定される1株あたりの払込金額に、(1)に定める新株予約権1個あたりの株式数を乗じた金額とする。

1株あたりの払込金額は、新株予約権を発行する日の属する月の前月の各日（取引が成立していない日を除く。）における○○証券取引所における当社株式普通取引の終値の平均値に1.XXXを乗じた金額（1円未満の端数は切上げ）とする。

ただし、当該金額が新株予約権発行日の前日の終値（取引が成立しない場合はその前日の終値）を下回る場合は、当該終値とする。
なお、当社が募集株式の発行、合併、会社分割、株式分割または株式併合等を行うことにより、払込金額の変更をすることが適切な場合は、当社は必要と認める調整を行うものとする（調整による１円未満の端数は切り上げる。）。
⑶　新株予約権を行使することができる期間
付与から○年以内までの期間を別途定める。

取締役に対するストック・オプションを公正価値にて発行する場合の例であり、株主総会の普通決議による。確定額報酬（361条１項１号）として年額を、非金銭報酬として新株予約権の内容（同項３号）の概要をそれぞれ決議することとなる。また、取締役は新株予約権の内容について相当である理由を説明することが求められており（361条４項）、その旨を記載しておくことが考えられる。取締役に対するストック・オプション報酬については［記載例２-46］も参照されたい。

コーポレートガバナンスの観点では、任意の報酬委員会において審議済である旨に言及しておくことが考えられる。

なお、ストック・オプションと同様、取締役のインセンティブ報酬として導入する譲渡制限付株式の付与に係る株主総会議案については、「『攻めの経営』を促す役員報酬〜企業の持続的成長のためのインセンティブプラン導入の手引〜」（経済産業省、2021）98 〜 114頁を参照されたい。

また、譲渡制限付株式の付与に係る取締役会決議は［記載例２-47］を参照されたい。

［記載例１-56］　有利発行によりストック・オプションを発行する場合（役員報酬決議を含む場合）

第○号議案　当社および当社子会社の役職員に対しストック・オプションを発行する件
議長より、当社および当社子会社の役職員に対する士気向上を目的として、別添株主総会参考書類のとおりストック・オプションとして新株予約権を特に有利な価額により発行し、募集事項の決定については取締役会に委任すること、そのうち当社取締役に対してはストック・オプション報酬として、年額○○○万円（うち社外取締役○○万円）の範囲で新株予約権を発行することを説明し議場に諮ったところ、出席株主の議決権の3分の2以上の賛成により原案どおり承認可決された。

有利発行による新株予約権発行の場合であり、一定の事項を除き募集事項の決定を取締役会に委任する決議（239条1項）であるが、取締役に対するストック・オプション付与については、報酬等に該当し報酬の決議（361条1項）を取る必要がある。この取締役会の委任決議は割当日を総会決議の日より1年以内としなければならない（同条3項）。また、有利発行であることが必要となる理由を株主総会で説明する必要があるため（238条3項）、その旨を記載することが考えられる。新株予約権の内容については、［記載例1-55］の報酬決議における内容と異なり、概要ではなく内容そのものを記載する必要がある。取締役会における報酬決議は［記載例2-46］、従業員等への発行に関する取締役会決議は［記載例2-71、72］を参照されたい。

⒃ 組織再編

合併、会社分割、株式交換および株式移転の組織再編行為に関しては、略式組織再編（784条1項、796条1項）および簡易組織再編（784条2項、796条2項、805条）に該当しない場合には株主総会の特別決議が必要となる（309条2項12号）。

［記載例1-57］ 組織再編議案（吸収合併）の場合

第○号議案　当社と○○○○株式会社との合併契約承認の件

議長より、昨今の経営環境の変化ならびに経営体質の強化を図るため、当社と○○○○株式会社との合併に関し、別添株主総会参考書類のとおり合併契約承認につき説明し議場に諮ったところ、出席株主の議決権の3分の2以上の賛成により原案どおり承認可決された。

[記載例1-58]　組織再編議案において反対株主を確認した場合

第○号議案　当社と○○○○株式会社との株式交換契約承認の件
　議長より、昨今の経営環境の変化ならびに経営体質の強化を図るため、当社と○○○○株式会社との株式交換に関し、別添株主総会参考書類のとおり株式交換契約承認につき説明し議場に諮ったところ、出席株主の議決権の3分の2以上の賛成により原案どおり承認可決された。なお、本議案には、株主○○○○、○○○○、……および○○○○が反対をした。

株主総会の議事運営上は、組織再編議案に対する反対株主の株式買取請求の手続きの一環として、株主総会に出席して組織再編議案に反対である旨（785条2項1号イ、797条2項1号イ、806条2項1号）の意思確認を行うことが考えられ、その場合には議事録にまたは別紙として記録しておくことが望ましい。反対株主の確認方法としては、当該議案の採決時に反対株主に挙手・起立等させ、係員が出席番号等を確認することによる方法、専用の用紙を事前に配布しておき、反対株主に別途提出してもらう方法、株主総会終了後に反対株主に受付等へ申し出てもらう方法などがある。

9　決議事項の上程、審議および採決の結果（質疑応答・動議・株主提案の場合）

(1)　質疑応答がなされた場合

前述のとおり、決議事項における説明義務違反は株主総会の決議取消事由にあたるので（831条1項1号)、適切な説明を行うことが必要であり、決議事項に関して質問がなされる場合の回答はなおのこと重要であることから、議事録上、その審議経過を記載しておくことも大切である。

[記載例 1-59]　質疑応答が行われた場合
（剰余金の配当および剰余金の処分議案の例）

第○号議案　剰余金の処分の件
　議長から、経営体質の強化と今後の事業展開等を勘案して、内部留保にも意を用い、当社をとりまく環境が依然として厳しい折から、○○積立金を○○○円取り崩し、同額を繰越利益剰余金に振り替えるとともに、期末配当を、普通株式１株につき金○円、総額○○○円、配当の効力発生日を○○年○月○日としたい旨を説明したところ、株主○○○○氏から、配当政策に関して……の質問がなされ、議長から、……の説明がなされた。
　このほか質問がなかったので、議長が本議案の賛否について議場に諮ったところ、出席株主の議決権の過半数の賛成をもって原案どおり承認可決された。

　一般株主は配当金を中心とした株主還元や株価向上につながる投資に高い関心を有しているので、配当政策や内部留保の活用方法等に質問がなされることが多い。したがって、決議事項の中でも質問の中心は剰余金の配当および剰余金の処分議案ということになる。
　前記 8(1)において触れたとおり、株主総会決議取消事由（831 条 1 項 1 号）とならないよう、適切な説明を行う必要があり、また訴訟が提起された際の証拠書類として、議事録上、その経過がわかる記載を行う必要がある。
　また、十分質疑が尽くされたと判断されない限り、株主の質問を受ける必要があるので、可能な限り質問を受け、採決を行う必要もある。

[記載例 1-60]　退職慰労金支給議案に対し質疑応答があった場合

第○号議案　退任取締役に対する退職慰労金贈呈の件
　議長より、退任取締役○○○○氏に対し、在任中の労に報いるため、当社における一定の基準に従い退職慰労金を贈呈することとし、その具体的金額、贈呈の時期、方法等は取締役会に一任願いたい旨説明し、当該基準は取締役の個人別の報酬等の内容についての決定方針に沿い相当であると判断している旨を説明した。
　株主から、退職慰労金の具体的な支給額について質問があったので、議長から、会社には役員退職慰労金に関する内規があり、慰労金はその内規に従って一義的に算出できるものであって、その具体的算定方法は……であることおよび当該内規は本店に備置し閲覧に供していることを説明した。
　他に質問はなかったので、議長は、本議案の賛否について議場に諮ったところ、出席株主の議決権の過半数の賛成により原案どおり承認可決された。

役員退職慰労金贈呈議案は、過去株主総会における説明義務違反として株主総会決議取消しとなった事例もあり（東京地判昭和63年1月28日判時1263号3頁、奈良地判平成12年3月29日判タ1029号299頁）、一定の基準が存在し閲覧に供していることやその具体的な内容を説明する必要があるとされているので、議事録においてもそのような説明を行ったことがわかるよう記録しておくことが望ましい。なお、上記のような説明を行うこと以外に、具体的な支給総額を回答する方法もあり、その場合はその内容を記載する。

⑵　動議が提出された場合

株主は、株主総会の目的である事項につき議案を提出することができるが（304条）、取締役会設置会社の場合、招集決定取締役会で決議される株主総会の目的である事項（298条1項2号）以外の事項については基本的に決議することができない（309条5項）。招集決定取締役会で決定された株主総会の目的である事項は、招集通知に記載されることから（299条4項）、このことは、取締役会設置会社の株主は招集通知に記載された株主総会の目的である事項についてのみ議案を提出することができることを意味する。ここで、株主総会の目的である事項とは、議題、つまり、取締役選任議案の場合には、「取締役選任の件」を指し、議案とは、議題に対する具体的な解決策、つまり「何某を取締役の候補者とする」という案をいうとされている（逐条会社法⑷99～100頁〔森田章〕）。具体的には、招集通知に記載された議題「取締役1名選任の件」および招集通知添付の株主総会参考書類に記載された議案「候補者 A を取締役に選任する」がある場合に、これに代えて「候補者 B を取締役に選任する」という議案を提出することを意味し、実務上、修正動議と称されている。

このほか、株主および議長は、休憩、議長不信任（信任または交代）、質疑の打ち切り、採決方法等の、総会の運営や議事進行に関する動議を提出することができ、実務上、手続的動議と称されている。

これらの動議の採否については、適法に提出された修正動議のほか、手続的動議のうち、会社法上規定のある総会提出資料等調査者の選任（316条）、総会の延期・続行（317条）および会計監査人の出席要求（398条2項）、ならびに議長の裁量事項の範囲外の事項である議長不信任は取り上げる必要があるとされている（新版注釈会社法⑸ 168 ～ 170頁〔森本滋〕、株主総会ガイドライン 236 ～ 237頁）。また、取締役選任議案について、各候補者を一人ずつ採決してほしいという動議が出た場合は、議決権行使書により行使する場合個別に賛否を記載できることとの均衡から、念のため取り上げるべきとされている（中村直人『役員のための株主総会運営方法〔第3版〕』（商事法務、2018）158頁）。

なお、動議について採決する場合、修正動議と手続的動議とでは、書面投票（株主総会に出席できない株主が議決権行使書面を提出することで行使するもの。298条1項3号、311条）および電子投票（株主総会に出席できない株主がインターネット等の電磁的方法で行使するもの。298条1項4号、312条）により行使された議決権数の取り扱いが異なる。

すなわち、修正動議の場合、書面投票または電子投票により、招集通知添付の株主総会参考書類に記載された議案（これを実務上「原案」という）に賛成の行使がされた議決権数は修正動議に反対（または棄権）として、原案に反対の行使がされた議決権数は修正動議に棄権として取り扱われる。

これに対して、手続的動議は、議事運営に関するものであるから、株主総会に出席している株主のみにより採決されるため、書面投票および電子投票により行使された議決権数は算入しない。

当該株主総会に出席している株主には代理人が出席しているもの（310

条）は含まれるので、手続的動議に対応するために、大株主に出席を求め、出席できない場合に大株主から包括委任状（株主総会の決議事項のみならず手続的動議に関するものも含めた議決権行使内容を包括的に記載した委任状）の提出を受けることが行われる場合がある（2021年版株主総会白書96頁によると大株主から包括委任状を受けた先は51.2%）。上場会社の場合、会社またはその役員のいずれでもない者が10人未満の者を勧誘する場合等を除いて、所定の委任状用紙および参考書類の交付が義務づけられるので（金商法施行令36条の6第1項1号）、自発的に包括委任状の提出を受けたり、当該所定の委任状用紙の交付を行う（株主のすべてに対し株主総会参考書類および議決権行使書面が交付されている場合、財務局長等への委任状の用紙および参考書類の写しの提出は免ぜられる。金商法施行令36条の3、43条の11、委任状勧誘府令44条）等がなされている。

［記載例1-61］　修正動議が提出された場合
（剰余金の配当議案・修正案先議方式の例）

第○号議案　剰余金の処分の件
　議長から、経営体質の強化と今後の事業展開等を勘案して、内部留保にも意を用い、当社をとりまく環境が依然として厳しい折から、期末配当を、普通株式1株につき金○円、総額○○○円、配当の効力発生日を○○年○月○日としたい旨を説明したところ、株主○○○○氏から、会社の配当政策は……の点で不十分であるとの意見が出されたうえで、普通株式1株につき金○○円とする旨の修正動議が提出された。
　このほか質問はなかったので、修正動議を議場に諮ったところ、出席株主の議決権の過半数の賛成が得られなかったので否決された。
　この後、原案について議場に諮ったところ、出席株主の議決権の過半数の賛成をもって承認可決された。

　動議が提出された場合、提出の時期に反しない限り、他の議案の審議に先立って直ちに審議することが原則的な取り扱いである（株主総会ガイドライン241～242頁）。提出の時期とは、たとえば、議案の審議に関する動議およびその他の議事進行に関する動議は、当該議案の審議に入ってからに限られることを指し、また、議長の議事整理権（315条）に基づき、あらかじめ、審議に入るにあたって、報告事項の報告終了まで動議の提出を許可しない措置をとることも許されるとされている（株主総会ガイドライン240頁）。

なお、修正動議に関しては、ある修正動議につき、総株主の議決権の10分の1（定款の定めにより緩和可）以上の賛成を得られなかった日から3年を経過していない場合、実質的に同一の議案を取り上げる必要はないが（304条但書）、修正動議の賛成を集計する負担があることや、実質的に同一の議案であるかどうかの判断が必要であることから、かかる対応を行わず取り上げることが一般的である。

［記載例1-62］　修正動議が提出された場合
（剰余金配当議案・原案先議方式の例）

第○号議案　剰余金の処分の件

議長から、経営体質の強化と今後の事業展開等を勘案して、内部留保にも意を用い、当社をとりまく環境が依然として厳しい折から、期末配当を、普通株式1株につき金○円、総額○○○円、配当の効力発生日を○○年○月○日としたい旨を説明したところ、株主○○○○氏から、会社の配当政策は……の点で不十分であるとの意見が出されたうえで、普通株式1株につき金○○円とする旨の修正動議が提出された。

議長から、原案とともに審議した後採決したい旨述べ、他に質問はないか確認したが、質問がなかったので、原案より先に採決したい旨議場に諮ったところ、出席株主の議決権の過半数の賛成を得て承認された。

この後、原案について議場に諮ったところ、出席株主の議決権の過半数の賛成をもって承認可決されたため、議長は、修正動議は否決された旨を宣した。

動議は他の議案の審議に先立って直ちに審議されることが原則であるが、修正動議の場合、元々原案の一部修正であることから、原案と修正案を併せて一括審議することは可能であり、この場合、議長は原案から先に採決することができるとされている（株主総会ガイドライン241～243頁）。

ただし、実務上は、より慎重を期すために、原案先議を議場に諮って承認を得て行うことが行われており（株主総会ガイドライン243頁）、上記はその場合の記載例である。

なお、株主総会における議決権行使結果に係る臨時報告書には、修正動議が提出された場合、その賛否の議決権数等を記載することになるが（開示府令19条2項9号の2）、原案先議方式を採った場合、原案が会社法上適法に成立した旨、動議は成立の余地がなくなった旨、および動議については「議決権数を集計していない」旨を注記することでよいことになるので（全株懇モデル242～243頁）、そのような点も考慮して原案先議方式を採用する場合がある。

[記載例1-63]　手続的動議が提出された場合（議長不信任動議の場合・直ちに動議を取り上げる例）

> 議長から、この件に関しては質疑を打ち切り、他の質問を受け付ける旨述べたところ、株主から議長の議事運営は公正さを欠いているため、議長を交代すべきであるとして議長不信任動議が提出された。議長はこれを直ちに採り上げ、議長不信任動議を議場に諮ったところ、出席株主の議決権の過半数の反対をもって否決された。

手続的動議に関して、原則的取扱いである、他の議案に先立って直ちに動議を審議する場合の記載例である。

なお、手続的動議の場合は、前述のとおり、株主総会に出席している株主のみにより採決されるため、上記記載例でいうところの出席株主に書面投票および電子投票により行使された議決権数は算入されない。

また、手続的動議に対する決議は、株主総会における議決権行使結果に係る臨時報告書（開示府令19条2項9号の2）の記載事項にはならないとされている（「コメントの概要及びコメントに対する金融庁の考え方」（金融庁ウェブサイト（http://www.fsa.go.jp/news/21/sonota/20100331-8/00.pdf））項番28)。

[記載例1-64] 手続的動議が提出された場合(議長不信任動議の場合・議長が動議に反対する形の対案を提出する例)

議長から、この件に関しては質疑を打ち切り、他の質問を受け付ける旨述べたところ、株主から議長の議事運営は公正さを欠いているため、議長を交代すべきであるとして議長不信任動議が提出された。議長は、自らの議事運営は公正である旨説明した後、引き続き議長を続けたい旨議場に諮ったところ、出席株主の議決権の過半数の賛成をもって可決されたため、議長は、議長不信任動議は否決された旨を宣した。

手続的動議の場合は、修正動議のように原案が存在しないため、直ちに動議を審議するほかないことになるが、委任状受任者を含む大株主の賛否を確認することで議場の議決権の過半数の賛否を確認することが可能な状況にある場合、動議そのものの可否を諮るのではなく、動議の趣旨を議長が汲み上げて、動議を否決する方向での議長提案(動議反対)を先議する形に切り換えて対応することが可能であるとされており(準備事務373頁)、かかる対応をとる場合の記載例である。

なお、手続的動議であるため、前述のとおり、上記記載例でいうところの出席株主に書面投票および電子投票により行使された議決権数は算入されない。

(3) 株主提案がある場合

公開会社である取締役会設置会社の場合、総株主の議決権の100分の1以上の議決権または300個以上の議決権を6カ月前から引き続き有する株主は、株主総会の日の8週間前までに請求することにより(これらの数および期間は定款の定めにより緩和可)、取締役に対し、会社法に規定する事項または定款で定めた事項を株主総会の議題とし、また当該株主が提出しようとする議案の要領を招集通知に記載することを請求することができ(295条2項、303条、305条)、株主提案権と称されている。

[記載例 1-65]　会社提案と競合しない株主提案がある場合
（株主から定款変更議案が提案されている例）

（株主提案）
第○号議案　定款一部変更の件
　議長から、本議案は株主からの提案によるものであり、その内容は、別添の「第○期定時株主総会招集ご通知」○から○頁に記載のとおりである旨述べた後に、提案株主に対して説明を求めたところ、株主○○○○氏から、……であることから当該定款の定めを追加すべきである旨の説明がなされた。
　引き続き、議長から、株主提案に対する取締役会の意見として、……であることから、株主提案には反対である旨説明した。
　議長は本議案について出席株主に質問を求めたところ、株主○○○○氏から……について質問があり、議長の指名により提案株主である○○○○氏から、……の回答がなされた。
　このほか質問がなかったので、議長が本議案の賛否について議場に諮ったところ、出席株主の議決権の３分の２以上の賛成が得られなかったので本議案は否決された。

　株主提案権が行使された場合、株主総会参考書類には、議案のほか、議案が株主の提出に係るものである旨や、議案に対する取締役会の意見の内容、株主が株主提案権の行使に際して通知した提案の理由などを記載することになる（施行規則 93 条）。

　提案株主は株主総会に出席して提案について説明する義務はないが、議長の議事整理の下において総会場で提案理由の説明をすることができ、会社はその機会を与えなければならないとされている（株主総会ガイドライン 288 頁）。

[記載例 1-66]　会社提案と競合する株主提案がある場合
（株主から剰余金配当議案が提案されている例）

（会社提案）

第○号議案　剰余金の配当の件
（株主提案）
第○号議案　剰余金の配当の件
　議長から、会社提案である第○号議案と株主提案である第○号議案とは競合する議案であるため一括して審議したい旨諮ったところ、出席株主の議決権の過半数の賛成を得て承認された。
　まず、議長から、会社提案である第○号議案について、……である旨を説明した。
　次に、議長は、第○号議案は株主からの提案によるものであり、その内容は、別添の「第○期定時株主総会招集ご通知」○から○頁に記載のとおりである旨述べた後に、提案株主に対して説明を求めたところ、株主○○○○氏から、……である旨の説明がなされた。
　引き続き、議長から、株主提案に対する取締役会の意見として、……であることから、株主提案には反対である旨説明した。
　議長は出席株主に質問を求めたところ、株主○○○○氏から……について質問があり、議長からは……について回答を行った後、引き続いて議長の指名により提案株主である○○○○氏から、……について説明がなされた。
　このほか質問がなかったので、議長が会社提案に先立ち株主提案である第○号議案について議場に諮ったところ、出席株主の議決権の過半数の賛成が得られなかったので本議案は否決された。
　次に会社提案である第○号議案について、議場に諮ったところ、出席株主の議決権の過半数の賛成をもって本議案は承認可決された。

　会社提案と競合する株主提案が行われた場合、議案の審議の順番としては、①会社提案を先に審議する方法、②株主提案を先に審議する方法、③会社提案と株主提案を一括して審議する方法が考えられる。
　①の方法は会社提案を先議・可決してしまうと株主提案の審議の機会がなく、実質上、株主提案を無視してしまうため、②の方法で行う例があるが、③の方法の方が審議および採決がしやすいとされており（準備事務530頁参照）、かかる方法を採用した場合の記載例である。

［記載例1-67］ 議場において投票を行う場合
（株主から競合する剰余金配当議案が提案されている例）

（会社提案）
第○号議案　剰余金の配当の件
（株主提案）
第○号議案　剰余金の配当の件
　議長から、会社提案である第○号議案と株主提案である第○号議案とは競合する議案であるため一括して審議したい旨諮ったところ、出席株主の議決権の過半数の賛成を得て承認された。
　まず、議長から、会社提案である第○号議案について、……である旨を説明した。
　次に、議長は、第○号議案は株主からの提案によるものであり、その内容は、別添の「第○期定時株主総会招集ご通知」○から○頁に記載のとおりである旨述べた後に、提案株主に対して説明を求めたところ、株主○○○○氏から、……である旨の説明がなされた。
　引き続き、議長から、株主提案に対する取締役会の意見として、……であることから、株主提案には反対である旨説明した。
　議長は出席株主に質問を求めたところ、株主○○○○氏から……について質問があり、議長からは……について回答を行った後、引き続いて議長の指名により提案株主である○○○○氏から、……について説明がなされた。
　このほか質問がなかったので、議長から、採決は事前に会場受付にて配布した投票用紙に各議案について賛成、反対または棄権について記載する方法で行うが、競合する第○号議案と第○号議案のいずれにも賛成を記載する場合は無効となる旨を説明し、投票が行われた。
　集計に時間を要するため、議長は○時○分まで休憩する旨宣言した。
　議長は○時○分に議事を再開し、会社提案である第○号議案は、出席株主の議決権の過半数の賛成をもって承認可決され、株主提案である第○号議案は出席株主の議決権の過半数の賛成が得られなかったので否決された旨宣した。

　提案株主が委任状勧誘を行う場合等、あらかじめ議案の可決・否決の帰趣が明らかでない場合、出席株主すべての賛成・反対・棄権を確認する必要があり、投票用紙その他の集計方法を用いてこれを行うことになるが、このような場合の記載例である。

出席株主が多くない場合は必要ないが、集計時間中休憩する対応を取る場合がある。議長の議事整理権（315条）に基づいて、動議として諮ることなく休憩することが可能である。この場合、投票を要しない議案は休憩前に採決しておくことが適切である（休憩後再入場しない株主があるため）。

なお、投票を行う場合、株主である役員・事務局も投票が必要であるとの判例がある（大阪地判平成16年2月4日金判1191号38頁）。

［記載例1-68］　株主提案に対する賛成が10分の1得られなかった場合（株主から会社提案と競合しない定款変更議案が提案されている例）

（株主提案）
第○号議案　定款一部変更の件

議長から、本議案は株主からの提案によるものであり、その内容は、別添の「第○期定時株主総会招集ご通知」○から○頁に記載のとおりである旨述べた後に、提案株主に対して説明を求めたが、提案株主からは特段説明はなされなかった。

引き続き、議長から、株主提案に対する取締役会の意見として、……であることから、株主提案には反対である旨説明し、議場に諮ったところ、総株主の議決権の10分の9を超える反対があり本議案は否決された。

株主提案に関しては、ある議案につき、総株主の議決権の10分の1（定款の定めにより緩和可）以上の賛成を得られなかった日から3年を経過していない場合、実質的に同一の議案を取り上げる必要はないとされている（305条4項）。大株主の意向が確認でき、総株主の議決権の10分の9を超える反対（すなわち10分の1以上の賛成が得られないこと）であることが判明する場合に、これを明示しておくことが考えられる。

10　議長の閉会宣言と閉会時刻

株主総会の議事は、報告事項の報告と決議事項の審議・採決が終了した後に議長の閉会宣言によって終了される。

なお、議長の閉会宣言後に、当該株主総会において選任された取締役または監査役を紹介する例がみられるが、株主総会後に行われるものであるため、議事録にその旨記載する必要はない。

［記載例 1-69］　議長の閉会宣言と閉会時刻の記載例

> 以上をもって、報告事項および決議事項のすべてが終了したので、議長は午前○時○分閉会を宣した。

第6節　議事録の作成に係る職務を行った取締役の氏名

議事録の作成に係る職務を行った取締役の氏名は、株主総会議事録の法定記載事項である（施行規則 72 条 3 項 6 号）。

株主総会議事録の作成は、会社の業務執行ではないから、代表取締役や執行役の業務執行に係る権限に属するものではなく、代表取締役以外の取締役でも作成することができるとされているが（相澤・論点解説 495 頁）、代表取締役が作成者となる場合が多い（2021 年版株主総会白書 154 頁によると、代表取締役社長 68.0%、総務担当（株式担当）取締役 23.8%）。

なお、旧商法においては、取締役の署名または記名押印が必要であったが（旧商法 244 条 3 項、商法中署名スヘキ場合ニ関スル法律）、会社法では求められていない。株主総会議事録については、取締役会議事録のように、取締役会の決議に参加した取締役であって取締役会議事録に異議をとどめないものはその決議に賛成したものとみなす推定効（369 条 5 項）がないので、特に法令上、署名等を義務づける必要性がないと考えられたためとされている（相澤哲編著『立案担当者による新会社法関係法務省令の解説（別冊商事法務 300 号）』（商事法務、2006）12 頁）。

しかしながら、実務上は株主総会議事録に押印する場合が多い（2021年版株主総会白書154～155頁によると93.7%）。出席取締役全員が押印する例や、議長または議事録の作成に係る職務を行った取締役のみ記名押印する例、その他旧商法にならい議長および出席取締役が記名押印する例とに分かれている。

［記載例1-70］　議事録の作成に係る職務を行った取締役の氏名のみ記載し押印する場合

> ここに議事の経過の要領およびその結果を明確にするため、本議事録を作成する。
>
> ○○年○月○日
>
> ○○○○株式会社
> 議事録の作成に係る職務を行った取締役
> 代表取締役社長○○○○　㊞

株主総会議事録の末尾に議事録の作成に係る職務を行った取締役の氏名を記載する場合、その前に作成担保文言と作成日（実際に作成した日または株主総会の日）を記載することが一般的である。

［記載例1-71］　議事録の作成に係る職務を行った取締役は前半に箇条書きで記載し、末尾に議長および出席取締役が記名押印する場合

> 1　開催日時　○○年○月○日（○曜日）午前○時
> 2　開催場所　東京都○○区○○町○丁目○番○号　当社本店○階会議室
> 3　出席株主数および議決権数
> （中略）
> 4　出席した取締役および監査役
> （中略）
> 5　株主総会の議長　代表取締役社長○○○○

6　議事録の作成に係る職務を行った取締役　代表取締役社長○○○○
7　議事の経過の要領およびその結果
（中略）

ここに議案の経過の要領および結果を記載し、議長および出席取締役は記名押印する。

○○年○月○日

○○○○株式会社
議長　代表取締役社長○○○○　㊞
専務取締役○○○○　㊞
常務取締役○○○○　㊞
取締役○○○○　㊞
取締役○○○○　㊞
取締役○○○○　㊞

第７節　監査役、監査等委員（会）、会計監査人および会計参与の意見等

監査役、監査等委員（会）、会計監査人および会計参与の意見等は、株主総会議事録の法定記載事項である（施行規則72条3項3号）。

具体的には次の意見または発言が株主総会において述べられた場合その内容の概要を記載する必要がある。

［図表1-7］　株主総会議事録に記載される株主総会における監査役・監査等委員（会）・会計参与・会計監査人の意見陳述権等

①　監査等委員である取締役の選任・解任・辞任についての株主総会における監査等委員である取締役の意見陳述権（342条の2第1項）
②　辞任後最初に招集される株主総会における監査等委員である取締役を辞

任した者の出席権・意見陳述権（342条の2第2項）

③　監査等委員である取締役以外の取締役の選任・解任・辞任についての株主総会における監査等委員会の意見陳述権（342条の2第4項）

④　会計参与の選任・解任・辞任についての株主総会における会計参与の意見陳述権（345条1項）

⑤　監査役の選任・解任・辞任についての株主総会における監査役の意見陳述権（345条1項・4項）

⑥　会計監査人の選任・解任・不再任・辞任についての株主総会における会計監査人の意見陳述権（345条1項・5項）

⑦　辞任後最初に招集される株主総会における会計参与を辞任した者の出席権・意見陳述権（345条2項）

⑧　辞任後最初に招集される株主総会における監査役を辞任した者の出席権・意見陳述権（345条2項・4項）

⑨　解任後または辞任後最初に招集される株主総会における会計監査人を辞任した者または監査役（会）により解任された者の出席権・意見陳述権（345条2項・5項）

⑩　監査等委員である取締役の報酬等についての株主総会における監査等委員である取締役の意見陳述権（361条5項）

⑪　監査等委員である取締役以外の取締役の報酬等についての株主総会における監査等委員会の意見陳述権（361条6項）

⑫　会計参与報告の作成に関する事項について取締役と意見を異にするときの株主総会における会計参与の意見陳述権（377条1項）

⑬　会計参与の報酬等についての株主総会における会計参与の意見陳述権（379条3項）

⑭　株主総会提出議案・書類等についての株主総会における監査役の報告義務（384条）

⑮　監査役の報酬等についての株主総会における監査役の意見陳述権（387条3項）

⑯　会計に関する株主総会提出議案・書類等についての株主総会における会計監査権限に限定された監査役の報告義務（389条3項）

⑰　会計監査報告が法令・定款に適合するかどうかについて監査役と意見を

異にするときの定時株主総会における会計監査人の意見陳述権（398条1項）
⑱　定時株主総会において会計監査人の出席を求める決議があったときの定時株主総会における会計監査人の意見陳述義務（398条2項）
⑲　株主総会提出議案・書類等についての株主総会における監査等委員の報告義務（399条の5）

これらは、基本的に、監査役・監査等委員・会計参与・会計監査人が不当に辞任等させられることのないよう地位の独立性を確保するための意見陳述権等であり、これらが記載されることは通常ない。

[記載例1-72]　監査役を辞任した者が辞任後最初に招集される株主総会において意見を述べた場合

議長は、○○年○月○日に監査役を辞任した○○○○氏から、別添の「第○期定時株主総会招集ご通知」○頁記載のとおり辞任した理由について意見の通知を受けていることを述べた後に、○○○○氏に発言を求めたところ、○○○○氏からは、自らの辞任は……であることを述べた。

議長は、そのような事実はなく、誤認に基づくものであり……である旨説明した後、議長の指名を受けた常勤監査役○○○○からも、そのような事実はなく、……であるとの説明がなされた。

監査役を辞任した者は、辞任後最初に招集される株主総会に出席して、辞任した旨およびその理由を述べることができ（345条2項・4項）、この述べられる理由があるときは招集通知に添付される事業報告に記載される（施行規則121条7号ハ）。当該理由は、述べられる予定の理由が判明したという事象が発生した事業年度に係る事業報告と当該理由が実際に株主総会において述べられたという事象が発生した事業年度に係る事業報告とにそれぞれ記載されるが、内容が同一の場合、重複した開示は不要とされている（小松岳志＝澁谷亮「事業報告の内容に関する規律の全体像」商事法務1863号15頁）。したがって、実務上は、監査役を辞任した者に対して、株主総会の招集通知を行うとともに理由の陳述の有無を確認しておくことが一般的である。なお、辞任した取締役、会計参与、監査役および執行役の氏名も事業報告の記載事項である（施行規則121条7号イ）。

また、現任の監査役は、株主総会において、監査役の選任もしくは解任または辞任について意見を述べることができ（345条4項）、この述べられる意見の内容も事業報告に記載される（施行規則121条7号ロ）。当該意見を記載する事業報告も前述の監査役を辞任した者が述べる理由の場合と同じ取り扱いである。

第８節　一括審議方式の場合

１　前提

議案の審議方法としては、本章第5節において述べた個別審議方式（決議事項の各議案を1つずつ上程・審議・採決する方法）のほかに、一括審議方式（決議事項の全議案をまとめて上程、一括して審議した後は採決のみを行う方法）があり、この方法を採用する会社が多数を占めるようになっている（2021年版株主総会白書123頁によると、個別審議方式21.3%、一括審議方式77.6%）。

一括審議方式の場合、株主総会議事録全体の記載は次のような取扱いになる。

［記載例1-73］　一括審議方式の場合の記載例

第○期定時株主総会議事録

1　開催日時　○○年○月○日（○曜日）午前○時
2　開催場所　東京都○○区○○町○丁目○番○号　当社本店○階会議室
3　出席株主数および議決権数
　議決権を行使することができる株主の数　○，○○○名

その議決権数　〇〇〇，〇〇〇個
本日出席の株主数（議決権行使書によるものを含む）　〇，〇〇〇名
その議決権数　〇〇〇，〇〇〇個
4　出席した取締役および監査役
出席取締役　〇〇〇〇、〇〇〇〇、……および〇〇〇〇の〇名
出席監査役　〇〇〇〇、〇〇〇〇、……および〇〇〇〇の〇名
5　株主総会の議長　代表取締役社長〇〇〇〇
6　議事の経過の要領およびその結果
定刻、取締役社長〇〇〇〇は、定款第〇条の定めに基づき議長席に着き開会を宣した後、議長は、株主の発言は報告事項の報告および決議事項の上程が終了した後に受け付ける旨述べた。（注1）
その後、議長は、出席株主数および議決権数について事務局から報告させ、本総会の各議案の決議に必要な定足数を充たしている旨を述べた。

報告事項
1　第〇期（〇〇年〇月〇日から〇〇年〇月〇日まで）事業報告の内容、連結計算書類の内容ならびに会計監査人および監査役会の連結計算書類監査結果報告の件
2　第〇期（〇〇年〇月〇日から〇〇年〇月〇日まで）計算書類の内容報告の件
議長が連結計算書類の監査結果を含め監査役に監査報告を求めたところ、常勤監査役〇〇〇〇から、当事業年度の監査結果は別添の「第〇期定時株主総会招集ご通知」〇頁の監査役会の監査報告書謄本に記載のとおりである旨の報告がなされた。また、連結計算書類の監査結果について、同じく〇頁から〇頁の会計監査人および監査役会の監査報告書謄本に記載のとおりである旨の報告がなされた。
続いて、議長から、事業報告、連結計算書類および計算書類の内容について別添の「第〇期定時株主総会招集ご通知」〇頁から〇頁に基づき報告し、引き続き、各議案の上程およびその内容の説明に入った。（注2）

決議事項

第１号議案　剰余金の処分の件

議長から、経営体質の強化と今後の事業展開等を勘案して、内部留保にも意を用い、当社をとりまく環境が依然として厳しい折から、期末配当を、普通株式１株につき金○円、総額○○○円、配当の効力発生日を○○年○月○日とするとともに、将来の積極的な事業展開に備えた経営基盤の強化を図るため、繰越利益剰余金を○○○円取り崩し、同額を別途積立金に振り替えたい旨を説明した。

第２号議案　定款一部変更の件

議長から、新規事業への進出を図るため定款第○条所定の事業目的に「○○○○……」を追加したい旨を説明した。

第３号議案　取締役○名選任の件

議長から、取締役○名全員は本総会終結の時をもって任期満了となるので、新たに「第○期定時株主総会招集ご通知」○頁から○頁に記載の取締役候補者○名を取締役に選任したい旨を説明した。

第４号議案　監査役○名選任の件

議長から、監査役○○○○氏および○○○○氏は本総会終結の時をもって任期満了となるので、新たに「第○期定時株主総会招集ご通知」○頁から○頁に記載の監査役候補者○○○○および○○○○を監査役に選任したい旨ならびに本議案の提出には監査役会の同意を得ている旨を説明した。

第５号議案　補欠監査役○名選任の件

議長から、監査役の員数を欠くことになる場合に備え、第○期定時株主総会招集ご通知」○頁に記載の補欠監査役候補者○○○○を選任したい旨および本議案の提出には監査役会の同意を得ている旨を説明した。

第６号議案　退任取締役に対する退職慰労金贈呈の件

議長より、退任取締役○○○○氏に対し、在任中の労に報いるため、当社における一定の基準に従い退職慰労金を贈呈することとし、その具体的金額、贈呈の時期、方法等は取締役会に一任願いたい旨説明し、当該基準は取締役の個人別の報酬等の内容についての決定方針に沿い相当であると判断している旨を説明した。

第７号議案　取締役賞与支給の件

議長より、当期末時点の取締役○名（うち社外取締役○名）に対し、当期の業績等を勘案して、取締役賞与総額○○○万円（うち社外取締役分○○○万円）を支給したい旨および当該内容は取締役の個人別の報酬等の内容についての決定方針に沿い相当であると判断している旨を説明した。

第８号議案　取締役の報酬額改定の件

議長より、当社の取締役の報酬額は、○○年○月○日開催の第○期定時株主総会において、年額○○○○円以内と決議され現在に至っているが、経済情勢等諸般の事情を考慮して、取締役の報酬額を年額○○○○円以内に改定したい旨および取締役の報酬額には従来どおり使用人兼務取締役の使用人分給与は含まないものとする旨を述べ、当該改定は取締役の個人別の報酬等の内容についての決定方針に沿い相当であると判断しており、また、本議案を承認いただいた場合も、当該方針を変更することは予定していない旨を説明した。(注3)

次いで、議長は本日の株主総会の運営方法としては、報告事項および決議事項についての審議を一括して行うことを説明した後（注4)、出席株主に質問を求めたところ、株主○○○○氏から……の件について質問があり、議長から、……の回答がなされた。その他に質問はなかったので、以上をもって報告事項および決議事項についての質疑を終了し（注5)、各議案の採決に入った。

第１号議案　剰余金の処分の件

議長は、本議案につき採決を求め賛否を諮ったところ、出席株主の議決権の過半数の賛成をもって原案どおり承認可決された。(注6)

第２号議案　定款一部変更の件

議長は、本議案につき採決を求め賛否を諮ったところ、出席株主の議決権の３分の２以上の賛成があったので、本議案は原案どおり承認可決された。

第３号議案　取締役○名選任の件

議長は、本議案につき採決を求め賛否を諮ったところ、出席株主の議決権の過半数の賛成をもって原案どおり承認可決された。

被選者はそれぞれ就任を承諾した。

第４号議案　監査役○名選任の件

議長は、本議案につき採決を求め賛否を諮ったところ、出席株主の議決権の過半数の賛成をもって原案どおり承認可決された。

被選者はそれぞれ就任を承諾した。
第５号議案　補欠監査役○名選任の件
議長は、本議案につき採決を求め賛否を諮ったところ、出席株主の議決権の過半数の賛成をもって原案どおり承認可決された。
第６号議案　退任取締役および退任監査役に対し退職慰労金贈呈の件
議長は、本議案につき採決を求め賛否を諮ったところ、出席株主の議決権の過半数の賛成をもって原案どおり承認可決された。
第７号議案　役員賞与の支給の件
議長は、本議案につき採決を求め賛否を諮ったところ、出席株主の議決権の過半数の賛成をもって原案どおり承認可決された。
第８号議案　取締役および監査役の報酬額改定の件
議長は、本議案につき採決を求め賛否を諮ったところ、出席株主の議決権の過半数の賛成をもって原案どおり承認可決された。
以上をもって、報告事項および決議事項のすべてが終了したので、議長は午前○時○分閉会を宣した。
ここに議事の経過の要領およびその結果を明確にするため、本議事録を作成する。

○○年○月○日

○○○○株式会社
議事録の作成に係る職務を行った取締役
代表取締役社長○○○○　㊞

（注１）～（注６）については、以下「２一括審議方式固有の記載事項」参照。

2　一括審議方式固有の記載事項

前述のとおり、決議事項の上程・審議・採決方法が個別審議方式と異なるため、その部分の記載は、個別審議方式の場合の、本章第５節８「決議事項の上程」、「審議および採決の結果」とは異なるが、他の記載事項は個別審議方式の記載と共通するため、それらの部分は前節までに述べた事項を参照していただきたい。

一括審議方式固有の記載事項としては、次に述べるものが挙げられる。

a　事前質問状に対する一括回答

一括審議方式において、事前質問状に対する一括回答を行う場合は、一括回答自体は、決議事項（議案）の上程を行った後に行うことになる。

[記載例 1-74]　一括審議方式において事前質問状に対する一括回答を行う場合

> 第８号議案　取締役および監査役の報酬額改定の件
> 　議長から、取締役および監査役の報酬額は、…（中略）…取締役の報酬額には、従来どおり使用人兼務取締役の使用人給与は含まない旨を説明した。
> 　次に、議長の指名により、○○に関し株主からあらかじめ提出されている質問状について、専務取締役○○○○から、……と説明した。
> 　議長は本日の株主総会の運営方法としては、報告事項および決議事項についての審議を一括して行うことを説明した後……（以下略）

記載箇所としては、[記載例 1-73]（注 3）のところを上記のように入れ替えた形にするとともに、（注 1）の冒頭の発言を許可する時期の説明を「議長は、株主の発言は報告事項の報告、決議事項の上程および事前質問に対する回答が終了した後に受け付ける旨述べた」のように入れ替えた形とする必要がある。

b　一括審議を採用することの取り扱い

一括審議方式は議事運営ルールの１つであり、議長の議事整理権（315条）に基づき、議長が合理的と思われる審議方式を採用する裁量を有するとされていることから（株主総会ガイドライン 86 頁）、その場合、上記［記載例 1-73］（注 4）（「次いで、議長は本日の株主総会の運営方法としては、報告事項および決議事項についての審議を一括して行うことを説明した後」）のように記載することが考えられる。

[記載例1-75]　審議に入る前に一括審議方式について議場に諮る場合

> 次いで、議長は本日の株主総会の運営方法としては、報告事項および決議事項についての審議を一括して行う旨議場に諮ったところ、出席株主の議決権の過半数の賛成をもって承認可決された。

株主総会の議長は、包括的な議事整理権の行使として、議事運営に関する動議を提出することができるので（株主総会ガイドライン238頁）、念のため議場に諮ることも行われており、上記はその場合の記載例である。

[記載例1-76]　開会宣言後一括審議方式により行う旨説明する場合

> 定刻、取締役社長○○○○は、定款第○条の定めに基づき議長席に着き開会を宣した後、議長は、本日の株主総会の運営方法としては、報告事項の報告および決議事項の上程の後にそれらについての審議を一括して行うことを説明した。

開会宣言後、一括審議方式により行う旨を議長が説明する場合のもので、記載箇所としては［記載例1-73］（注1）の箇所を上記のように入れ替えた形にするとともに、（注4）の箇所（「議長は本日の株主総会の運営方法としては、報告事項および決議事項についての審議を一括して行うことを説明した後」）を削除することになる。

[記載例1-77]　開会宣言後一括審議方式により行う旨議場に諮る場合

> 定刻、取締役社長○○○○は、定款第○条の定めに基づき議長席に着き開会を宣した後、議長は、本日の株主総会の運営方法としては、報告事項の報告および決議事項の上程の後にそれらについての審議を一括して行う旨議場に諮ったところ、出席株主の議決権の過半数の賛成をもって承認可決された。

開会宣言後、一括審議方式により行う旨を議場に諮る場合のもので、記載箇所としては［記載例1-73］（注1）の箇所を上記のように入れ替えた形にするとともに、（注4）（「議長は本日の株主総会の運営方法としては、報告事項および決議事項についての審議を一括して行うことを説明した後」）の箇所を削除することになる。

c　質疑応答がなされた場合

一括審議方式の場合、報告事項および決議事項（事前質問がある場合はその回答）をまとめて審議することになるので、その質疑応答の要領を［記載例1-73］（注5）のように記載することになる。

質問がない場合は、［記載例1-73］（注5）のところは「出席株主に質問を求めたところ、質問はなかったので」などと記載することになる。

d　修正動議が提出された場合

動議一般の取り扱いについては、個別審議方式における本章第5節9(2)の解説を参照していただきたいが、一括審議方式により行われている株主総会において、修正動議が提出された場合、採決は全議案の審議が終了した後に行われることになる。

なお、一括審議方式が採用されている場合であっても、議長不信任などの手続的動議については、直ちに取り上げることになるので、個別審議方式の場合と異なるところはない。

［記載例1-78］　修正動議が提出された場合（剰余金配当議案・原案先議方式の例）

次いで、議長は本日の株主総会の運営方法としては、報告事項および決議事項についての審議を一括して行うことを説明した後、出席株主に質問を求めたところ、株主○○○○氏から、会社の配当政策は……の点で不十分であるとの意見が出されたうえで、普通株式1株につき金○○円とする旨の修正動議が提出された。議長は、原案とともに審議した後採決したい旨述べ、他に質問はないか確認したが、質問はなかったので、原案より先に採決したい旨議場に諮ったところ、出席株主の議決権の過半数の賛成を得て承認された。

その後、議長は各議案の採決に入った。

第1号議案　剰余金の処分の件

議長は、本議案につき採決を求め賛否を諮ったところ、出席株主の議決権の過半数の賛成をもって原案どおり承認可決された。この結果、議長は、第1号議案に対する修正動議は否決された旨宣した。

上記は、剰余金配当議案に対して修正動議が提出された場合の記載例であるが、記載箇所としては［記載例 1-73］（注 4）（注 5）（注 6）の箇所を上記［記載例 1-78］のように入れ替えた形になる。

e　株主提案がある場合

株主提案がある場合も、一括審議方式を採用している場合は、会社提案とともに株主提案も一括して審議することは同様であるが、競合する議案がある場合の採決の順序について対応を要することは考えられる。

その他の留意点については、個別審議方式における本章第 5 節 9⑶の解説を参照していただきたい。

［記載例 1-79］　会社提案議案と競合する株主提案（剰余金配当議案の例）と競合しない株主提案（定款変更議案の例）が提案されている場合

決議事項
（会社提案）
第 1 号議案　剰余金の配当の件（中略）
第 2 号議案　取締役○名選任の件
　議長から、…（中略）…を説明した。

（株主提案）
第 3 号議案　剰余金の配当の件
第 4 号議案　定款一部変更の件
　次に、議長は、第 3 号議案および第 4 号議案は株主からの提案によるものであり、その内容は、別添の「第○期定時株主総会招集ご通知」○から○頁に記載のとおりである旨述べた後に、提案株主に対して説明を求めたところ、株主○○○○氏から、……である旨の説明がなされた。

引き続き、議長から、株主提案に対する取締役会の意見として、……であることから、株主提案には反対である旨説明した。

次いで、議長は本日の株主総会の運営方法としては、報告事項ならびに決議事項である会社提案および株主提案についての審議を一括して行う旨議場に諮ったところ、出席株主の議決権の過半数の賛成をもって承認可決された。

議長は出席株主に質問を求めたところ、株主○○○○氏から……について質問があり、議長からは……について回答を行った後、引き続いて議長の指名により提案株主である○○○○氏から、……について回答がなされた。

このほか質問がなかったので、議長は、会社提案である第1号議案に先立ち株主提案である第3号議案から先に採決する旨述べた後、各議案の採決に入った。

第3号議案　剰余金の配当の件

議長は、本議案につき採決を求め賛否を諮ったところ、出席株主の議決権の過半数の賛成が得られなかったので本議案は否決された。

第1号議案　剰余金の配当の件

議長は、本議案につき採決を求め賛否を諮ったところ、出席株主の議決権の過半数の賛成をもって原案どおり承認可決された。

第2号議案　取締役○名選任の件

議長は、本議案につき採決を求め賛否を諮ったところ、出席株主の議決権の過半数の賛成をもって原案どおり承認可決された。

被選者はそれぞれ就任を承諾した。

第4号議案　定款一部変更の件

議長は、本議案につき採決を求め賛否を諮ったところ、出席株主の議決権の3分の2以上の賛成が得られなかったので本議案は否決された。

記載箇所としては、[記載例1-73]（注2）決議事項以下の箇所を上記のように入れ替えた形にすることになる。

第９節　バーチャル株主総会

１　ハイブリッド型バーチャル株主総会（参加型）

⑴　概要

ハイブリッド型バーチャル株主総会（参加型）は、リアル総会の開催に加え、株主等がインターネット等の手段を用いて、リアル総会に出席することなく、リアル総会の審議状況を視聴できる状況を提供する株主総会を指す。これは、株主による会社法上の出席を認めるものではなく、株主向けにライブ配信を行う程度のものであれば、法令上株主総会議事録の内容に直接影響を及ぼす事項はないものと考えられる（施行規則72条参照）。

もっとも、株主から事前コメントや当日のコメントを受け付け、株主総会の中でこれを紹介し、答弁した事実があれば、議事の経過の要領の参考情報として、議事録に記載しておくことが望ましい。

⑵　ハイブリッド型バーチャル株主総会（参加型）の場合

[記載例1-80]　バーチャル出席役員がいる場合

出席した取締役及び監査役
出席取締役　○○、○○、○○、・・・および○○の○名
なお、以下の取締役は、ウェブ会議システムにより本総会に出席した。
□□に存する取締役○○

[記載例1-81]　予め受け付けた事前コメントを紹介し、回答した場合

なお、質疑応答に入る前に、議長より、本総会の開催前に一部の株主から受け付けた事前コメントについて、株主の関心が高いものを中心に紹介し、回答した。

[記載例1-82]　当日受け付けたコメントを紹介し、回答した場合

> なお、質疑応答後、議長より、本総会は会場に出席しない株主向けに実施している参加型のバーチャル株主総会を導入しており、本総会の会議中に一部の株主から受け付けたコメントについて、株主の関心が高いものを中心に紹介し、回答した。

株主総会の運営方法について議場に諮った場合は、その事実も記載する。

[記載例1-83]　通信障害によりバーチャル株主総会が中止した際の記載

> 午前○時○分、バーチャル株主総会に係るウェブ会議ツールに通信障害が生じたため、議長より、招集通知○ページに記載のとおりバーチャル株主総会を中止し、株主総会会場のみで議事を進行する旨を説明した。

2　ハイブリッド型バーチャル株主総会（出席型）

(1)　概要

ハイブリッド型バーチャル株主総会（出席型）は、リアル総会の開催に加え、株主等がインターネット等の手段を用いて、リアル総会に出席することなく、リアル総会の審議状況を視聴し、一定制限の下に議決権の行使、質問、動議の提出ができる状況を提供する株主総会を指す。ここでのインターネット等の手段を用いて総会の審議状況を視聴・議決権の行使等する株主は、会社法上の出席をしているものと考えられるため、株主総会議事録の記載事項のうち、株主総会が開催された場所（当該場所に存しない取締役、監査役、株主等の出席方法を含む）（施行規則72条3項1号）、議事の経過の要領（同項2号）に関して、株主総会議事録の内容に直接影響を及ぼす。なお、株主総会後に通信障害等による無用な論争を回避するためにも、議事が支障なく行われた旨を記載しておくことが肝要である。

⑵　ハイブリッド型バーチャル株主総会（出席型）の場合

a　株主総会の開催場所とバーチャル出席株主等の出席方法の記載

［記載例1－84］　バーチャル出席株主の発言等がテキスト形式の場合

> 開催場所　東京都○区○町○丁目○番○号　当社本店○階会議室
> 　　　　　なお、開催場所に存しない株主も、当社所定のウェブサイトより本総会に出席し、当該出席者の発言情報が所定の方式にて即時に事務局に伝わり、互いに通信できる状態であることが確認された。

［記載例1－85］　バーチャル出席株主の発言等が音声形式の場合

> 開催場所　東京都○区○町○丁目○番○号　当社本店○階会議室
> 　　　　　なお、開催場所に存しない株主も、当社所定のウェブサイトより本総会に出席し、当該出席者の発言が即時に株主総会会場の出席者に伝わり、一堂に会するのと同等の発言が、互いにできる状態であることが確認された。

［記載例1－86］　バーチャル出席役員がいる場合

> 出席した取締役及び監査役
> 出席取締役　○○、○○、○○、・・・および○○の○名
> なお、以下の取締役は、ウェブ会議システムにより本総会に出席した。
> □□に存する取締役○○

b　議事の経過の要領およびその結果の記載

［記載例1－87］　バーチャル出席株主の発言等がテキスト形式の場合

> 　定刻、取締役社長○○は、定款第○条の定めに基づき議長席に着き開会を宣した。
> 　次に、議長は、本日の株主総会の運営方法として、来場株主の発言は報告事項の報告および決議事項の上程が終了した後に受け付け、その後議案の採決を諮る旨、バーチャル出席株主は、株主総会の会議中質疑応答の開始から一定の時間が経過するときまで発言を受け付け、議案に対する意思表示は採

決時まで随時行うことができる旨を説明した。また、バーチャル出席株主は動議の提出等を行えず、その他の取扱いは招集通知○ページに記載のとおりである旨を説明した。

[記載例 1-88]　バーチャル出席株主の発言等が音声形式の場合

定刻、取締役社長○○は、定款第○条の定めに基づき議長席に着き開会を宣した。
次に、議長は、本日の株主総会の運営方法として、来場株主の発言は報告事項の報告および決議事項の上程が終了した後に受け付け、その後議案の採決を諮る旨、バーチャル出席株主は動議の提出等を行えず、その他の取扱いは招集通知○ページに記載のとおりである旨を説明した。

バーチャル出席株主の動議提出を認める場合、「バーチャル出席株主は動議の提出等を行えず、」を削除する。なお、株主の動議の提出にあたっては、提案株主に対し提案内容についての趣旨確認が必要になる場合や提案理由の説明を求めることが必要になる場合等が想定されるが、議事進行中に、バーチャル出席者に対してこれらを実施することや、そのためのシステム的な体制を整えることは、会社の合理的な努力で対応可能な範囲を越えた困難が生じると考えられる。そのため、株主に対し、事前に招集通知等において、「バーチャル出席者の動議については、取り上げることが困難な場合があるため、動議を提出する可能性がある方は、リアル株主総会へご出席ください。」といった案内を記載したうえで、原則として動議についてはリアル出席株主からのものを受け付ける取扱いが案内されている（経済産業省「ハイブリッド型バーチャル株主総会の実施ガイド」21～22頁）。

また、株主総会の運営方法について議場に諮った場合は、その事実も記載する。

c　審議状況の記載

[記載例 1-89]　審議状況の記載

> 来場株主に質問を求めたところ、（略）。
> また、バーチャル出席株主に質問を求めたところ、（略）。
> その他に、来場株主及びバーチャル出席株主からの質問はでなかったので、以上をもって報告事項および決議事項についての質疑を終了し、各議案の採決に入った。

株主総会の運営方法について議場に諮った場合は、その事実も記載する。

d　採決の記載

[記載例 1-90]　採決の記載

> 第○号議案　○○の件
> 議長は、本議案につき、来場株主及びバーチャル出席株主に対し採決を求め賛否を諮ったところ、事前の議決権行使を含め、出席株主の議決権の○○の賛成をもって原案どおり承認可決された。

e　閉会宣言の記載

[記載例 1-91]　閉会宣言の記載

> 第○号議案　○○の件
> 以上をもって、報告事項及び決議事項のすべてが終了したので、バーチャル出席に係る当社ウェブサイトの通信手段が終始異常なかったことを確認し、議長は午前○時○分閉会を宣した。

3　バーチャルオンリー株主総会

(1)　概要

令和３年６月、改正産競法の施行により、一定の要件を充たし、経済産業大臣・法務大臣の確認を受けた上場会社は、場所の定めのない株主総会

（以下「バーチャルオンリー株主総会」という。）を開催することができるようになった。

株主総会議事録については、株主総会の日時・場所等（施行規則72条3項1号）に代えて、株主総会の日時、株主総会を場所の定めのない株主総会とした旨、そして、通信の方法（通信障害対策の方針およびインターネットの使用に支障のある株主の利益確保への配慮の方針に基づく対応の概要を含む）を記載する必要がある（改正産競法66条2項、会社法318条、産競法省令5条）。

⑵ バーチャルオンリー株主総会の場合

［記載例1-92］ 株主総会の日時、株主総会を場所の定めのない株主総会とした旨、通信の方法に関する記載

1　開催日時　○年○月○日　午前○時

2　開催方法　本総会は、産業競争力強化法等の一部改正する等の法律（令和3年法律第70号）附則第3条第1項に基づき、場所の定めのない株主総会（バーチャルオンリー株主総会）として開催した。

3　議事における情報の送受信に用いた通信の方法（通信障害対策の方針およびインターネットの使用に支障のある株主の利益確保への配慮の方針に基づく対応の概要を含む）

≪通信の方法≫

インターネットによる通信の方法を採用する。

≪通信障害対策≫

⑴　通信障害対策措置を施した通信システムの使用

⑵　安定した通信速度を保つための同時接続回線数の確保

⑶　事前通信テストの実施

⑷　通信の方法に係る障害が生じた場合に関する具体的な対処マニュアルの作成

≪株主の利益確保への配慮≫

⑴　株主様にとっての利便性に配慮した技術の利用

(2) インターネット利用に支障のある株主様に対する書面による事前の議決権行使推奨

みなし定款規定により開催した場合の例である。なお、みなし定款規定に基づき実施されたバーチャルオンリー株主総会においてバーチャルオンリー株主総会の実施を可能とする定款の定めを設けることはできないことから（改正産競法附則3条2項）、あえてみなし定款規定によらず、通常の株主総会又はハイブリッド型株主総会においてバーチャルオンリー株主総会の実施を可能とするための定款変更を行った上、当該定款に基づき、バーチャルオンリー株主総会を開催することも考えられる。

[記載例1-93]　出席役員に関する記載

4　出席した取締役および監査役
出席取締役　○○、○○、○○、・・・および○○の○名
出席監査役　○○、○○、○○、・・・および○○の○名

[記載例1-94]　議長に関する記載

5　議長
代表取締役○○○○

バーチャルオンリー株主総会の場合の議事録においては、施行規則72条第3項第1号の「当該場所に存しない取締役…、執行役、会計参与、監査役、会計監査人又は株主が株主総会に出席をした場合における当該出席の方法」を記載・記録する必要はないため（産競法省令5条3項参照）、端的に出席した取締役及び監査役の氏名及び員数を記載すれば足りる。

[記載例1-95]　議事の経過の要領およびその結果の記載

6　議事の経過の要領およびその結果

定刻、代表取締役○○は、定款第○条の定めに基づき議長席に着き開会を宣した。

次に、議長は、本総会においては、上記3記載の方法による株主等の出席を可能とするための各対策等について特段の支障がないことを確認し議事に入った。

そして、議長は、本総会の議事運営に際し、通信障害等により議事の進行に著しい支障が生じる場合には、本総会の延期または続行の決定につき議長にご一任いただきたい旨議場に諮ったところ賛成多数をもって承認可決された。

前述のとおり、議事録には、通信障害対策の方針およびインターネットの使用に支障のある株主の利益確保への配慮の方針に基づく対応の概要を記載する必要があるが（改正産競法66条2項、会社法318条、産競法省令5条）。議事録が株主総会の議事の経過及び決議結果を示す重要なものであることなどからすれば、当該方針に基づいて行われた対応や行われなかった対応について、第三者がそのうち重要な点を理解するために必要な事項を記載・記録することが求められていると解される。したがって、例えば、延期・続行の議長一任決議における「通信の方法に係る障害」（産競法66条2項の規定により読み替えて適用する会社法317条括弧書）の決議について議場に諮り、出席株主の議決権の過半数の賛成をもって可決され、当該決議が行われたことなどを記載することが考えられる（経済産業省「産業競争力強化法に基づく場所の定めのない株主総会に関するQ&A」Q9-1参照）。

バーチャル出席株主の発言等がテキスト形式の場合、音声形式の場合、審議状況の記載については、ハイブリッド型株主総会（出席型）の項を参照されたい。

なお、バーチャルオンリー株主総会においては、株主からの質問や動議を受け付けないという取扱いを許容する規定は存しないため、会社法の原則どおり、株主からの質問や動議を受け付ける必要があることには注意が必要である（前記Q&A　Q6-4参照）。

第10節　書面決議および書面報告

1　書面決議

⑴　概要

取締役または株主が株主総会の目的である事項について提案をした場合において、当該提案につき株主の全員が書面または電磁的記録により同意の意思表示をしたときは、当該提案を可決する旨の株主総会の決議があったものとみなすこととなっており（319条1項）、株主総会の書面決議と称されている。

上場会社等、不特定多数の株主が存在する会社の場合、株主全員の同意を得ることは困難であるため、子会社等、株主が少数で全員の意向の確認を得ることが容易な会社において利用することが想定されるものである。

⑵　手続き

a　取締役会決議

株主総会の書面決議は、本来会議を経た上で決議することを要するケースにつき、議事の省略を認めるものに過ぎないため、取締役会設置会社において取締役が取締役会の決議を経ないで提案した場合には決議取消事由となるとの見解があるが（江頭・株式会社法374頁）、省略可能とするものもある（相澤・論点解説487頁）。

取締役が株主総会を開催せず書面決議により行うことにつき、取締役会の決議を得ておく場合の例として［記載例1-96］参照。

b　株主の同意

株主総会の書面決議を行うためには、取締役または株主が株主総会の目的である事項（決議事項）を提案し、株主の全員が書面または電磁的記録により同意の意思表示をする必要がある（319条1項）。また、当該書面または電磁的記録は本店に10年間備え置かれ、株主、債権者および裁判所の許可を得た親会社社員（株式会社の場合は株主）の閲覧・謄写請求の対象になる（同条2項～4項）。

同意の意思表示は電子メール等の電磁的方法によることも可能であると解されているが（商業登記ハンドブック153～154頁）、手続き・備置きをするうえでの確実さや簡便さ等の点から、書面または電磁的方法で提案書・同意書を送付し、書面または電磁的記録からプリントアウトした同意書に株主が署名または記名押印したものの提出を受けることが多いのではないかと思われる（提案書・同意書については［図表1-8］および［図表1-9］参照）。

なお、株主総会の決議があったものとみなされる時は、全株主の同意書がすべて会社に到達した時（ただし、将来の一定の時をもって同意の効力が発生する旨の同意書である場合には、この一定の時）とされているので（全株懇モデル226頁。なお、定時株主総会に関して319条5項参照）、株主全員の同意を得られる期間を考慮して行う必要がある。

(3) 書面決議の場合の株主総会議事録

書面決議を行った場合も、株主総会議事録を作成し、備え置く必要がある（318条、施行規則72条4項1号）。

書面決議の場合の記載事項は、①株主総会の決議があったものとみなされた事項の内容、②当該事項の提案をした者の氏名または名称、③株主総会の決議があったものとみなされた日、④議事録の作成に係る職務を行った取締役の氏名である（同号イ～ニ）（［記載例1-97］参照）。

2 書面報告

(1) 概要

株主総会の書面決議同様、たとえば、計算書類や事業報告のように株主総会において報告が必要な事項についても（438条3項、439条）、取締役が株主の全員に対して株主総会に報告すべき事項を通知した場合において、当該事項を株主総会に報告することを要しないことにつき株主の全員が書面または電磁的記録により同意の意思表示をしたときは、当該事項の株主総会への報告があったものとみなすこととなっており（320条）、株主総会の書面報告と称されている。

旧商法においては、株主総会の書面報告については明文化されていなかったため、計算書類や事業報告等を報告する必要がある定時株主総会について株主全員の同意を得ることで、開催せず報告があったこととみなすことができるかどうかについて議論があったが（龍田節＝池田裕彦「書面等による定時株主総会決議」商事法務1664号22頁）、会社法においては可能であることが明らかにされており、これらを利用することにより、定時株主総会についても、その開催を省略することができるようになっている（相澤・論点解説496頁）。

⑵ 手続きおよび書面決議との相違点

書面報告の同意手続きは、書面決議と同様に、取締役会決議を経たうえで提案され、書面または電磁的方法で提案書・同意書を送付し、書面または電磁的記録からプリントアウトした同意書に株主が署名または記名押印したものの提出を受けることが多いのではないかと思われる（提案書・同意書については［図表1-8］および［図表1-9］参照）。

また、株主総会への報告があったものとみなされる時も、319条5項に類する規定はないが、全株主の同意書がすべて会社に到達した時（ただし、将来の一定の時をもって同意の効力が発生する旨の同意書である場合には、この一定の時）になると考えられる（逐条会社法⑷188頁〔浜田道代〕、全株懇モデル226頁）。

株主総会の報告事項は、決議事項のように決議取消訴訟（831条）の対象となるものではないが、報告事項を含む株主総会の目的事項は招集決定取締役会の決議事項であるため（298条1項2号）、あらかじめ取締役会決議を得ておくことが考えられる（［記載例1-96］参照）。

また、書面報告の場合、書面決議のように、同意の意思表示に係る書面または電磁的記録の備置および閲覧・謄写に係る規定は定められていないが、この点も、決議取消訴訟の対象とならず、また報告内容については、次に述べる株主総会議事録によって開示されることから、同意手続きについての開示までは要しない整理になっているものと思われる。

(3) 書面報告の場合の株主総会議事録

書面報告を行った場合も、株主総会議事録を作成し、備え置く必要がある（318条、施行規則72条4項2号）。

書面報告の場合の記載事項は、①株主総会への報告があったものとみなされた事項の内容、②株主総会への報告があったものとみなされた日、④議事録の作成に係る職務を行った取締役の氏名である（同号イ～ハ）（[記載例1-97]参照）。

[記載例1-96]　株主総会の書面決議および書面報告を行う場合の取締役会議事録記載例

取　締　役　会　議　事　録

1　日　　時　○○年○月○日午前○時
2　場　　所　東京都○○区○○町○番○号　当社本店会議室
3　出 席 者　○○○○、○○○○、○○○○、○○○○、……および○○○○の全取締役
　　　　　　○○○○、○○○○、○○○○および○○○○の全監査役
4　議　　事
　取締役社長○○○○は議長席に着き開会を宣し議事に入った。

決議事項
議案　第○期定時株主総会決議省略および報告省略の件
　取締役社長○○○○から、株主全員からの書面による同意を条件として、第○期定時株主総会の目的事項について下記のとおり提案することにより、当該株主総会の決議および株主総会への報告があったものとみなすこととしたい旨を諮ったところ、出席取締役全員異議なくこれを承認可決した。

記

1　提案の内容

(1)　決議事項

第1号議案　剰余金の処分の件

別紙1のとおり剰余金の処分をすること

第2号議案　定款一部変更の件

別紙2のとおり定款の変更をすること

第3号議案　取締役○名選任の件

別紙3のとおり○○○○、○○○○および○○○○の各氏を取締役に選任すること

(2)　報告事項

別紙4の事業報告の内容および計算書類の内容のとおり

2　株主総会の決議および株主総会への報告があったものとみなされる日

株主全員からの同意書が調った日後の○○年○月○日をもって株主総会の決議および報告があったものとみなす。

以上をもって、議案の審議を終了したので議長は午前○時○分閉会を宣した。

ここに議案の経過の要領および結果を記載し、出席した取締役および監査役は記名押印する。

○○年○月○日

○○○○株式会社

議長　代表取締役社長○○○○　㊞

専務取締役○○○○　㊞

常務取締役○○○○　㊞

取締役○○○○　㊞

取締役○○○○　㊞

取締役○○○○　㊞

常勤監査役○○○○　㊞

監査役○○○○　㊞

監査役○○○○　㊞

[図表 1-8]　株主総会の書面決議・書面報告についての提案書記載例

○○年○月○日

株主各位

東京都○○区○○丁目○番○号
○○○○株式会社
代表取締役社長　○○○○

提　　案　　書

拝啓　平素は格別のご高配を賜り厚く御礼申しあげます。

さて当社は、株主総会の目的である事項について下記のとおりご提案およびご通知申し上げますので、株主の皆様のご同意を賜りたくお願い申しあげます。

つきましては、下記のとおりご提案いたします決議事項およびご通知いたします報告事項について検討のうえ、ご同意いただける場合は別添「同意書」に署名押印の上、○○年○月○日までに当社あてご提出下さいますようお願い申しあげます。

なお、すべての株主の皆様から書面をもってご同意を得られた場合には、会社法第319条第1項および第320条の定めに基づき、○○年○月○日に下記決議事項を可決する旨の第○期定時株主総会の決議があったものとして、また、当該株主総会において下記報告事項の報告がなされたものとして取り扱わせていただき、当該株主総会は開催いたしませんので、何卒ご了承のほどお願い申しあげます。

敬具

記

1　決議事項

第1号議案　剰余金の処分の件

別紙1のとおり剰余金の処分をすること

第2号議案　定款一部変更の件

別紙2のとおり定款の変更をすること

第3号議案　取締役○名選任の件

別紙3のとおり○○○○、○○○○および○○○○の各氏を取締役に選

任すること

2　報告事項

別紙4の事業報告の内容および計算書類の内容について、株主総会に報告することを要しないこと

以　上

[図表1-9]　株主総会の書面決議・書面報告についての株主からの同意書記載例

○○年○月○日

○○○○株式会社

代表取締役社長　○○○○殿

同　意　書

私は、会社法第319条第1項および第320条の定めに基づき、○○年○月○日付け提案書にて提案および通知のありました、第○回定時株主総会の目的事項である下記事項について、異議なく同意いたします。

記

1　決議事項

第1号議案　剰余金の処分の件

別紙1のとおり剰余金の処分をすること

第2号議案　定款一部変更の件

別紙2のとおり定款の変更をすること

第3号議案　取締役○名選任の件

別紙3のとおり○○○○、○○○○および○○○○の各氏を取締役に選任すること

2　報告事項

別紙4の事業報告の内容および計算書類の内容について、株主総会に報告することを要しないこと

株主　住所　東京都○○区○○町○○丁目○○番○号

氏名　○○○○　㊞（議決権数○○○個）

［記載例1-97］　書面決議・書面報告の場合の株主総会議事録記載例

第○期定時株主総会議事録

当社第○期定時株主総会は、会社法第319条第1項および第320条の規定により、株主全員が、提案事項に同意しかつ通知事項について株主総会に報告することを要しないことに同意したので、以下のとおり株主総会の決議および報告があったものとみなされた。

1　決議があったものとみなされた提案事項およびその提案者
第1号議案　剰余金の処分の件
別紙1のとおり剰余金の処分をすること
第2号議案　定款一部変更の件
別紙2のとおり定款の変更をすること
第3号議案　取締役○名選任の件
別紙3のとおり○○○○、○○○○、○○○○の各氏を取締役に選任すること
上記各議案は、いずれも代表取締役社長○○○○より提案された。
2　報告があったものとみなされた通知事項
別紙4の事業報告の内容および計算書類の内容のとおり
3　株主総会の決議および株主総会への報告があったものとみなされた日
○○年○月○日

上記のとおり、株主総会を開催しないで、株主総会の決議および株主総会への報告がなされたので、その議事を明確にするため会社法第318条および会社法施行規則第72条第4項に基づき本議事録を作成する。

本議事録の作成に係る職務を行った取締役
代表取締役社長　○○○○　㊞　(注)

以　上

(注)　株主総会を開催した場合の議事録同様、議事録の作成に係る職務を行った取締役は代表取締役の権限に属するものでなく、また署名または記名押印は必要とされていないが、閲覧対象となること等を考慮して、代表取締役が記名押印する場合が多いと思われる。

第11節　種類株主総会議事録

1　概要

株式会社は、次に掲げる事項について、異なる定めをした内容の異なる2以上の種類の株式を発行することができる（108条1項）。

［図表1-10］　種類株式の内容とすることができる事項

①　剰余金の配当 ②　残余財産の分配 ③　株主総会において議決権を行使することができる事項 ④　譲渡による当該種類の株式の取得について当該株式会社の承認を要すること ⑤　当該種類の株式について、株主が当該株式会社に対してその取得を請求することができること ⑥　当該種類の株式について、当該株式会社が一定の事由が生じたことを条件としてこれを取得することができること ⑦　当該種類の株式について、当該株式会社が株主総会の決議によってその全部を取得すること ⑧　株主総会または取締役会において決議すべき事項のうち、当該決議のほか、当該種類の株式の種類株主を構成員とする種類株主総会の決議があることを必要とするもの ⑨　当該種類の株式の種類株主を構成員とする種類株主総会において取締役（監査等委員会設置会社にあっては、監査等委員である取締役またはそれ以外の取締役）または監査役を選任すること

当該内容の異なる2以上の種類の株式を発行する株式会社を種類株式発行会社というが（2条13号）、種類株式を発行するには、上記の内容（一定の重要な事項を除いて、内容の要綱でも可）および発行可能種類株式総数

を定款に定めることが必要である（108条2項・3項、施行規則19条、20条）。

種類株主総会とは、種類株式発行会社におけるある種類の株式の株主（種類株主）の総会であり（2条14号）、たとえば、上記①の剰余金の配当に関して他の種類の株式に比して優先した内容を定めた株式（いわゆる配当優先株式）と上記①から⑨までの内容を定めていない株式（一般に普通株式といわれる）の2種類の株式を発行している場合、配当優先株式の株主で構成される種類株主総会と普通株式の株主で構成される種類株主総会があることになる。

種類株主総会は、会社法に規定する事項および定款で定めた事項に限り、決議することができるが（321条）、会社法に規定する事項としては、まず、ある種類の株式の種類株主に損害を及ぼすおそれがある一定の行為を種類株式発行会社が行う場合に、種類株主総会の決議（特別決議）がなければその効力を生じないとするものがある（322条1項各号、324条2項4号）。

［図表1-11］　ある種類の種類株主に損害を及ぼすおそれがあるとして、種類株主総会の決議が求められる場合

①　株式の種類の追加、株式の内容の変更および発行可能株式総数または発行可能種類株式総数の増加についての定款変更（ただし、ある種類の株式の発行後の取得条項の設定変更、譲渡制限の設定および全部取得条項の設定（111条）を除く）
②　特別支配株主の株式等売渡請求
③　株式の併合または株式の分割
④　株式無償割当て
⑤　株主割当て（202条1項）により株式を引受ける者の募集
⑥　株主割当て（241条1項）により新株予約権を引受ける者の募集
⑦　新株予約権無償割当て
⑧　合併
⑨　吸収分割

⑩　吸収分割による他の会社がその事業に関して有する権利義務の全部または一部の承継
⑪　新設分割
⑫　株式交換
⑬　株式交換による他の株式会社の発行済株式の全部の取得
⑭　株式移転

ただし、ある種類の株式の内容として、上記に掲げる行為（①のうち、単元株式数についてのもの以外の定款変更を除く）をする場合に、種類株主総会の決議を要しない旨を定めることができるとされており、当該定款の定めがある種類の株式の種類株主総会を排除することができる（322条2項・3項）。もっとも、当該定款の定めにより種類株主総会を排除した場合であって、上記①のうち単元株式数についての定款変更、③株式の併合または分割、④株式無償割当て、⑤株主割当てにより株式を引受ける者の募集、⑥株主割当てにより新株予約権を引受ける者の募集、⑦新株予約権無償割当てを行う場合は、反対株主の買取請求権が認められる（116条1項3号）。また、ある種類の株式の発行後に、当該定款の定めを設ける場合には、当該種類の種類株主全員の同意が必要となる（322条4項）。

このほか、会社法に規定する種類株主総会の決議事項としては、次のものがある。

[図表1-12]　その他法定の種類株主総会の決議事項

①　拒否権付種類株式を設けた場合に拒否権の対象となる株主総会決議事項（108条1項8号・2項8号、323条）
②　種類株主総会により取締役（監査等委員会設置会社にあっては、監査等委員である取締役またはそれ以外の取締役。以下同じ）または監査役を選任することができる種類株式における当該取締役または監査役の選解任（108条1項9号・2項9号、347条）
③　ある種類の株式に譲渡制限または全部取得条項を設ける定款変更（111条2項）

④　募集株式の種類が譲渡制限株式である場合の募集事項の決定またはその委任（定款の定めにより種類株主総会の決議を排除可）（199条4項、200条4項）
⑤　募集新株予約権の目的である株式の種類が譲渡制限株式である場合の募集事項の決定またはその委任（定款の定めにより種類株主総会の決議を排除可）（238条4項、239条4項）
⑥　合併等の消滅会社または完全子会社が種類株式発行会社である場合において、合併対価等として譲渡制限株式等の割当てを受ける種類の株式（譲渡制限株式を除く）がある場合の合併契約等の承認（783条3項、804条3項）
⑦　合併等の存続会社等が種類株式発行会社である場合において、交付する株式が譲渡制限株式（上記④の定款の定めがないものに限る）である場合の合併契約等の承認（795条4項）

上記①および②（監査役・監査等委員である取締役の解任を除く）は普通決議（324条1項）であるが、②の定足数は過半数であるものの定款の定めで3分の1まで軽減可となる（347条1項による341条の準用）。

また、②のうち監査役・監査等委員である取締役の解任、③のうち全部取得条項の設定、④、⑤および⑦は特別決議（324条2項）であり、③のうち譲渡制限の設定および⑥は特殊決議（324条3項）が必要である。

次に、会社法に規定する事項以外に定款で定めることにより種類株主総会の決議事項とすることができることとされている（321条）。しかしながら、一部の種類の株式の株主から構成される種類株主総会に会社の意思の決定を委ねてよい事項は、「当該種類株主の利害に密接な関係がある事項」、たとえば、譲渡制限種類株式に関するその譲渡（取得）承認や、取得条項付種類株式に関する取得の日等の決定、トラッキング・ストック（特定の完全子会社・事業部門等の業績に連動した配当等を行う株式）に関するその連動対象である子会社の役員等の選解任権等に限定されるとの指摘がある（江頭・株式会社法321～322頁）。

なお、［図表1-12］中の②「種類株主総会により取締役（監査等委員会設置会社にあっては、監査等委員である取締役またはそれ以外の取締役。以下同じ）または監査役を選任することができる種類株式における当該取締役または監査役の選解任」（108条1項9号・2項9号、347条）や、前述の定款で定めることにより種類株主総会の決議事項とした事項（321条）を除いて、種類株主総会は、その決議がないとその行為または決議の効力が生じないという意味において拒否権を有する会議体であり、株主総会とは異なるものである。

その結果、前述のように配当優先株式と普通株式を発行する種類株式発行会社において、たとえば、株主総会の決議により決定した行為がすべての種類株主にとって322条1項各号に該当する場合、配当優先株式の株主で構成される種類株主総会の決議と普通株式の株主で構成される種類株主総会の決議がないとその効力が生じないということになる。

2　種類株主総会の議事録

種類株主総会は、一定の規定を除いて、株主総会に関する規定が準用されており（325条）、種類株主総会の議事録も株主総会議事録の規定が準用される（325条による318条1項の準用、施行規則95条9号による施行規則72条の準用）。

なお、株主総会の議決権行使結果に係る臨時報告書は種類株主総会の場合も必要となる（コメントの概要及びコメントに対する金融庁の考え方（金融庁ウェブサイト http://www.fsa.go.jp/news/21/sonota/20100331-8/00.pdf）項番32）。

［記載例1-98］　種類株主総会議事録の記載例

優先株主による種類株主総会議事録

1　開催日時　○○年○月○日（○曜日）午前○時

2　開催場所　東京都○○区○○町○丁目○番○号　当社本店○階会議室

3　出席株主数および議決権数

議決権を行使することができる優先株式の株主数　○，○○○名

その議決権数　○○○，○○○個

本日出席の優先株式の株主数　　○，○○○名
その議決権数　　○○○，○○○個
4　出席した取締役および監査役
出席取締役　　○○○○、○○○○、……および○○○○の○名
出席監査役　　○○○○、○○○○、……および○○○○の○名
5　議長　代表取締役社長○○○○
6　議事の経過の要領およびその結果

定刻、取締役社長○○○○は、定款第○条の定めに基づき議長席に着き開会を宣した。

議長は、出席株主数および議決権数について事務局から報告させ、本総会の付議議案の決議に必要な定足数を充たしている旨を述べた。

議　案　定款一部変更の件

議長から、資本調達手段の拡充を目的として、別添の「優先株主様による種類株主総会招集ご通知」○頁から○頁に記載のとおり、新規優先株式についての規定を追加するとともに、その他関連する規定を整備したい旨を説明し、議場に諮ったところ、出席株主の議決権の3分の2以上の賛成をもって原案どおり承認可決された。

以上をもって、議事はすべて終了したので、議長は午前○時○分閉会を宣した。

ここに議事の経過の要領およびその結果を明確にするため、本議事録を作成する。

○○年○月○日

○○○○株式会社
議事録の作成に係る職務を行った取締役
代表取締役社長○○○○　㊞

以　上

第３章
株主総会議事録記載例

次に掲載するものは個別審議方式の場合の記載例であり、一括審議方式の記載例については、［記載例1-73］を参照されたい。

［記載例1-99］ 株主総会議事録の記載例（個別審議方式の場合）

第○期定時株主総会議事録

1 開催日時 ○○年○月○日（○曜日）午前○時

2 開催場所 東京都○○区○○町○丁目○番○号
当社本店○階会議室（注1）

3 出席株主数および議決権数（注2）

議決権を行使することができる株主の数	○,○○○名
その議決権数	○○○,○○○個
本日出席の株主数（議決権行使書によるものを含む）	○,○○○名
その議決権数	○○○,○○○個

4 出席した取締役および監査役

出席取締役 ○○○○、○○○○、……および○○○○の○名

出席監査役 ○○○○、○○○○、……および○○○○の○名

5 株主総会の議長 代表取締役社長○○○○

6 議事の経過の要領およびその結果

定刻、取締役社長○○○○は、定款第○条の定めに基づき議長席に着き開会を宣した。

議長は、出席株主数および議決権数について事務局から報告させ（注3）、本総会の各議案の決議に必要な定足数を充たしている旨を述べた。

報告事項

1　第○期（○○年○月○日から○○年○月○日まで）事業報告の内容、連結計算書類の内容ならびに会計監査人および監査役会の連結計算書類監査結果報告の件
2　第○期（○○年○月○日から○○年○月○日まで）計算書類の内容報告の件

議長が連結計算書類の監査結果を含め監査役に監査報告を求めたところ、常勤監査役○○○○から、当事業年度の監査結果は別添の「第○期定時株主総会招集ご通知」○頁の監査役会の監査報告書謄本に記載のとおりである旨の報告がなされた。（注4）また、連結計算書類の監査結果について、同じく○頁から○頁の会計監査人および監査役会の監査報告書謄本に記載のとおりである旨の報告がなされた。

続いて、議長から、事業報告、連結計算書類および計算書類の内容について別添の「第○期定時株主総会招集ご通知」○頁から○頁に基づき報告がなされた。（注5）

次いで、議長は報告事項について出席株主に質問を求めたところ、株主○○○○氏から……の件について質問があり、議長から、……の回答がなされた。

以上をもって報告事項に関する質疑が終了したので、各議案の審議に入った。

決議事項
第1号議案　剰余金の処分の件

議長から、経営体質の強化と今後の事業展開等を勘案して、内部留保にも意を用い、当社をとりまく環境が依然として厳しい折から、期末配当を、普通株式1株につき金○円、総額○○○円、配当の効力発生日を○○年○月○日とするとともに、将来の積極的な事業展開に備えた経営基盤の強化を図るため、繰越利益剰余金を○○○円取り崩し、同額を別途積立金に振り替えたい旨を説明し、議場に諮ったところ、出席株主の議決権の過半数の賛成をもって原案どおり承認可決された。

第2号議案　定款一部変更の件

議長から、新規事業への進出を図るため定款第○条所定の事業目的に「○○○○……」を追加したい旨を説明し、議場に諮ったところ、出席株主の議

決権の３分の２以上の賛成をもって原案どおり承認可決された。

第３号議案　取締役○名選任の件

議長から、取締役○名全員は本総会終結の時をもって任期満了となるので、新たに「第○期定時株主総会招集ご通知」○頁から○頁に記載の取締役候補者○名を取締役に選任したい旨を説明し、議場に諮ったところ、出席株主の議決権の過半数の賛成をもって○○○○、○○○○、○○○○、………および○○○○の○名が取締役に選任された。

被選者はそれぞれ就任を承諾した。（注６）

第４号議案　監査役○名選任の件

議長から、監査役○○○○および○○○○は本総会終結の時をもって任期満了となるので、新たに「第○期定時株主総会招集ご通知」○頁から○頁に記載の監査役候補者○○○○および○○○○を監査役に選任したい旨ならびに本議案の提出には監査役会の同意を得ている旨を説明し、議場に諮ったところ、出席株主の議決権の過半数の賛成をもって○○○○および○○○○の○名が監査役に選任された。

被選者はそれぞれ就任を承諾した。（注６）

第５号議案　補欠監査役○名選任の件

議長から、監査役の員数を欠くことになる場合に備え、「第○期定時株主総会招集ご通知」○頁に記載の補欠監査役候補者○○○○を補欠監査役に選任したい旨および本議案の提出には監査役会の同意を得ている旨を説明し、議場に諮ったところ、出席株主の議決権の過半数の賛成をもって○○○○が補欠監査役に選任された。

第６号議案　退任取締役に対する退職慰労金贈呈の件

議長より、退任取締役○○○○氏に対し、在任中の労に報いるため、当社における一定の基準に従い退職慰労金を贈呈することとし、その具体的金額、贈呈の時期、方法等は取締役会に一任願いたい旨説明し、当該基準は取締役の個人別の報酬等の内容についての決定方針に沿い相当であると判断している旨を説明し、議場に諮ったところ、出席株主の議決権の過半数の賛成により原案どおり承認可決された。

第７号議案　取締役賞与支給の件

議長より、当期末時点の取締役○名（うち社外取締役○名）に対し、当期の業績等を勘案して、取締役賞与総額○○○万円（うち社外取締役分○○○万円）を支給したい旨および当該内容は取締役の個人別の報酬等の内容についての決定方針に沿い相当であると判断している旨を説明し、議場に諮ったところ、出席株主の議決権の過半数の賛成により原案どおり承認可決された。
第８号議案　取締役の報酬額改定の件
　議長より、当社の取締役の報酬額は、○○年○月○日開催の第○期定時株主総会において、年額○○○○円以内と決議され現在に至っているが、経済情勢等諸般の事情を考慮して、取締役の報酬額を年額○○○○円以内に改定したい旨および取締役の報酬額には従来どおり使用人兼務取締役の使用人分給与は含まないものとする旨を述べ、当該改定は取締役の個人別の報酬等の内容についての決定方針に沿い相当であると判断しており、また、本議案を承認いただいた場合も、当該方針を変更することは予定していない旨を説明し、議場に諮ったところ、出席株主の議決権の過半数の賛成により原案どおり承認可決された。

　以上をもって、報告事項および決議事項のすべてが終了したので、議長は午前○時○分閉会を宣した。
　ここに議事の経過の要領およびその結果を明確にするため、本議事録を作成する。

○○年○月○日

○○○○株式会社
議事録の作成に係る職務を行った取締役
代表取締役社長○○○○　㊞（注７）

（注１）　当該場所に存しない取締役（監査等委員会設置会社にあっては、監査等委員である取締役またはそれ以外の取締役）、執行役、会計参与、監査役、会計監査人または株主が出席した場合、当該出席の方法を記載する必要があり、たとえば、次のように記載する。
　なお、○○県○○市○○町○丁目○番○号当社○○支店会議室における株主も、テレビ会議システムにより本総会に出席し、当該出席者の発言が即時に株主総会会場の出席者に伝わり、一堂に会するのと同等の意見表明が、互いにできる状態であることが確認された。

（注2） 内訳を記載する場合は、次のように記載する。

3 議決権を行使することができる株主の状況

	○，○○○名	○○○，○○○個

4 出席株主の状況

本人出席株主	○，○○○名	○○○，○○○個
委任状提出株主	○○名	○，○○○個
議決権行使書提出株主	○，○○○名	○○○，○○○個
合　計	○，○○○名	○○○，○○○個

なお、議決権行使書による議決権の行使の状況は別添集計表のとおり。

（注3） 議長自ら報告する場合には、「……出席株主数および議決権数について報告し」等となる。

（注4） 本総会に提出される議案および書類について報告する場合は、「……監査役会の監査報告書謄本に記載のとおりであり、本総会に提出される議案および書類はいずれも法令および定款に適合し、不当な事項は認められない」等となる。

（注5） 株主からの事前質問状に対して一括回答を行う場合は、たとえば、次のように記載する。

次に、議長の指名により、○○に関し株主からあらかじめ提出されている質問状について、専務取締役○○○○から、……と説明した。

（注6） 変更登記申請に際しては、再任を除く就任の場合は、住所の記載のある就任承諾書および印鑑証明書または本人確認証明書の添付が必要となる（株主総会議事録に被選者が就任承諾した旨およびその氏名・住所の記載があれば、議事録をもって就任承諾書に代えることができるが、就任承諾書を用いるのが一般的と考えられる）。

（注7） 法令上、押印が義務づけられていないが、実務上押印する場合が多い。

第2編

取締役会議事録

第１章　総　論

第１節　意義

1　取締役会の意義

(1)　概要

株主総会と取締役は株式会社に必ず設置しなければならない機関である（296条、326条1項）。これら以外の機関である取締役会は、定款の定めによって置くことができる（326条2項）。

公開会社では取締役会の設置を必要不可欠なものと位置づけている（327条1項1号）。これは、公開会社では会社の内情を知らない者が株式を取得する可能性があり、株主の監視が期待できないため、業務執行者の監督を取締役会に委ねる必要があることに起因する（相澤・論点解説268頁）。

362条2項では、取締役会の職務が、①会社の業務執行の決定、②取締役の職務の執行の監督、③代表取締役の選定および解職であることが明確にされている。

(2)　取締役会の職務

a　会社の業務執行の決定

取締役会はすべての業務執行の決定ができるが、日常的な細目事項の執行まで取締役会で決定することはなく、それらは取締役会より代表取締役に委ねられているのが実際である。また、業務を執行する取締役として、取締役会で選定された代表取締役以外の取締役（業務担当取締役）が、会社の業務を執行することもできる（363条1項2号）。

b　取締役の職務の執行の監督

取締役会は、取締役の職務の執行を監督する（362条2項2号）。条文上は「職務の執行」と定められているため、監督される対象は代表取締役や業務担当取締役の業務執行にとどまらず、その他の取締役（たとえば、使用人兼務取締役、社外取締役）の職務執行にまで及ぶものと考えられる。

監督権の行使は取締役会の権限であるとともに、その構成員であるすべての取締役にも他の取締役を監督する権限と義務が存在する（逐条会社法(4)501頁〔川村正幸〕）。各取締役は当該監督義務を怠ったときは、任務懈怠による損害賠償責任を負う（423条1項）。

代表取締役や業務担当取締役は、自己の職務執行の状況を、3カ月に1回以上取締役会に報告しなければならず（363条2項）、これにより、取締役の業務執行に対する取締役会の監督機能が確保されることになる。

なお、取締役および監査役の全員に対して、取締役会に報告すべき事項を通知することにより、取締役会への報告を省略することができるが（372条1項）、これにかかわらず、前段の報告は省略することができない（同条2項）。

c　代表取締役の選定および解職

前記ａｂのほかに、取締役会の職務として代表取締役の選定および解職がある（362条2項3号）。

取締役会設置会社では、代表取締役は必要常設の機関（362条3項）であり、取締役会が日常的な業務執行を代表取締役に委ねている（一方、取締役会非設置会社においては、原則として、各取締役が会社を代表する（349条1項・2項））。

代表取締役は、会社の業務に関する一切の裁判上または裁判外の行為をする権限を有するため（349条4項）、ともすれば、その権限は強大化し各取締役に対する影響力は絶大なものとなりがちである。これに対して、取締役会は、代表取締役の職務の執行を監督しなければならないが（362条2項2号）、この役割を機能ならしめるために、代表取締役の選定・解職権を有しているものと考えられる。

⑶ 決議方法と決議事項

取締役会の決議は、議決に加わることができる取締役の過半数が出席し（定足数）、その過半数をもって行う（決議要件）（369条1項）。定足数要件、決議要件のいずれについても、定款でこれらの割合を加重することができる（同項括弧書）。株主総会の普通決議、特別決議では、定款で定めることにより、その定足数を軽減できる定めがあるが（309条1項・2項）、取締役会の決議は、それに出席するのが取締役の職務であることに起因して、定足数の軽減は認められないものと考えられる。

362条4項では取締役に決定を委任できない事項、すなわち取締役会で決議しなければならない事項を定めている（[図表2-1]）。

[図表2-1]　取締役に決定を委任できない重要な業務執行

①　重要な財産の処分および譲受け
②　多額の借財
③　支配人その他の重要な使用人の選任および解任
④　支店その他の重要な組織の設置、変更および廃止
⑤　社債の募集に関する重要な事項
⑥　取締役の職務の執行が法令および定款に適合することを確保するための体制その他会社の業務の適正を確保するために必要なものとして法務省令（施行規則100条）で定める体制の整備
⑦　定款の定めに基づく役員等の損害賠償責任（423条1項）の免除

これ以外にも、会社法の定めにより取締役会で決議しなければならない事項として、たとえば、代表取締役の選定および解職の決定（362条2項3号）、自己株式の取得の決定（157条2項、163条、165条2項）、自己株式の消却の決定（178条2項）、株主総会の決議によって募集株式・募集新株予約権の募集事項の決定を委任された場合の当該決定（200条1項、239条1項）、株主総会の招集の決定（298条4項）、取締役の競業取引・利益相反取引の承認（356条1項、365条1項）、中間配当（454条1項・5項）、一定の要件を有する会社における剰余金の配当等（459条1項）が挙げられる。

また、改正会社法により、社外取締役に対する業務執行の委託（348条の2第1項）、取締役の個人別の報酬等の内容についての決定に関する方針（361条7項）、役員等との補償契約の内容（430条の2第1項）、役員等賠償責任保険契約の内容（430条の3第1項）等についても、取締役会で決議しなければならない事項として追加されている。

なお、［図表2-1］の各事項については、取締役会の決議事項であることはいうまでもないが、362条4項柱書では「その他の重要な業務執行の決定を取締役に委任することができない」とされており、これらの事項は例示である。つまり、取締役会で決議しなければならない事項はこれらの事項に限らず、より幅広い範囲で考慮されなければならない。

それでは、「その他の重要な業務執行」とは、どのようなものか。これについては、年間事業計画の決定、年間予算の設定・変更、主力製品の決定・変更、年間新規採用予定人員の決定等のようなこれら事項と同程度の重要性があると判断される業務執行事項であるとの見解が示されている（会社法コンメ(8)222頁〔落合誠一〕）。ちなみに、大規模会社においては、取締役会のほかに常務会、経営会議などの任意機関を設置することがあるが、これらにも重要な業務執行の決定を委任することはできない。

(4) 決議に特別の利害関係を有する者

決議について特別の利害関係を有する取締役は、議決に加わることができず（369条2項）、定足数の算定の員数にも算入できない（同条1項）。この場合の特別利害関係とは、特定の取締役が、当該決議について、会社に対する忠実義務を誠実に履行することが定型的に困難と認められる個人的利害関係ないしは会社外の利害関係を意味する（会社法コンメ(8)292頁〔森本滋〕）。この取締役は、特別の利害関係を有する決議の目的事項に関する限り、取締役会に出席して審議に加わり意見を述べることもできない。もっとも、取締役会に出席した取締役全員の同意のもとに、その出席を認めて意見を聴取することは妨げられない（大隅＝今井＝小林216頁）。

2　議事録作成の意義

取締役会議事録は、株主総会議事録と同様に、議事の経過の要領およびその結果を中心に記載する（369条3項、施行規則101条）。法令に基づき、正確かつ明確な記載がなされることで、証拠力が備わり、訴訟上の証拠資料となるとともに、商業登記申請時の添付書類、株主等による閲覧・謄写の請求対象にもなる（株主総会議事録と概ね同様であり、その内容については、第1編第1章第1節2）。

取締役会の決議に参加した取締役であって、取締役会議事録に異議をとどめないものは、その決議に賛成したものと推定される（369条5項）。これにより、実際は取締役会で議案に反対しているのにもかかわらず、当該取締役会議事録に異議をとどめない場合は、立証責任が転換されるため、その取締役が当該反対についての立証を要することがあり得る。もっとも、本規定は取締役会決議に賛成したと推定されるにすぎず、423条3項3号の利益相反取引における推定規定に該当する場合を除き、当該賛成取締役の任務懈怠が推定されるわけではない（会社法コンメ(8) 308頁〔森本滋〕）。

取締役等は、取締役会議事録に記載・記録すべき事項を記載・記録せず、または虚偽の記載・記録をしたときは、100万円以下の過料に処せられる（976条7号）。過料となるのは、不記載・不記録および虚偽記載・虚偽記録のいずれについても、当該取締役等に過失がある場合である（会社法コンメ(21) 176頁〔佐伯仁志〕）。

3　「コーポレートガバナンス・コード」への対応

2015年6月1日より、上場会社に対しCGコードが適用され、2018年6月1日および2021年6月11日に同コードの内容が改訂されている。CGコードは83原則から構成されるが、東京証券取引所のスタンダード市場またはプライム市場を選択する上場会社では、各原則を実施しない場合はその理由を、また、それらのうち13原則（プライム市場向けの内容は14原則）については各原則が求める事項を、それぞれ開示することが求められている（上場規程436条の3、上場規程施行規則211条4項等、他の金融商品取引所も概ね同じ規定をおいている）。

CGコードは、特に「取締役会」に関連するものが多数存在し、取締役会での決議・報告・審議の場面では、CGコードを意識した対応が求められることに留意する必要がある（各記載例においてCGコードに関連する主な事項を解説。関連する決議・報告事項につき、後記［記載例2-88］および［記載例2-104］参照）。なお、CGコードの趣旨や規定等に照らし、取締役会の決議事項や審議事項のあり方に言及するものとして、中村＝倉橋29～33頁、澤口＝内田140～148頁等がある。

第2節　議事録作成の実務

1　主な記載内容

(1)　通常の取締役会の場合

取締役会議事録は、［図表2-2］に示される事項を、その内容としなければならない（369条3項、施行規則101条3項）。

［図表2-2］　取締役会議事録の記載事項（施行規則101条3項）

①　取締役会が開催された日時および場所
②　特別取締役による取締役会であるときは、その旨
③　定款等で定められた招集権者が招集した場合以外の場合は、その旨
④　取締役会の議事の経過の要領およびその結果
⑤　決議を要する事項について特別の利害関係を有する取締役がいるときは、当該取締役の氏名
⑥　会社法で定める一定の規定により取締役会において述べられた意見または発言があるときは、その意見または発言の内容の概要
⑦　取締役会に出席した会計監査人または株主の氏名または名称
⑧　取締役会の議長がいるときは、議長の氏名

［図表2-2］のうち、①については、取締役会が開催された場所にいない取締役、監査役、会計監査人または株主が、取締役会に出席をした場合における当該出席の方法が含まれる。これは株主総会における場合と同様に（第1編第1章第2節1(1)）、インターネット・テレビ・電話会議等による出席がなされた場合の措置である（相澤哲＝郡谷大輔「株主総会以外の機関」商事法務1761号20頁）。上記の場合は、株主総会の場合と同様に、情報伝達の双方向性および即時性が確保される必要があるとの見解に加え、開催場所を観念できないバーチャル取締役会は、取締役会を開催したものと会社法上評価できないとの見解が示されている（弥永・コンメ施規561頁、インターネットによるチャット等による出席を認める見解として、相澤・論点解説362頁）。

②につき、特別取締役による取締役会の決議とは、取締役会の決議要件の特例として、一定の要件に該当する場合に、あらかじめ選定された3人以上の取締役によって行う決議をいい、重要な財産の処分および譲受けならびに多額の借財についての決議を行うことができる（373条）。

③については、具体的には次の場合が該当する。

a　招集権者以外の取締役の招集請求を受けて招集された取締役会（366条2項）

b　招集権者以外の取締役が招集した取締役会（366条3項）

c　監査役の招集請求を受けて招集された取締役会（383条2項）

d　監査役が招集した取締役会（383条3項）

e　監査等委員会が選定した監査等委員が招集した取締役会（399条の14）

(2)　取締役会における決議および報告の省略

取締役が取締役会の決議の目的事項について提案した場合、当該事項の議決に加わることのできる取締役全員が書面または電磁的記録により同意の意思表示をし、監査役が異議を述べないときは、取締役会の承認決議があったものとみなす旨を定款で定めることができる（370条）。当該定款の定めに基づき、取締役会の決議があったとみなされた場合の取締役会議事録は、［図表2-3］に示される事項がその内容となる。

[図表 2-3]　**決議が省略された場合の取締役会議事録の記載事項**
（施行規則 101 条 4 項 1 号）

①　取締役会の決議があったものとみなされた事項の内容
②　上記①の事項の提案をした取締役の氏名
③　取締役会の決議があったものとみなされた日
④　議事録の作成に係る職務を行った取締役の氏名

また、取締役、監査役または会計監査人が、取締役および監査役の全員に対して取締役会に報告すべき事項を通知したときは、当該事項を取締役会に報告することを要しない（372 条 1 項）。株主総会への報告が省略できるのは、株主の全員が書面等により同意の意思表示をすることが前提とされているのに対し（320 条）、取締役会への報告の省略は、報告すべき事項を通知した事実のみで認められることになる。この場合の取締役会議事録は、[図表 2-4] に示される事項がその内容となる。

[図表 2-4]　**報告が省略された場合の取締役会議事録の記載事項**
（施行規則 101 条 4 項 2 号）

①　取締役会への報告を要しないものとされた事項の内容
②　取締役会への報告を要しないものとされた日
③　議事録の作成に係る職務を行った取締役の氏名

2　作成義務者

株主総会議事録には、その作成に係わる職務を行った取締役の氏名の記載が求められているのに対し（第 1 編第 1 章第 2 節 1(1)）、取締役会議事録の作成者については、特段の定めはない。この点、取締役会に出席した取締役および監査役は、議事録に署名または記名押印をしなければならないことと関連し（369 条 3 項）、議事録への署名または記名押印をした者が、共同して議事録を作成するものと理解する旨の見解がある（会社法コンメ(8) 303 頁〔森本滋〕）。もっとも、作成の実際としては、複数名が共同して行うことは非効率的であり、取締役会の構成員である取締役の中から、その職務を行う取締役を決定することになる。議事録作成に係わる職務は、業務執行取締役だけでなく、その他の取締役でも行うことができ、また、作成の実務を使用人に委ねることができることは、株主総会議事録における場合と同様と考えられる。

なお、取締役会における決議および報告の省略がなされた場合の議事録には、[図表2-3][図表2-4]のとおり「議事録の作成に係る職務を行った取締役の氏名」が、その内容となっている。これは、この場合の議事録には原則として署名または記名押印が必要でないこと(後記4)に起因するものと思われる。

3　作成時期

取締役会議事録の作成時期や期限については、明文の定めはない。しかしながら、株主総会における場合と同様、商業登記の添付書類として取締役会議事録が必要となる場合、変更の登記は、登記事項に変更が生じたときから2週間以内にしなければならないことから(915条1項)、この期間内での作成が目安の1つとなろう。商業登記が関連しない場合でも、上記期間を過ぎても作成がなされない事態は、合理的な理由がある場合を除き、避けるべきものと思われる(1カ月後の次回取締役会の際に各取締役、監査役の押印を得て完成させるのでは遅いとする意見として、稲葉・議事録作成の実務37頁)。

なお、会社は取締役会の日から10年間、取締役会議事録を本店に備え置く必要があるが(371条1項)、このうち、「取締役会の日から」とあるのは、備置期間の起算点を示しているだけであり、同日より備置きが必要であるという趣旨ではない。

4　記名押印・電子署名

取締役会議事録が書面をもって作成されているときは、出席した取締役および監査役は、これに署名し、または記名押印しなければならない(369条3項)。また、議事録が電磁的記録をもって作成されている場合における当該電磁的記録に記録された事項については、電子署名をしなければならない（同条4項、施行規則225条1項6号）。署名または記名押印を要する理由は、取締役については、議事録に異議をとどめない者がその決議に賛成したとの推定が生ずるためであり（江頭・株式会社法440頁）、監査役については、議事録に遺漏または誤りがないことを確認させるためとされる（取締役会ガイドライン438頁）。

議事録に押印する印鑑については、会社法上特段の制限はないものの、取締役会決議により代表取締役を選定した場合、登記手続きに関連して、変更前の代表取締役が登記所に届け出た印鑑を押印しているときを除き、出席した取締役および監査役は実印（市町村長に届け出た印鑑）で押印しなければならない（商業登記規則61条6項3号）。なお、取締役会の決議および報告の省略が行われた場合、署名または記名押印は求められないが（相澤・論点解説370頁）、代表取締役の選定に係る取締役会決議を省略したとき（370条）は、上記と同じく、原則として、議事録には同意の意思表示をした取締役全員につき、実印での押印が求められる（商業登記ハンドブック177頁）。

議事録が電磁的記録をもって作成されている場合の電子署名については、①当該電磁的記録に記録された情報が当該措置を行った者の作成に係るものであることを示すものであり、②当該情報について改変が行われていないかどうかを確認することができるものという要件を充足する必要がある（施行規則225条2項）。従来の実務では、署名者本人の署名鍵を利用した電子署名のみが、取締役等の電子署名に該当するという解釈がされてきた（髙木弘明「取締役会議事録に関する諸問題」商事法務2275号132頁）。近時、法務省から各経済団体へ発出された通知においては、取締役会に出席した取締役および監査役が、取締役会の議事録の内容を確認し、その内容が正確であり、異議がないと判断したことを示すものであれば足りると考えられ、サービス提供事業者のサーバに利用者の署名鍵を設置・保管し、利用者がサーバにリモートでログインした上で自らの署名鍵で当該事業者のサーバ上で電子署名を行うもの（リモート署名）や、サービス提供事業者が利用者の指示を受けて電子署名を行うサービスによるものであっても有効であるとの見解が示されている（2020年5月29日付けの法務省から各経済団体への通知。商事法務2233号67頁（ニュース欄））。もっとも、当該議事録を登記申請の際の添付書面情報とする場合には、法務大臣が指定する電子証明書によって認証された電子署名が求められる等、商業登記規則等に基づく取扱いに対応しなければならないため、適宜法務省のホームページを参照する等の注意が必要である。

出席した取締役および監査役が死亡した場合など議事録に署名または記名押印できない者がいるときは、その者を表示し署名等ができない理由を付記しておくことが適当とされる（稲葉・議事録作成の実務46頁）。

5　電磁的記録による作成

取締役会議事録は、電磁的記録（26条2項括弧書）をもって作成することができる（施行規則101条2項）。電磁的記録とは、磁気ディスクその他これに準ずる方法により一定の情報を確実に記録しておくことができる物で調製するファイルに情報を記録したものとされ（同規則224条）、具体的な媒体としては、フロッピーディスク、USBメモリ、ICカード、CD-ROM、DVD-ROMなどが該当する（弥永・コンメ施規1217頁）。

6　様式および体裁

取締役会議事録の様式や体裁には、法令上特段の定めはない。しかしながら、登記申請につき書面をもって行う場合、申請書の記載は横書きが義務づけられていること（商業登記規則35条1項）やA4判を用いることが好ましいとされていること（法務局ホームページ）に併せ、最近のビジネス文書がA4判で作成されることが通例的であることを考慮すると、A4判で横書きとするのが合理的であろう。

第3節　登記申請

登記すべき事項につき、取締役会の決議を要するときは、登記申請書にその議事録を添付しなければならない（商業登記法46条2項）。また、前記第2節1⑵の取締役会決議の省略がなされた場合は、登記申請書に、[図表2-3]の記載事項を示した議事録を添付しなければならない（同法46条3項）。この場合、370条の定めが定款にあることを証明するために、定款も添付することになる（商業登記規則61条1項）。

取締役会議事録が添付書類とされる場合の典型例として、代表取締役を選定した場合がある。この場合、出席した取締役および監査役が議事録に押印する印鑑に留意するとともに（前記第2節4）、実印が押印された場合は、その印鑑登録証明書を添付する（商業登記規則61条6項3号）。ただし、変更前の代表取締役が登記所に届け出た印鑑を押印しているときは、出席した取締役および監査役の印鑑証明書の添付は不要となる（同条6項ただし書）。なお、従来は、代表取締役は必ず登記所に印鑑を提出しなければならないとされていたところ、商業登記法の改正（改正前20条を削除）により、印鑑の提出が任意化された。もっとも、書面により登記申請する場合や会社印鑑証明書の交付を受ける場合には、引き続き印鑑を提出しなければならない（改正商業登記規則35条の2）。今後は、(i)印鑑提出をする会社、(ii)電子証明書（電子署名）による会社、(iii)両者を併用する会社の三つの形態が存在することになるが、実務上、会社届出印や会社印鑑証明書が必要となる取引は依然多く、印鑑の提出をしない企業は当面の間、少数にとどまるものと思われる（鈴木龍介＝早川将和「商業登記実務上の留意点」商事法務2261号35頁）。

また、被選定者が就任を承諾した旨を議事録に記載する場合を除き、就任承諾書が必要となるが（商業登記法54条1項）、当該書面には就任する者の実印を押印し、その印鑑登録証明書を添付する（商業登記規則61条4項・5項）。

第4節　備置きと閲覧・謄写請求

1　備置き

会社は、取締役会議事録を、取締役会の日から10年間、書面または電磁的記録にて、本店に備え置かなければならない（371条1項、株主総会議事録とは異なり、支店への備置きは求められていない）。前記第2節1(2)のとおり、取締役会の決議または報告を省略した場合であっても、議事録の作成は必要である。決議を省略した場合は、決議があったとみなされた日より10年間本店への備置きが求められるが、それに加え、上記と同様に、取締役が同意の意思表示をした書面等を備え置かなければならない（371条1項）。同条では、形式的には、議事録または同意の意思表示をした書面等のいずれかの備置きを規定しているが、実務的には、両者が一体となってはじめて、取締役会決議の議事録と同様の機能が認められる（会社法コンメ(8)318頁〔森本滋〕）。報告を省略した場合は、会社法では備置きの起算点は定められていないが、決議の省略に準じて報告を要しないこととされた日より備置きをすべきであろう。

取締役会議事録を備え置かなかった場合は、100万円以下の過料に処せられる（976条8号）。

2　閲覧・謄写請求

株主（親会社の株主（親会社社員（31条3項括弧書））を含む）は、権利を行使するため必要があるときに、また、会社の債権者は、役員の責任を追及するため必要があるときに、裁判所の許可を得て、取締役会議事録（前記1の同意の意思表示をした書面等を含む。以下、本項において同じ）の閲覧または謄写の請求をすることができる（371条2項～5項）。ここで、取締役会議事録が書面で作成されているときは、当該書面が請求の対象となり、電磁的記録で作成されているときは、当該電磁的記録に記録された情報の内容を法務省令で定める方法により表示したものが請求の対象となる。法務省令で定める方法とは、電磁的記録に記録された事項を紙面または映像面に表示する方法とされる（施行規則226条19号、その具体的方法として、第1編第1章第4節2）。

取締役会議事録は、株主総会議事録とは異なり、閲覧または謄写の請求にあたっては、事前に裁判所の許可が必要となる。裁判所は、閲覧または謄写をすることにより、会社またはその親会社もしくは子会社に著しい損害を及ぼすおそれがあると認めるときは、当該請求の許可をすることができない（371条6項）。一方、裁判所が許可をした場合は、会社は閲覧または謄写を拒否することはできない（逐条会社法(4) 592頁〔浜田道代〕）。正当な理由がないのに、閲覧・謄写の請求を拒んだときは、100万円以下の過料に処せられる（976条4号）。

裁判所の許可を得て閲覧または謄写の請求がなされた場合のポイント（閲覧・謄写・謄抄本交付請求書への記載要請、本人確認、個別株主通知の確認）は、株主総会における場合と同様である（第1編第1章第4節2）。

なお、閲覧・謄写の請求に対し、請求者間において不平等が生じないよう統一的な取扱いに留意しつつ、会社判断で謄抄本を交付する場合がある。この場合を含め、閲覧・謄写等の請求への対応に際し、その事務負担および発生費用等を勘案し、手数料を申し受けることもあり得る。

第２章
記載内容と記載例

第１節　日時および場所

[記載例 2-1]　日時および場所の記載（箇条書き形式）

1	開催日時	○○年○○月○○日（○曜日）午前○○時
2	開催場所	東京都○○区○○町○番地○号
		○○ビル内　大会議室

[記載例 2-2]　日時および場所の記載（文章形式）

> ○○年○○月○○日（○曜日）午前○○時より、当社本店○階会議室において以下の取締役ならびに監査役が出席し、取締役会を開催した。

取締役会議事録には、取締役会が開催された日時および場所の記載が求められる（施行規則 101 条 3 項 1 号）。取締役会の日時は、開催日付および開会時刻、終了時刻を記載することにより特定する。各議案の審議時間を記載することまでは求められていないと考えられるが、途中退席をした取締役・監査役がいる場合、どの議案が審議されているところで退席したのかを明確にしておくことが求められる。取締役会の開催場所については、特段の定めはなく、社内の会議室はもちろん、社外の適宜の場所で開催することも可能であるが、所在地を明確にする必要がある。

なお、全員がリモート出席となる取締役会については、「物理的な取締役会の開催場所を観念できない完全にヴァーチャルな取締役会では取締役会が開催されたとは会社法上評価できないと解するのが自然」としつつも、「議長の所在する場所を取締役会が開催される場所」と扱って取締役会を開催できるとの見解がある（弥永・コンメ施規 561 頁）。

また、役員全員が電話会議でも、開催場所はいつも開催している場所

（本店の役員会議室等）とすることも考えられる。たしかに、役員会議室には誰も役員が存在しないのに、そこを開催場所と議事録記載するには違和感があろうが、そもそも取締役会の招集通知においては開催場所につき本店役員会議室と指定されており、実際には全役員が電話会議で参加したものと整理することは十分可能と考えられる。

記載方法については箇条書きまたは文章の形式で記載することが考えられ、適宜選択することで差し支えない。

第２節　出席状況、出席の方法

1　役員の出席状況

［記載例２-３］　出席状況の記載

1　出席取締役

全○名中、○○○○、○○○○、……の○名

2　出席監査役

全○名中、○○○○、○○○○、……の○名

［記載例２-４］　出席状況の記載（途中退席者がある場合）

1　出席取締役

全○名中、○○○○、○○○○、……の○名

2　出席監査役

全○名中、○○○○、○○○○、……の○名

なお、取締役○○○○は、第○号議案○○○○の件の審議の途中で退席したため、第○号議案の決議および報告事項の報告については参加しなかった。

取締役会の決議に参加した取締役であって議事録に異議をとどめないものは、その決議に賛成したものと推定される（369条５項）ため、出席者の記載が求められる。また、定足数（同条１項）を充たしているかどうかを明らかにするため、取締役の総員数も記載する。欠席者の記載について

は、法律上要求されていない。

なお、この定足数は、開会時に充足されただけでは足りず、討議・議決の全過程を通じて維持されなければならない（最判昭和41年8月26日民集20巻6号1289頁）。そのため、議事の中途での出席・退席についてはどの議案の審議から、あるいはどの議案の審議まで参加していたのかが明らかになるように記載することが求められる。中途出席・退席取締役についても、出席の間に審議された事項については会議に出席していたことになるため、当該事項が記載された議事録に署名または記名押印することとなる（昭和38年5月25日民四発118号民事局第四課長回答）。

監査役（監査の範囲を会計に関するものに限定する旨を定款で定めている場合を除く）は取締役会に出席し、必要があると認めるときは意見を述べなければならない（383条1項）とされていることから、同様にその出席状況について記載する。

2　出席の方法

［記載例2-5］　テレビ会議システムにより取締役会に出席した取締役がいる場合

なお、以下の取締役はテレビ会議システムにより本取締役会に出席した。
(1)　大阪府大阪市○○区○○町○番地○号当社大阪支店に存する取締役大阪支店長○○○○
(2)　アメリカ合衆国カリフォルニア州ロサンゼルス市○○○当社北米支社に存する取締役北米支社長○○○○

施行規則101条3項1号括弧書は、「当該場所に存しない取締役（監査等委員会設置会社にあっては、監査等委員である取締役又はそれ以外の取締役）、執行役、会計参与、監査役、会計監査人又は株主が取締役会に出席をした場合における当該出席の方法」を記載内容とすることを要求している。取締役および監査役以外のものの出席を想定している理由は、以下による。

①　会計参与

会計参与は、計算書類の承認（436条3項）、臨時計算書類の承認（441

条3項)、連結計算書類(444条5項)の承認をする取締役会に出席しなければならず、必要と認めるときは、意見を述べなければならない(376条1項)。

② 会計監査人

会社法上、出席義務は規定されていないが、取締役会への報告がなされることを前提とした条文があり(372条1項)、会計監査人が出席することを想定しているものと考えられる。

③ 株主

監査役、監査等委員会または指名委員会等を置かない取締役会設置会社の株主に対して、一定の場合に取締役会の招集を請求することまたは招集することが認められており、これにより開催された取締役会に出席し、意見を述べることが認められている(367条)。

また、当該規定から、その場所に物理的に出席しなくても、出席取締役が一堂に会するのと同等の相互に十分な議論を行うことができる状況にあれば、有効に取締役会に出席していると解することができる。判例において、「電話会議システムを用いることによって取締役会に適法に出席したといえるためには、少なくとも、遠隔地取締役を含む各取締役の発言が即時に他の全ての取締役に伝わるような即時性と双方向性の確保された電話会議システムを用いることによって、遠隔地取締役を含む各取締役が一同に会するのと同等に自由に協議ないし意見交換できる状態になっていること」を要するとしており、スピーカーフォン機能のない固定電話と携帯電話での通話によっては取締役会に適法に出席したとは判断することはできないとする事例がみられる(福岡地判平成23年8月9日)。

第３節　議事の経過の要領およびその結果

1　議長の就任および開会宣言

［記載例 2-6］　議長の就任および開会宣言

> 定刻○○時、取締役会長○○○○は定款の定めにより議長となり、開会を宣した。

［記載例 2-7］　議長を選出した場合

> 出席取締役の互選により○○○○氏が議長となり開会を宣し、議事に入った。

［記載例 2-8］　議長が途中で交代した場合

> 定刻○○時、取締役会長○○○○は定款の定めにより議長となり、開会を宣した。なお、第○号議案○○○○の件については、議長である取締役会長○○○○が特別利害関係人であるため、取締役社長○○○○が議長となり、議事を進行した。

取締役会の議長が存するときは、誰が議長として議事を進行したのかを明らかにするため、その氏名が取締役会議事録の記載事項とされている（施行規則 101 条 3 項 8 号）。通常、定款に定められた順位に従い、議長となるべき者が取締役会の開会を宣言する。定款に定めがない場合、都度議長を選出することとなる。取締役会の開会は議長の専決事項である。

また、取締役全員が改選期にある場合、取締役会議長となるべき者は、再任の場合であっても株主総会終了直後に開催される取締役会で決定されることが多い。当該株主総会終了直後の取締役会開始時点においては議長となる資格を有している取締役がいないため、この場合についても議長を選出することとなる。

なお、取締役会の議長が特別利害関係人であることにより決議から排除されるべき議案がある場合、そのような議案について議長として議事を主宰する権限を認めることはできないとされているため（東京高判平成8年2月8日資料版商事151号143頁）、議長が特別利害関係人に該当する場合は議長が途中で交代し、その旨を記載することとなる。

2　決議事項

取締役会設置会社における取締役会は、法令、定款により株主総会の決議事項とされた事項（295条2項）以外の業務執行の決定を行う機関である（362条2項1号）ため、その決議の範囲は広範なものとなる。実務的には、決議の範囲の基準について、取締役会規程（規則）で定めている例が多い。

議事録の作成にあたっては、会社法および法務省令等に規定された記載事項が、確実に、漏れなく記載されているかどうかをよく確認することが必要である。なお、取締役会議事録の作成実務において、決議事項（議案）の具体的な内容については、議事録本体においては「別紙のとおり」等とし、別に添付されることも多い。議事録作成の事務負担等を勘案し、適宜の方法で作成されたい。

⑴　株主総会

a　定時株主総会の招集決定および付議事項の承認

取締役会設置会社においては、株主総会を招集する場合における事項（298条1項、施行規則63条）を取締役会の決議により決定する（298条4項）。当該決議に基づき、取締役は株主総会の招集を執行する（296条3項）こととなるため、招集通知にはその発信者（代表取締役であることが一般的である）の氏名が記載される。

なお、取締役会決議に基づかないで株主総会が招集された場合、株主総会の招集手続きに法令違反があるものとして、株主総会の決議取消しの訴えの事由となる（831条1項1号、298条4項・1項）。

令和元年の会社法改正により、株主総会資料につき、インターネットでの提供を原則とする制度（電子提供制度）が新設された。電子提供制度については、第1編第2章第5節5を参照されたい。

[記載例2-9]　定時株主総会の招集について決定する場合

第○号議案　第○回定時株主総会招集の件

議長より、当社第○回定時株主総会に関し、以下のとおり招集したい旨および株主総会参考書類に記載すべき事項については別紙の株主総会参考書類のとおりとし、軽微な修正については取締役社長に一任する旨を諮ったところ、全員異議なく承認した。

1　日時　　○○年○月○日　午前○時

2　場所　　当社本店○階会議室

3　目的事項

報告事項　1　第○期（○○年○月○日から○○年○月○日まで）事業報告の内容、連結計算書類の内容ならびに会計監査人および監査役会の連結計算書類監査結果報告の件

2　第○期（○○年○月○日から○○年○月○日まで）計算書類の内容報告の件

決議事項

第1号議案　剰余金処分の件

第2号議案　定款一部変更の件

第3号議案　取締役○名選任の件

第4号議案　監査役○名選任の件

第5号議案　補欠監査役○名選任の件

第6号議案　退任取締役および退任監査役に対し退職慰労金贈呈の件

第7号議案　役員賞与支給の件

第8号議案　取締役および監査役の報酬額改定の件

株主総会の招集に際して、日時、場所のほか株主総会参考書類の記載事項である議案についても併せて付議する場合の記載例である。議案の詳細については株主総会参考書類に記載すべき事項を別紙に基づき説明し、その内容の軽微な修正については取締役社長に一任する形としている。

なお、CGコードにおいては、経営陣幹部の選任と取締役・監査役候補の指名を行うにあたっての方針と手続き、およびその指名を行う際の、個々の選任・指名についての説明の開示等が求められていることに留意を要する【CGコード原則3-1(iv)(v)】。個々の選任・指名の理由について、任意の指名委員会等での審議結果を踏まえていることや社外役員等の意見を踏まえていること等につき合わせて議論し議事録に記載しておくことが考えられる。

[記載例2-10]　書面投票・電子投票の採用等、株主総会の招集に関する事項について決定する場合

第○号議案　株主総会招集に関する事項決定の件

議長より、会社法第298条第1項第3号ないし第5号に定める事項に関し下記のとおり定めたい旨ならびに、下記1．から5．の取扱いについては(※1)、今後別段の決議がない限り、第○回定時株主総会以降に開催される株主総会についても適用することとしたい旨を諮ったところ、全員異議なくこれを承認可決した。

記

1．株主総会に出席しない株主は、書面または電磁的方法によって議決権を行使することができることとする。
2．書面による議決権行使における各議案に賛否の記載のない場合の取り扱いについては、賛成の表示があったものとして取り扱う。(※2)(※3)
3．電子提供措置は、当社ウェブサイト（http://www.×××××.co.jp/）にて行う。(※4)
4．インターネットにより招集通知を送付することを承諾した株主に対しては、当該株主から請求があったときに議決権行使書面に記載すべき事項に係る情報について電子提供措置をとる。(※5)
5．複数回議決権を行使された場合、当社に最後に到着した行使を有効な議決権行使として取り扱う。なお、インターネット(※6)による議決権行使と議決権行使書面が同日に到着した場合は、インターネット(※6)によるものを有効な議決権行使として取り扱う。(※7)

6．法令および定款第○条第○項の規定に基づき、電子提供措置事項記載書面への記載を省略する事項を下記のとおりとする。（※8）（※9）（※10）

ア　株主総会参考書類に関する事項
（略）
イ　事業報告に関する事項
（略）
ウ　連結計算書類に関する事項
（略）
エ　計算書類に関する事項
（略）

（※1）（※3）の行使期限、（※7）の代理人の人数・資格を決議する場合、これらは包括的決議になじまないので、ここに含めず、毎回決議する必要がある。

（※2）株主提案権が行使され、取締役会が株主提案議案について反対の場合は、「書面による議決権行使における各議案に賛否の記載のない場合の取り扱いは、会社提案については賛成、株主提案については反対の表示があったものとして取り扱う。」と決議することが考えられる。

（※3）議決権行使期限について「特定の時」を定める場合は、このつぎに「書面および電磁的方法による議決権行使の期限は○月○日午後○時とする。」等と決議することになる。なお、当該期限を定めた場合、当該期限の属する日の2週間前に招集通知を発送する必要がある。なお、「特定の時」について明示的な決議がなくとも、招集通知等に営業時間とは異なる時間を議決権行使書面の行使期限として明示した場合、「特定の時」を定める旨の黙示の決議があったものと解されるため、留意が必要である（東京地判令和3年4月8日）。

（※4）電子提供制度に係る改正会社法の規定は、2022年9月1日に施行予定である。

（※5）招集通知の電磁的方法による発出を採用していない場合は不要。

（※6）議決権電子行使プラットフォームを採用している場合は、上記中「インターネット」を「インターネット等」といった表現としておくことが考えられる。

（※7）代理人の人数・資格に係る定款の定めがない場合は、このつぎに「6.代理人として出席できる者は、議決権を有する他の株主1名とし、代理権を証明する書面の提出を求める。」等と決議することにより制限可能である。

（※8）書面交付請求をした株主に対して交付すべき電子提供措置事項記載書面に記載すべき

事項の一部について、電子提供措置記載事項書面に記載しないこととする場合に決議が必要である。前提として、その旨の定款の定めが必要であり、電子提供制度の採用と異なり、みなし定款変更は規定されていないため、定款変更が必要となる（電子提供制度の詳細は、第1編第2章第5節5を参照されたい）。

電子提供制度の施行後、書面交付請求をした株主に交付する電子提供措置事項記載書面の記載事項を一部省略する旨の定款変更により、ウェブ開示は事実上不要になると考えられる。

（※9） 非上場会社であって電子提供制度を採用しない会社の場合、併せてウェブ開示について決議することが考えられる。その場合、「法令および当社定款第○条の規定に基づき、次に掲げる事項については、株主総会参考書類ならびに事業報告、連結計算書類および計算書類の記載に代えて当社ウェブサイト（http://www.××××××.co.jp/）に掲載する。」として、開示書類ごとにウェブ開示の対象とする事項を決議することとなる。

（※10） 書面交付請求については、会社法上、基準日までに書面交付請求が会社に到達していることが要求されているが、会社が基準日後の書面交付請求も受理する場合には、書面交付可能な日程の範囲で受理する旨を決議することが考えられる。

［記載例2-11］ 計算書類等の承認および定時株主総会招集の決定を併せて行う場合

第○号議案　第○期（○○年○月○日から○○年○月○日まで）事業報告、計算書類およびこれらの附属明細書ならびに連結計算書類承認の件

議長より、第○期事業報告、計算書類およびこれらの附属明細書ならびに連結計算書類の監査結果につき会計監査人および監査役会からいずれも適正である旨の通知を受けているとの報告があり、続いて第○期の事業の概況、収支の大綱につき説明を行い、別添の事業報告、計算書類およびこれらの附属明細書ならびに連結計算書類につき取締役会の承認を受けたい旨ならびに連結計算書類に係る会計監査人および監査役会の監査報告書謄本を第○期定時株主総会に提出したい旨を諮ったところ、全員異議なく承認した。

（略）

定時株主総会の目的事項の決定に際しては報告事項である事業報告、計

算書類、連結計算書類についても承認がなされている必要がある。これらの承認と併せて定時株主総会の招集の決定を実施する場合の記載例である。

[記載例 2-12]　書面交付請求の終了異議催告について決定する場合

> 第○号議案　電子提供書面への記載省略事項決定の件
> 　議長より、会社法第 325 条の 5 第 4 項に基づき、同条第 1 項に基づく書面交付請求をしてから 1 年を経過した株主に対して、電子提供書面の交付を終了する旨を通知し、異議がある場合には、○年○月○日までに異議を述べるべき旨を催告したい旨諮ったところ、全員異議なくこれを承認可決した。

　書面交付請求をした株主がある場合で、その書面交付請求をした日から 1 年を経過したときは、会社は、当該株主に対し、電子提供措置事項を記載した書面の交付を終了する旨を通知し、かつ、これに異議のある場合には催告期間内に異議を述べさせる旨を催告（終了異議催告）することができる（325 条の 5 第 4 項)。この催告期間は 1 か月を下ることができない。株主が異議を述べることなく催告期間が経過した場合は、書面交付請求の効力が失われる（同条第 5 項）ため、会社は書面の交付を行わなくてよいこととなる。

[記載例 2-13]　ハイブリッド型バーチャル株主総会（参加型）を導入する場合

> 第○号議案　ハイブリッド型バーチャル株主総会（参加型）導入の件
> 　議長より、第○回定時株主総会において、株主との対話促進の観点から、株主総会の開催場所に存しない株主も、別紙に記載の取扱いの下、当社所定のウェブサイト（http://www. ××××× .co.jp/）より株主総会に参加できるハイブリッド型バーチャル株主総会（参加型）を導入したい旨、当該方法により参加する株主は、役員に説明を求めることや議決権の行使を行うことができないことに加え、動議の提出や動議に対する意思表示は行えない旨、

さらに、今後別段の決議がない限り、第○回定時株主総会以降に開催される株主総会についても適用することとしたい旨を諮ったところ、全員異議なくこれを承認可決した。
・別紙「株主総会ライブ配信のご案内」

ハイブリッド型バーチャル株主総会（参加型）は、リアル総会の開催に加え、株主等がインターネット等の手段を用いて、リアル総会に出席することなく、リアル総会の審議状況を視聴できる状況を提供する株主総会をいう（ハイブリッド型バーチャル株主総会については、本書第1編第2章第9節1(2)を参照されたい）。

株主総会への「出席」ではない以上、会社法上、その導入にあたって取締役会決議は必須とはいえない。もっとも、株主との対話という重要な意義を有するものである以上、取締役会決議を得ておくことが望ましい。

また、別紙「株主総会ライブ配信のご案内」は、招集通知に添付又は招集通知と併せて同封する案内文と同様の内容で、所定のウェブサイトのアドレス、アクセス方法、質問（事前コメントや当日コメント受付を含む）や議決権行使、動議の取扱い、通信障害時の対応等の記載が想定される（太田 洋＝野澤大和＝三井住友信託銀行ガバナンスコンサルティング部編著『バーチャル株主総会の法的論点と実務』（商事法務、2021）117頁）。

[記載例2-14]　ハイブリッド型バーチャル株主総会（出席型）を導入する場合

第○号議案　ハイブリッド型バーチャル株主総会（出席型）導入の件
議長より、第○回定時株主総会において、株主との対話促進の観点から、株主総会の開催場所に存しない株主も、別紙に記載の取扱いの下で、適切な株主認証方法及び双方向性と即時性を担保した通信手段を用いて、当社所定のウェブサイト（http://www.×××××.co.jp/）より株主総会に出席できるハイブリッド型バーチャル株主総会（出席型）を導入したい旨、当該方法により出席する株主は動議の提出や動議に対する意思表示は行えないことに加え、代理出席はできない旨、さらに、今後別段の決議がない限り、第○回定時株主総会以降に開催される株主総会についても適用することとしたい旨を諮ったところ、全員異議なくこれを承認可決した。
・別紙「バーチャル株主総会に関するご案内」

ハイブリッド型バーチャル株主総会（出席型）とは、リアル総会の開催に加え、株主等がインターネット等の手段を用いて、リアル総会に出席することなく、リアル総会の審議状況を視聴し、一定制限の下に議決権の行使、質問、動議の提出ができる状況を提供する株主総会をいう（ハイブリッド型バーチャル株主総会については、本書第1編第2章第9節1(2)を参照されたい）。もっとも、バーチャル出席者の動議については、取り上げることが困難な場合があるため、そもそも動議を受け付けないとの取扱いも許容される。（経済産業省「ハイブリッド型バーチャル株主総会の実施ガイド」22頁）

ハイブリッド型バーチャル株主総会（出席型）の場合、アクセスの方法などの、株主の出席方法を決定する必要がある（298条、299条、施行規則72条3項1号）。また、リアル出席した場合とで差異がある事項につき決議すべきである。

なお、別紙「バーチャル株主総会に関するご案内」は、招集通知に添付又は招集通知と併せて同封する案内文と同様の内容で、所定のウェブサイトのアドレス、アクセス方法、質問（事前コメントを含む）や議決権行使、動議の取扱い、通信障害時の対応等が記載されたものが想定される（太田ほか・前掲書200～201頁）。

[記載例2-15]　バーチャルオンリー株主総会の導入について決定する場合

第○号議案　バーチャルオンリー株主総会導入の件
　議長より、第○回定時株主総会において、株主との対話促進の観点から、産競法附則3条1項に基づく定款の定めにより、下記及び別紙に記載の取扱いの下、株主総会の場所を定めない、いわゆるバーチャルオンリー株主総会について導入したい旨、さらに、改正産競法の施行後2年間は、別段の決議がない限り、法令の手続きを経たうえで、第○回定時株主総会以降に開催される株主総会についても適用することとしたい旨諮ったところ、全員異議なくこれを承認可決した。

記

(1) 本株主総会の議事における情報の送受信に用いる方法は、インターネットによるものとする。
(2) 株主総会に出席しない株主は、書面または電磁的方法によって議決権を行使することができることとする。
(3) 書面による議決権行使における各議案の賛否の記載のない場合の取り扱いについては、賛成の表示があったものとして取り扱う。
(4) インターネットにより招集通知を送付することを承諾した株主に対しては、当該株主から請求があったときに議決権行使書面に記載すべき事項に係る情報について電子提供措置をとる。
(5) 複数回議決権を行使された場合、当社に最後に到着した行使を有効な議決権行使として取り扱う。なお、インターネットによる議決権行使と議決権行使書面が同日に到着した場合は、インターネットによるものを有効な議決権行使として取り扱う。
(6) 事前に書面投票または電子投票を済ませた株主がバーチャルオンリー株主総会に出席した場合の事前の議決権行使の効力は、場所の定めのない株主総会にアクセスした時点で無効とする。
(7) 通信障害等により、第○回定時株主総会を○年○月○日（○曜日）午前10時に開催することができない場合には、本総会は△月△日（△曜日）午前10時に延期することとする。

・別紙「バーチャルオンリー株主総会の取扱い」

令和3年6月の改正産競法の施行により、上場会社は、経済産業大臣・法務大臣（以下、「両大臣」という）の確認を受けた場合には、株主総会を場所の定めのない株主総会（以下、「バーチャルオンリー株主総会」という）の開催が可能となった。

バーチャルオンリー株主総会の開催に当たっては、以下の各事項につき取締役会決議が必要となる（商事法務2272号28頁）。

① 会社法298条1項3号に掲げる事項
② 場所の定めのない株主総会の議事における情報の送受信に用いる通信の方法
③ 株主が同法311条1項または312条1項の規定による議決権の行使をした場合であって、当該株主が場所の定めのない株主総会の議事における穂情報の送受信に用いる通信の方法を使用したときにおける当該議決権の行使の効力の取扱いの内容

［記載例2-15］では、(7)で予備日につき決議している。招集通知に予備日を記載すれば、現行法下で認められる継続会の要件を充足するため、総会での議長一任決議も不要であり、極めて簡便な方法といえる。

別紙「バーチャルオンリー株主総会の取扱い」には、バーチャルオンリー株主総会に出席するためのアドレスやアクセス方法、議決権行使の方法、動議の取扱い等を記載することが考えられる。

なお、招集決定手続の際、両大臣の確認を受ける際の要件として省令で定める要件に該当しないこととなっている場合、バーチャルオンリー株主総会の利用はできない。(出所：東京株式懇話会「バーチャル総会の運営実務」(2021年10月22日) 60、61、83頁)

［記載例2-16］ 株主提案議案を付議することについて決定する場合

第○号議案 株主提案議案を定時株主総会に付議する件

議長より、当社株主である○○○○氏より、期末配当について1株につき○円の配当を行うことを提案する議案が提出されている旨の報告がなされ、当該提案は剰余金の分配可能額の範囲内であり、また、会社法および社債、株式等の振替に関する法律に定める要件を満たしていることから、適法であると考えられる旨の説明があった。続いて、来る第○期定時株主総会において当該株主提案を別紙のとおり付議すること、ただし、取締役会としては経営基盤の強化に必要な内部留保を確保することに意を用いつつ、安定的、継続的に配当を実施していくことを剰余金の配当等の基本方針としていることから、本議案に対しては反対することとしたい旨を諮ったところ、全員異議

なくこれを承認可決した。

株主提案があった場合、当該提案が会社法303条2項および305条1項に定める要件を充たし、法令または定款に違反したものではないことを確認したうえ、株主総会の議案として取り上げるべきかどうかについて検討が必要となる。また、上場会社の株主が株主提案を行う場合、個別株主通知がなされた後、4週間が経過する日までの間でなければならないとされている（社債株式振替154条2項、社債株式振替施行令40条）ことから、当該期間中に株主提案が行われているかどうかについても確認を要する。

適法な株主提案であると判断される場合、会社提案に関する議案に追加して、株主提案に関する議案についても株主総会の決議事項とすることを付議する。この場合、議案に対する取締役会の意見があるときは当該内容についても決議し、株主総会参考書類に記載することとなる（施行規則93条1項2号）。

b　基準日の設定

［記載例2-17］　臨時株主総会を招集するために基準日を設定する場合

第○号議案　臨時株主総会招集のための基準日設定の件
　議長より、○○年○月○日開催予定の臨時株主総会において議決権を行使することができる株主を確定するため、以下のとおり基準日を定め、同日の最終の株主名簿に記録された株主をもってその議決権を行使することができる株主としたい旨を諮ったところ、全員異議なくこれを承認可決した。
1　基準日　　○○年○月○日（○曜日）
2　公告日　　○○年○月○日（○曜日）

多数の株主を擁し、常に株主が異動する株式会社においては株主を特定することは困難であることから、一定の日（基準日）を定めて、基準日において株主名簿に記載、または記録されている株主をその権利を行使することができる株主と定めることができる（124条1項）。基準日時点の株主が行使できる権利は、その2週間前までに当該権利の内容を公告することが必要であり（同条3項）、基準日から3カ月以内に行使するものに限られる（同条2項）。会社法上、基準日の決定権者・決定方法は明確にされていないが、重要な業務執行の決定（362条4項柱書）と解し、取締役会決議によることが一般的である。

通常、事業年度末や中間期末における権利（議決権、剰余金の配当を受けることができる権利）は定款で定められており、臨時株主総会を開催する場合等に基準日を定めることとなる。

c　基準日後株主への議決権の付与

［記載例2-18］　基準日後株主に対する議決権の付与について決定する場合（第三者割当増資による付与）

第○号議案　基準日後株主に対する議決権付与の件

議長より、○○年○月○日開催の定時株主総会における議決権の基準日は○○年○月○日であるが、基準日後に第三者割当により募集株式を取得した者に対して下記のとおり議決権を付与したい旨を諮ったところ、全員異議なくこれを承認可決した。

記

1　議決権を付与する株式

第三者割当により発行した募集株式（払込期日　○○年○月○日）

(1)　発行新株式数　当社普通株式　○,○○○,○○○株

(2)　議決権数　　　○○,○○○個

(3)　株主名　　　　株式会社○○○○

2　議決権を付与する理由

定時株主総会の開催日により近い時点での株主より議決権行使がなされることが、株主の意思に最も合致し、また、基準日における株主の権利を害することとはならないと考えられることから、基準日後の株主に議決権を付与するもの。

[記載例 2-19]　基準日後株主に対する議決権の付与について決定する場合
(組織再編により株主となった者への付与)

第○号議案　基準日後株主に対する議決権付与の件
　議長より、○○年○月○日開催予定の定時株主総会において、基準日後の○○年○月○日に効力が発生した株式交換により当社の株式の割当てを受けた者に対して下記のとおり議決権を付与したい旨を諮ったところ、全員異議なくこれを承認可決した。

記

1　議決権を付与する株式
　当社を完全親会社とする株式交換により、当社の完全子会社となった株式会社○○○○の株主に対して割当て交付された株式（効力発生日　○○年○月○日）
　(1)　発行株式数　当社普通株式　○○,○○○,○○○株
　(2)　議決権の数　○○○,○○○個
　(3)　株主数　　　　　○,○○○名
2　議決権を付与する理由
　定時株主総会の開催日により近い時点での株主より議決権行使がなされることが、株主の意思に最も合致し、また、基準日における株主の権利を害することとはならないと考えられることから、基準日後の株主に議決権を付与するもの。

　基準日における株主が行使することができる権利が株主総会または種類株主総会における議決権である場合には、株式会社は当該基準日後に株式を取得した者の全部または一部を当該権利を行使することができると定めることができる（124条4項）。当該議決権付与の決定権者等についても会社法上の定めはないが、取締役会で決定すべきとされている（相澤・論点解説132頁）。
　なお、株主平等の原則の規定（109条1項）の趣旨から、同一の募集株式の発行によって株主となった者のうち、一部の者のみ議決権の行使を認

めることはできず、また、基準日時点の株主の権利を害することはできないとされているため（124条4項但書）、基準日後に会社以外の者から株式を譲り受けた者を議決権を行使することができる者と定めることは通常できないとされている（相澤哲＝岩崎友彦「株式（総則・株主名簿・株式の譲渡等）」商事法務1739号43頁）。

d　株主総会の議長の職務代行順位

［記載例2-20］　株主総会の議長等の職務代行順位について定める場合

> 第○号議案　職務代行順位決定の件
>
> 議長より、当社定款第○条および第○条に基づき、取締役社長に事故あるときの株主総会の招集権者および議長の職務代行順位を下記のとおり決定したい旨を諮ったところ、全員異議なくこれを承認可決した。
>
> 記
>
> 第1順位　　取締役副社長　○○○○
> 第2順位　　専務取締役　　○○○○
> 第3順位　　常務取締役　　○○○○

株主総会の招集権者および議長については、定款により、取締役社長等の代表取締役がこれにあたる旨を定めていることが一般的である。加えて、定款で当該代表取締役が事故、病気等によりその職務を遂行し得ない場合に備えて、あらかじめ取締役会の決議により、その職務を代行する順位を定めることとしている会社が多い。このような職務代行の順位は、通常、取締役の選任が行われた定時株主総会の終了後の取締役会において決定される。なお、株主総会の議長等と併せて取締役会の議長等の職務代行順位についても定める場合の記載については、後記［記載例2-36］を参照されたい。

e　株主総会付議議案の一部撤回

［記載例 2-21］　議案の撤回について決議する場合（その 1）

> 第○号議案　定時株主総会における議案一部撤回の件
> 　議長より、○○年○月○日開催の定時株主総会において付議することとしている第○号議案「定款一部変更の件」については、株主の意向を踏まえて、同議案の内容を再検討すべきと考えられる旨を説明の上、同議案を撤回したい旨を諮ったところ、全員異議なくこれを承認可決した。

［記載例 2-22］　議案の撤回について決議する場合（その 2）

> 第○号議案　定時株主総会における議案の一部撤回の件
> 　議長より、○○年○月○日開催の定時株主総会において付議することとしている第○号議案「取締役 5 名選任の件」について、候補者である○○○○氏から一身上の都合により取締役の就任を辞退したい旨の申し入れがあったため、○○○○氏を候補者とすることを撤回し、第○号議案は「取締役 4 名選任の件」と修正のうえ、定時株主総会に付議したい旨を諮ったところ、全員異議なくこれを承認可決した。

役員の候補者がやむにやまれぬ事情により就任を辞退することとなった場合や、議決権行使書の集計過程において付議議案の否決可能性が高まった場合等において、議案を撤回する場面が想定される。

議案の撤回の手続きについて会社法上の定めは設けられていないが、株主総会前に会社提案を撤回する場合には、取締役会で決議し、撤回の旨を適時開示することが考えられ、当日に撤回することとなる場合には株主総会前に撤回について取締役会で決議し、議案を撤回した旨を議場に報告する、あるいは議案を撤回することについて議場に諮ることが考えられる。

f　総会検査役の選任の申立て

[記載例2-23]　総会検査役の選任申立てについて決議する場合

> 第○号議案　総会検査役選任申立ての件
> 　議長より、来る○○年○月○日に開催予定の臨時株主総会において、当社は合併契約の承認議案について付議する予定であるが、今後、当該議案に反対する株主により委任状勧誘がなされることが予想されることから、臨時株主総会に関する招集手続き、決議の方法について適正性を担保し、後に法令または定款違反、または著しく不公正であったとの訴えを生じさせることを回避するため、○○地方裁判所に対して会社法第306条第1項に定める総会検査役選任の申立てをしたい旨の提案がなされた。
> 　審議のうえ議長が賛否を諮ったところ、全員異議なくこれを承認可決した。

総会検査役の選任は、株主総会における紛糾が予想される場合に、委任状の取扱いの適法性、説明義務の履行の状況などを調査し、決議取消しの訴えを提起した場合の証拠を保全するために裁判所に対して求めることができ（江頭・株式会社法357頁）、申立てを行うことができるのは株式会社または6カ月前から引き続き総株主（株主総会において決議をすることができる事項の全部につき議決権を行使することができない株主を除く）の100分の1以上の議決権を有する株主とされている（306条1項・2項）。

なお、総会検査役の選任にかかる手続きは、非訟事件手続法および会社非訟事件等手続規則に基づき、なされることになる。

(2)　決算

a　決算発表（決算短信の開示）

[記載例2-24]　決算発表を実施することについて決議する場合

> 第○号議案　決算発表の件
> 　議長から、「○○年○月期　決算短信」の内容を報告のうえ、本日決算発表を行い、○○証券取引所の適時開示システム（TDnet）にて開示するとともに、同取引所の記者クラブにて配布したい旨を諮ったところ、全員異議なくこれを承認可決した。

上場会社は各四半期末決算の内容が定まった場合、直ちに金融商品取引所が定める様式により、決算短信の開示を行う。事業年度末に係る決算発表は、監査終了前、すなわち会社法436条3項に定める取締役会決議による計算書類等の承認前に実施されることが多く、監査終了前に決算発表を行う場合、任意に取締役会で決議することが一般的である。全国株懇連合会の調査によると、2020年7月から2021年6月までに定時株主総会を開催した会社の状況は、計算書類等の承認前に決算発表を行っている会社が1,373社（回答のあった1,662社のうち82.6%）で、発表に際しての手続きは取締役会決議とする会社が1,316社（全体の79.2%）、会計監査人よりクリアランスレター等を受領した上で行っている会社が8社（全体の0.5%）であった（全国株懇連合会「株主総会等に関する実態調査集計表」（2021年10月）32頁）。

b　剰余金の配当等

［記載例2-25］　会社法459条1項の規定による定款の定めに基づき、剰余金の配当を実施する場合

第○号議案　第○期期末配当実施の件

議長より、第○期（○○年○月○日から○○年○月○日まで）の業績および今後の事業展開、当社の剰余金の配当方針に鑑み、当社定款第○条の定めに基づき、○○年○月○日現在の最終の株主名簿に記載または記録された株主または登録株式質権者に対して、下記のとおり期末配当を実施したい旨を諮ったところ、全員異議なくこれを承認可決した。

記

1　配当財産の種類　金銭
2　配当財産の割当てに関する事項およびその総額　当社普通株式1株につき○○円　総額○○，○○○，○○○円
3　剰余金の配当が効力を生ずる日　○○年○月○日

[記載例 2-26]　欠損填補のため資本準備金の額を減少する場合

<table><tr><td>
第○号議案　資本準備金の額の減少および剰余金の処分の件
　議長より、第○期において欠損金を計上したことから、その欠損を填補するため、当社定款第○条の規定に基づき下記のとおり資本準備金の額を減少し、その他資本剰余金に振替えたい旨、ならびに当該振替の効力発生後のその他資本剰余金を繰越利益剰余金に振替えたい旨を諮ったところ、全員異議なくこれを承認可決した。
記
1　資本準備金の減少
(1)　減少する資本準備金の額
資本準備金○○,○○○,○○○円のうち○○,○○○,○○○円
(2)　資本準備金の額の減少が効力を生ずる日　○○年○月○日
2　剰余金の処分
(1)　減少する剰余金の項目およびその額
その他資本剰余金　○○,○○○,○○○円
(2)　増加する剰余金の項目およびその額
繰越利益剰余金　○○,○○○,○○○円
</td></tr></table>

株式会社が剰余金の配当をしようとするときは、その都度、株主総会の決議によって、以下の事項を定めることとされている（454 条 1 項）。

① 配当財産の種類（当該株式会社の株式等を除く）および帳簿価額の総額
② 株主に対する配当財産の割当てに関する事項
③ 剰余金の配当が効力を生ずる日

ただし、会計監査人設置会社である監査役会設置会社で、取締役の任期が 1 年である場合、または監査等委員会設置会社もしくは指名委員会等設置会社である場合には、剰余金の配当に関する事項や欠損填補のための準備金の減少に関する事項等（459 条 1 項）について、取締役会で定めることができる旨を定款で定めることができる。当該定款の定めに基づき、取締役会にて剰余金の配当等を行うには、

① 最終事業年度に係る計算書類についての会計監査報告の内容に、無限

定適正意見が含まれていること

② 会計監査報告に係る監査役会、監査等委員会または監査委員会の監査報告の内容として会計監査人の監査の方法または結果を相当でないと認める意見がないこと

③ 会計監査報告に係る監査役会、監査等委員会または監査委員会の監査報告に付記された内容が、会計監査人の監査の方法または結果を相当でないと認める意見でないこと

④ 計算関係書類が、特定監査役が通知をすべき日までに監査報告の内容を通知しないことにより、監査を受けたものとみなされたものでないこと

のいずれにも該当している必要がある（計算規則155条）。なお、当該定款の定めを置いた会社では、取締役会に与えられた権限の行使に関する方針を事業報告の記載事項とすることが求められる（施行規則126条10号）。

c 剰余金の配当等の決定に関する方針

［記載例2-27］ 剰余金の配当等の決定に関する方針について決定する場合

> 第○号議案 剰余金の配当等の決定に関する方針決定の件
>
> 議長より、株主に対して当社の利益還元の方針を明確に伝えることを目的として、下記のとおり剰余金等の配当等の決定に関する方針を決定したい旨の提案があり、審議のうえ議長が賛否を諮ったところ、全員異議なくこれを承認可決した。
>
> 記
>
> ・当社は、長期継続的な企業価値向上が株主の利益への貢献であるとの認識の下、事業計画に基づく再投資に意を用いつつ、株主に対して安定的な配当を実施していくことを基本方針とする。
> ・剰余金の配当については連結業績のほか、経営環境や資本効率、フリーキャッシュフロー等を勘案しながら、原則的に連結配当性向○○％以上を目標とする。
> ・自己株式の取得については、機動的な資本政策の必要性や財務状況に与える影響等を勘案しながら、取締役会の決議により実施する。

剰余金の配当等を取締役会が決定する旨の定款の定め（459条1項）を設けている会社は、当該定款の定めにより取締役会に与えられた権限の行使に関する方針を事業報告の内容としなければならない（施行規則126条10号）。このような定款規定の定めのない会社については、このような記載を行うことは義務づけられていないものの、剰余金の配当等に関する事項は株主や投資家にとっても関心の高い事項であることから、当該方針を任意に決定し、事業報告等に記載することが考えられる。

d　中間配当

［記載例2-28］　会社法454条5項の規定による定款の定めに基づき、中間配当を実施する場合

第○号議案　中間配当実施の件
　議長より、第2四半期における業績および当期末における業績見込み、今後の事業展開等を勘案し、会社法第454条第5項の規定による当社定款第○条の定めに基づき、○○年○月○日現在の最終の株主名簿に記載または記録された株主または登録株式質権者に対して、下記のとおり中間配当を実施したい旨を諮ったところ、全員異議なくこれを承認可決した。

記

1　配当財産の割当てに関する事項およびその総額
　当社普通株式1株につき金○○円　総額○○，○○○，○○○円
2　剰余金の配当が効力を生ずる日　○○年○月○日

前記取締役会による剰余金の配当等の定款規定を設けていない会社であっても、取締役会設置会社は一事業年度の途中において1回に限り取締役会の決議によって剰余金の配当（金銭に限られている）をすることができる旨を定めることができる（454条5項）。当該中間配当の規定は、一事業年度が1年に満たない場合であっても適用可能であるとされている（相澤・論点解説523頁）。

中間配当を決議した後、株主に対して取締役会決議通知を発送すること等により、1株あたり中間配当金額や効力発生日を周知するための対応を

実施する例が見られるが、取締役会決議から配当の効力発生日までの期間の短縮化が図られていること等により、近時その数は減少しているように思われる。

e　配当予想の修正

［記載例 2-29］　配当予想の修正を行う場合

第○号議案　○○年○月期（第○期）配当予想修正の件 　議長より、○○年○月期（第○期）の期末配当について、これまで1株あたり○円とする配当予想を公表しているが、当期の業績および当社の配当方針等を総合的に勘案し、株主の日頃の支援に応えるため、これを○円増額し、○円としたい旨の提案がなされた。 　審議のうえ、議長が賛否を諮ったところ、全員異議なくこれを承認可決した。

上場会社の場合、決算短信等において配当予想の公表が行われているが、当該内容を変更することについて重要な業務執行の決定として、取締役会において決議する場合の記載例である。

なお、剰余金の配当について、開示した内容について変更すべき事情が生じた場合、取引所規則に基づく適時開示を行うことが義務づけられている。

f　有価証券報告書の提出

［記載例 2-30］　有価証券報告書の提出を行う場合

第○号議案　有価証券報告書提出の件 　議長より、第○期（○○年○月○日から○○年○月○日まで）の有価証券報告書について、別添の内容で提出を行いたい旨を諮ったところ、全員異議なくこれを承認可決した。 　（添付資料）第○期有価証券報告書

金融商品取引所に上場されている有価証券を発行している会社等、有価

証券報告書の提出義務のある会社（金商法24条1項）は、事業年度経過後3カ月以内に有価証券報告書をEDINETによって提出しなければならない。有価証券報告書に虚偽記載などがあった場合、当該有価証券報告書を提出した会社の提出時の役員はその責任の対象となり、相当な注意を用いたにもかかわらず知ることができなかったことを役員自身が証明しなければ責任を免れないこと（金商法24条の4、22条、21条2項1号）等に鑑み、「重要な職務執行の決定」(362条4項）として取締役会の決議事項とすることや、報告事項とすることが考えられる。日本監査役協会の調査によると、有価証券報告書の提出について、決議事項として取締役会に付議している会社は1,247社（回答のあった2,222社のうち56.1%)、報告事項として取締役会に付議している会社は459社（全体の20.7%)、付議しない会社は516社（全体の23.2%）であった（日本監査役協会「役員等の構成の変化などに関する第21回インターネット・アンケート集計結果（監査役（会）設置会社版)」、同指名委員会等設置会社版および同監査等委員会設置会社版(2021年5月17日))。

g　特定取締役の選定

［記載例2-31］　取締役会決議により特定取締役を定める場合

> 第○号議案　特定取締役選定の件
> 　議長より、会社法施行規則第132条第1項、会社計算規則第124条第1項および第130条第1項に定める特定取締役として取締役社長○○○○氏を選定したい旨を諮ったところ、全員異議なくこれを承認可決した。

特定取締役とは、監査役会または会計監査人が通知する監査報告について通知を受ける者と定められた取締役、または当該指定を行っていない場合における監査を受ける書類、すなわち事業報告およびその附属明細書または計算関係書類（計算規則2条3項3号）の作成に関する職務を行った取締役をいう（施行規則132条4項、計算規則124条4項、130条4項)。特定取締役は、事業報告およびその附属明細書ならびに計算関係書類に関する監査報告の通知期限については特定監査役、会計監査報告に関する通知期限については特定監査役および会計監査人との間での合意する権限を持つ（施行規則132条1項、計算規則124条1項、130条1項）。

特定取締役の選定の手続きについて、特段の法令の定めはないため、必ずしも取締役会の決議による必要はなく、互選その他の適宜の方法をもって定めれば足りるとされている（相澤哲＝郡谷大輔「事業報告（下）」商事法務1763号21頁）。

⑶ 人事

a 代表取締役の選定

代表取締役は、取締役会設置会社の業務執行機関のひとつであり、会社の業務に関する一切の裁判上または裁判外の行為をする包括的な権限を有する（349条4項、363条1項1号）。代表取締役は、定款に別段の定めがある場合を除き取締役会の決議をもって選定しなければならない（362条2項3号、29条）。

取締役会の決議に特別の利害関係を有する取締役は、議決に加わることができず、定足数の算定に際しても算入されないとされるが（369条2項）、代表取締役の選定の場合の候補者たる取締役は、利害関係を有しないと解される（新版注釈会社法⑹115頁〔堀口亘〕）。一方、代表取締役の解職の場合における当該代表取締役は、利害関係を有すると解されている（最判昭和44年3月28日民集23巻3号645頁）。

取締役会設置会社における代表取締役の地位は、取締役の地位とは分化しているので、代表取締役への就任にあたっては、取締役への就任承諾とは別に代表取締役への就任承諾が必要である。この就任承諾は、選定された取締役会の場で行われ、記載例のように議事録にその旨の記載がされることが一般的である。代表取締役の氏名および住所は登記事項であり（911条3項14号）、就任を承諾したことを証する書面は代表取締役の就任の登記の添付書類のひとつとなる（商業登記法54条1項）。その際、就任承諾の旨の記載のある取締役会議事録を、就任を承諾したことを証する書面として援用できるが、同議事録にその旨の記載がない場合には、別途、代表取締役の就任承諾書が必要となる。

代表取締役の就任の登記の添付書類となる取締役会議事録および就任承諾書への押印に関しては、登記法令に次の定めがある。

代表取締役の選定に係る取締役会議事録に押印する取締役および監査役の印鑑については、変更前の代表取締役が登記所に提出している印鑑を押印した場合を除き、出席した取締役および監査役の全員が実印を押印のうえ当該実印に係る市区町村長の作成した印鑑証明書の添付が必要になる（商業登記規則61条6項3号）。また、再任の場合を除き、代表取締役の就任を承諾したことを証する書面に押印した印鑑に係る印鑑証明書の添付が必要になる（商業登記規則61条4項後段・5項）。この書面とは、取締役会議事録の記載を援用する場合は当該議事録であり、援用しない場合は就任承諾書である。

［記載例2-32］　代表取締役の選定（議長から候補者を推薦）

第○号議案　代表取締役選定の件

議長より、経営体制の強化を図るため、新たに代表取締役1名を選定したい旨を述べ、候補者としては、○○専務取締役が適任であり是非推薦したいとの発言があった。これを取締役会に諮ったところ、全員一致をもって、○○専務取締役を代表取締役に選定することが承認可決された。○○専務取締役は、その場で代表取締役への就任を承諾した。

［記載例2-33］　代表取締役の選定（取締役の一人から候補者を推薦）

第○号議案

議長より、○○年○月○日付で、国内事業及び海外事業の独立採算制を前提とした組織改正を行うことから、各事業統括部門の責任者に会社を代表する権限を付与したい旨を説明し、ついては代表取締役を2名増員したいとの提案があった。

これについて、全取締役に諮ったところ、△△取締役より、現在、国内事業及び海外事業を担当する○○専務取締役及び○○○専務取締役が相応しいとの発言があった。

議長より、この２名を代表取締役に選定することを議場に諮ったところ、満場一致をもって、両名の代表取締役への選定が承認可決された。被選定者○○専務取締役及び○○○専務取締役は、その場で代表取締役への就任を承諾した。

b　役付取締役の選定

[記載例2-34]　役付取締役の選定

第○号議案　役付取締役を定める件

議長より、本日開催の第○期定時株主総会において、取締役全員が任期満了により改選されたため、あらためて定款第○条の規定に基づき、役付取締役を選定したい旨説明した。取締役会において審議した結果、全員一致をもって下記のとおり、選定され、被選定者は、それぞれ就任を承諾した。

記

役付		業務担当
取締役社長	○○○○	全　　般
専務取締役	○○○○	経営企画
常務取締役	○○○○	海外営業
常務取締役	○○○○	人事・総務
⋮	⋮	⋮

会社は、定款に取締役会の決議によって、取締役会長、取締役社長、取締役副社長、専務取締役、常務取締役等のいわゆる役付取締役を定めるとの規定を置くことが通例である。これらの名称は、会社法上のものではなく、これによりどのような権限が付与されるのか、定款上明らかでない場合も多い。一般的には、取締役間の序列を定め、また、取締役に業務執行の権限を与える意味があると解される。記載例は、そのような定款の規定に基づき、取締役の役付および業務担当を定めるものである。厳密には、取締役の役付と業務執行権限は別であるとも解されるので、業務執行権限を付与することを明確にするために、役付取締役に選定すると同時に担当する業務を決定することとしている例である。

取締役会の決議に特別の利害関係を有する取締役は、議決に加わることができず、定足数の算定に際しても算入されないが（369条2項）、代表取締役の場合と同様に、役付取締役選定時の候補者たる取締役には、利害関係はなく、その解職時の当該取締役は、利害関係があると解される。

なお、会社法は、会社の取引の相手方保護の観点から、代表取締役以外の取締役に社長、副社長その他会社を代表する権限を有するものと認められる名称を付した場合には、当該取締役がした行為について、会社は、善意の第三者に対してその責任を負うと定める（354条）。

これらの名称（役付）は、会社法上の登記事項ではない。

c　取締役の業務担当

[記載例2-35]　役付取締役の業務担当の決定

第○号議案　役付取締役の業務担当の件

議長から、役付取締役の業務担当を下記のとおりとしたい旨を諮ったところ、全員異議なくこれを承認可決し、各取締役はいずれも当該業務担当を受諾した。

記

財務・経理部門統括	常務取締役	○○○○
海外部門統括	常務取締役	○○○○

株式会社の業務執行の権限は、代表取締役および代表取締役以外の取締役であって取締役会の決議によってその権限を与えられた取締役にある（363条1項）。会社は、定款に「役付取締役を選定できる」との規定を置くことが多いが、役付取締役に選定されただけでは、その業務執行権限は明確でないと解される可能性もある。記載例は、役付取締役に業務執行権限を与えるため、その業務担当を定めるものであるが、通常は、役付取締役への選定と同時にその業務担当も定められることが多いものと思われる。

d　取締役社長に事故あるときの株主総会および取締役会の招集権者および議長の代行順位決定

[記載例2-36]　株主総会・取締役会の招集権者・議長の代行順位決定

<table><tr><td>
第○号議案　株主総会および取締役会の招集および議長に関する職務代行順位決定の件
　議長から、当社定款第○条および第○条に基づき、取締役社長に事故があるときの株主総会および取締役会の招集権者および議長の職務代行順位を下記のとおり決定したい旨を諮ったところ、出席取締役全員異議なくこれを承認可決した。
記
第1順位　取締役副社長　○○○○
第2順位　専務取締役　　○○○○
第3順位　常務取締役　　○○○○
</td></tr></table>

(i)　株主総会の招集者および議長

株主総会は、一定の要件を充たす株主が招集する場合を除けば、取締役が取締役会の決議に基づき招集する（296条3項、298条1項・4項）。

会社法には、株主総会の議長の権限に関する規定はあるが（315条）、株主総会の議長をどのように定めるかについての規定はないし、議長の選任は必須ではない（施行規則72条3項5号参照）。しかし、株主総会という会議体をスムーズに運営・進行するために、議長は欠かせない。議長について定款で定めを置くことはもちろん（29条）、会議体の一般原則として、株主総会の場で選任することが可能と解されている。

しかし、多くの会社は、株主総会の場でその都度議長を選任することの煩わしさを避け、定款に、取締役社長を招集者兼議長とする定めを置き、取締役社長に事故があった場合には、あらかじめ取締役会で定めた順序に従い、他の取締役が株主総会の招集をし、議長となる旨の定めを置いている。記載例は、このような定款の定めがあることを前提として、取締役会で、取締役社長に事故のあった場合に備えて、次順位者以下の取締役をあらかじめ定めておくものである。

(ii) 取締役会の招集者および議長

取締役会を招集する権限は各取締役にあるとされるが、招集権者を定款または取締役会が定めることができるとされ（366条1項）、これを受けて定款に招集権者を定めるのが通例である。取締役会の議長は、必須ではないが（施行規則101条3項8号参照）、定款に取締役社長を議長とする旨を定めることが多い。そして、取締役社長に事故があった場合にはあらかじめ取締役会で定めた順序に従い、他の取締役が取締役会を招集し、議長になる旨を定める例が多い。記載例は、株主総会と同様の次順位者以下の定めをするものである。

［記載例2-37］　役員の兼職

> 第○号議案　役員兼職の承認の件
>
> 議長から、取締役○○○○氏が、○○年○月○日に開催される○○○○株式会社の第○期定時株主総会において社外取締役に選任される予定である旨、同社の概要は、別紙○に記載のとおりであり、主に○○○○を製造・販売する地場有力企業である旨、兼職によって○○○○氏の当社取締役としての職務の遂行に支障が生じる懸念はない旨の説明があった。次いで、議長から、同氏の○○○○株式会社社外取締役就任について、あらかじめ承認したい旨を諮ったところ、出席取締役全員異議なくこれを承認可決した。
>
> なお、取締役○○○○氏は、決議に特別の利害関係を有するため、この議決には加わらなかった。

役員の兼職について、一般的には、取締役会規程（規則）において、取締役が他社の役員に就任する際には、あらかじめ取締役会の承認を要する旨の定めを置いていることが多いであろう。記載例は、取締役が他社の社外取締役に就任することについて承認する議案である。

CGコードは、社外取締役・社外監査役をはじめとする取締役・監査役に対して、その役割・責務を適切に果たすために必要となる時間・労力を取締役・監査役の業務に振り向けること、こうした観点から、取締役・監査役が他の上場会社の役員を兼任する場合には、その数は合理的な範囲にとどめることを求めている【補充原則4-11②】。取締役は、会社と委任の関係にあり（330条）、その職務を遂行するに当たって善良な管理者としての注意義務を負う（民法644条）ことから、取締役としての職務の遂行に支障が生じるおそれのある兼職、例えば、兼職先での職務に多大な時間や労力を費やす、兼職先が多数にわたるといった兼職は避けるべきである。

なお、兼任する他社の事業内容が当社と競合するものであって、取締役が当該他社で代表取締役に就任する場合には、就任後の取引が競業規制に服することとなり、取締役会の承認が必要である（356条1項1号、365条1項）が、就任時に包括的に承認を得ておくことが通例である。また、会社法上は、競業取引に該当しない限り、取締役が他の会社の役員に就任することを規制していないが、私的独占の禁止及び公正取引の確保に関する法律は、会社の役員または従業員が、他の会社の役員を兼任することにより一定の取引分野における競争を実質的に制限することとなる場合には、その役員の地位を兼ねることを禁止している（私的独占の禁止及び公正取引の確保に関する法律13条1項）ほか、業種によっては監督官庁の認可等が必要である（たとえば、銀行法7条1項）。

e　取締役への使用人職務の委嘱

［記載例2-38］　取締役への使用人職務の委嘱

第○号議案　取締役に対する使用人職務委嘱の件

議長から、取締役○○○○氏、○○○○氏および○○○○氏にそれぞれ下記のとおり、使用人職務を委嘱する旨を諮ったところ、出席取締役全員異議なくこれを承認可決した。

記

経営企画部長	委嘱	取締役	○○○○氏
本店営業第一部長	委嘱	取締役	○○○○氏
大阪支店長	委嘱	取締役	○○○○氏

代表取締役および業務を執行する取締役として定められた取締役（363

条1項）以外の取締役は、会社の業務を執行する権限がない。業務執行権限を有しない取締役に使用人職務を委嘱すること、すなわち使用人兼務取締役は、実務上多く見られ、これにより、業務執行権限を与えられた場合に準じて使用人の職務を担当することとなる。

使用人兼務取締役には、委任契約に基づく取締役と雇用関係に基づく使用人の地位が併存するものと考えることができ、会社は、取締役としての報酬等とは別に使用人としての給与等を支給することが一般的である。この使用人分の給料の支払いは会社と取締役間の利益相反取引に当たると解されるが（356条1項2号）、あらかじめ取締役会の承認を得て、一般的に定められた使用人の給与体系に基づいて支払われる場合には、給料支払いの都度の取締役会の承認は必要ではないとされている（最判昭和43年9月3日集民92号163頁）。

取締役への使用人職務の委嘱は、業務執行権限付与に準じた意味を持つことや、取締役に委嘱される使用人の職務は、通常、取締役会決議の必要な重要な使用人の選任に該当するであること等から、取締役会の決議事項になると考えられる（362条4項3号）。

登記実務において、代表取締役を支配人とする支配人選任の登記の申請は商業登記法24条10号（現行法では9号）により却下するのが相当であるとされる（昭和40年1月19日民事甲104号回答）。代表取締役は、会社の業務に関する一切の裁判上または裁判外の行為をする権限を有するので、特定の事業に関して権限を与えられた支配人の地位を兼ねることに意味がなく、兼任できないとされたものであろう（11条1項、349条4項）。支配人は使用人の最高位であるから、この理は、支配人以下の使用人全般に該当するものであり、代表取締役への使用人職務の委嘱はできないと解される。

f　独立役員の指定・金融商品取引所への届出

［記載例2-39］　独立役員の指定・届出

第○号議案　独立役員の指定および届出の件

議長より、○○証券取引所に当社の独立役員として指定・届出済の社外監査役○○○○氏が、○○年○月○日開催予定の第○○期定時株主総会の終結の時をもって退任する予定であるので、同総会で新たに選任される予定の社外取締役候補者○○○○氏および社外監査役候補者○○○○氏の2名を新たに独立役員として指定、届出を行いたい旨の説明があった。

また、両氏には独立役員として指定、届出をすることについて、既に説明をし、両氏からの同意を得ている旨重ねて説明があり、議場に諮ったところ、全取締役の一致をもって、承認可決された。

独立役員とは、金融商品取引所の上場規程により、「一般株主と利益相反が生じるおそれのない社外取締役または社外監査役」と定義され、たとえば東京証券取引所に株式を上場する会社は、少なくとも1名以上の独立役員を確保し、その氏名等の情報を同取引所に届け出ることが義務づけられている（上場規程436条の2、上場規程施行規則436条の2等）。また、CGコードでは、プライム市場上場会社では独立社外取締役を少なくとも3分の1（その他の市場の上場会社では2名）以上選任すべきである【原則4-8】とされている。

CGコードにおいては、独立社外取締役となる者の独立性をその実質面において担保することに主眼をおいた独立性判断基準を策定・開示すべきである【原則4-9】とされているので、独立役員の指定・届出に当たっては、各社の基準に従いその者の実質的な独立性確保に重点を置かなければならない。

独立役員は、会社法の制度ではないので、独立役員の指定・届出にあたっての手続きについて会社法に規定がないのはもちろんのこと、東京証券取引所の規則でも取締役会の決議を求めているわけではない。記載例は、取締役会規程（規則）等の定めに従って取締役会決議を踏んでいるものである。社外役員の中から、独立役員として指定し、金融商品取引所に届出をすることについては、本人に事前に説明し同意を得ることが通例であると思われるので、記載例では本人の同意を得ている旨を記載している。なお、独立役員届出書には、本人の同意の有無を確認する「本人の同意欄」が設けられている。

この届出の内容に変更が生ずる場合は、原則として変更が生ずる日の2週間前までに変更内容を反映した届出書を提出しなければならないので、定時株主総会をもって独立役員の変更が予定されている場合は、株主総会での選任決議を待たずに事前に届出をする必要がある（上場規程施行規則436条の2第2項）。

g　取締役会規程（規則）の改正

[記載例2-40]　取締役会規程（規則）の改正

第○号議案　取締役会規程（規則）一部改正の件

議長から、会社法第362条第4項第1号に定める重要な財産の処分および譲受けおよび同2号に定める多額の借財についての取締役会付議基準を定める取締役会規程（規則）第○条に基づく別表○の第○号、第○号……および第○号を、昨今の経済情勢その他……等を踏まえて下記のとおり改正したい旨を説明し、賛否を諮ったところ、出席取締役全員異議なくこれを承認可決した。

記

（変更案）

第○条（取締役会決議を要する事項）

当会社の取締役会決議を要する事項は、別表○に定める事項とする。

別表○（下線が変更部分）

（○）（略）

（○）<u>○億円</u>以上の対価による不動産の譲渡及び譲受け

（○）簿価<u>○億円</u>以上の債権の放棄

（○）取得価額<u>○億円</u>以上の有価証券の取得

（○）簿価<u>○億円</u>以上の有価証券の売却

（○）（略）

（○）<u>○億円</u>以上の借入金

（○）<u>○億円</u>以上の関係会社に対する債務保証

（○）（略）

取締役会の運営や、決議方法等に関する基本的事項は会社法令に定めがあり、また、定款の相対的記載事項となる事項もある（366条1項、368条1項、369条1項等）。これら以外の取締役会に関する事項は、取締役会において定める取締役会規程（規則）による旨を定款に定めることが一般的である。取締役会規程（規則）は会社の内規という位置づけであり、その制定、改廃は、定款の授権により、取締役会の決議事項とされる。記載例は、取締役会の決議事項の付議基準を定める取締役会規程（規則）の条項を改定するものである。

ここでは、取締役会の決議事項に含まれる「重要な財産の処分及び譲受け」ならびに「多額の借財」につき（362条4項1号・2号）、各社の実情に見合った取締役会への付議基準をより具体化するために取締役会規程（規則）におかれた定めを改定している。

「重要」、「多額」の取締役会付議基準は、会社の規模、業種等により一律ではない。基準としては、記載例のような一定の金額基準のほかに、一定の比率等の基準（総資産の○○％等）もあり得る。いずれにしても、これらの定めをしておくことによって、事案の発生する都度、取締役会に付議すべきか否かにつき恣意的な運用にならないようにすることが可能となる。別表ではなく、本文の条項の中に、項または号として記載することも可能であるが、項目が多くなる等の場合は、例のように別表とした方が規程のみやすさといった面からよい場合もあるであろう。

なお、CGコードにおいては、取締役会で決議すべき事項と経営陣に委任すべき事項について明確に定め、その概要を開示することを求めている【補充原則4-1①】。取締役会規程（規則）改正に際しては、この点に留意しておく必要がある。

h　重要な使用人の人事異動

［記載例2-41］　重要な使用人の人事異動

第○号議案　○○年○月○日付人事発令の件
　議長から、○○年○月○日付にて、下記のとおり支店長および部長級の人事を決定したい旨を諮ったところ、出席取締役全員異議なくこれを承認可決した。

記

氏名	新職務	現職務
○○○○	○○支店長	○○支店次長
○○○○	○○部長	△○支店長

支配人その他の重要な使用人の選任および解任は、取締役会の決議事項である（362条4項3号）。重要な使用人とは、支配人およびそれに準ずる重要性を有する使用人を意味すると解される（取締役会ガイドライン163頁）。しかし、これにはすべての会社に該当する共通の基準があるのではなく、各会社の規模、業種、職制、使用人の権限等を総合的に判断する必要がある。一般的には、重要な使用人とは各部門の最高位の使用人をいうものと解されるので、会社法上は、かなり限定された範囲の使用人を指すものと思われる。

実務上は、各社の取締役会規程（規則）に、どの範囲の使用人の発令や人事異動を取締役会の決議事項とするかを定めている例が通例であろうから、その基準に従って取締役会に付議することになる。会社法でいう重要な使用人の範囲を超える使用人の異動を、取締役会規程（規則）によって取締役会の決議事項とすることは、もとより可能である。

(4) 取締役の報酬等の決定

a 取締役の基本報酬の決定

取締役の報酬等（報酬、賞与その他の職務執行の対価として株式会社から受ける財産上の利益）は、定款に定めるか、定めがない場合は株主総会の決議によって定める（361条1項）。[記載例2-43]は、株主総会で定めた取締役全員分の報酬等の総額（上限額）の範囲内で、各事業年度の各取締役の基本報酬を決定するものである。株主総会における報酬等に関する議案が2人以上の取締役についての定めである場合には、当該定めに係る取締役の員数を株主総会参考書類に記載し、社外取締役の存する公開会社においては、株主総会参考書類に社外取締役分とそれ以外の取締役分とを区別して記載しなければならない（施行規則82条1項3号、82条3項）。

また、有価証券報告書提出会社である監査役会設置会社（公開会社かつ大会社に限る）と監査等委員会設置会社においては、取締役（監査等委員を除く）の個人別の報酬等の決定方針につき、取締役会で決定しなければならない（ただし、取締役の個人別の報酬等の内容が定款又は株主総会決議により定められている場合を除く。）（361条7項、施行規則98条の5）。取締役の個人別の報酬等につき、定款に定める例は少なく、株主総会決議によって取締役全員分の報酬等の総額（上限額）を定めることが通例である（[記載例1-44] 参照）ことから、多くの会社において、報酬等の決定方針の決定が求められることとなる（[記載例2-42]）。報酬等の基本方針を決定せず、または方針に反して取締役の個人別の報酬等の内容を決定した場合、違法となり、その決定は無効となることに注意を要する（竹林・一問一答78頁）。

株主総会で承認された報酬等の総額（上限額）内で、取締役会において各取締役の個人別の基本報酬の決定を行うのであれば、毎年の株主総会の決議は必要ではない。記載例は、株主総会で承認を得た報酬等の総額（上限額）内での各取締役ごとの基本報酬額の決定を、取締役会の決議で行う場合および取締役会決議をもって取締役社長に一任する場合のものである。

株主総会で決議された報酬等の範囲内で、各取締役への具体的な配分額を取締役会で決議することについて、各取締役が特別利害関係人に該当するかどうかについては、論拠は様々だが該当しないとするのが確立した実務である（新版注釈会社法(6) 391頁〔浜田道代〕）。

また、各取締役への具体的な配分を代表取締役（社長）に一任することが許されるかついても、議論がある。会社法361条の趣旨がお手盛り防止にあることから、株主総会で報酬等の総額（上限額）が決定されている限りその目的は達成されるので、代表取締役への一任も違法ではないと解される（取締役会ガイドライン118頁）。

もっとも、代表取締役等の第三者に対して各取締役への具体的な配分の決定を委任した場合、事業報告への一定の記載が求められる。すなわち、①委任を受けた者の氏名等、②委任された権限の内容、③委任した理由、④②の権限が適切に行使されるようにするための措置を講じた場合にあってはその内容につき、事業報告に記載しなければならない（改正施行規則121条6号の3）。

また、CGコードにおいても、「取締役会が経営陣幹部・取締役の報酬を決定するに当たっての方針と手続」の開示が求められる【原則3-1(iii)】等、その決定過程の客観性・透明性が求められるようになっている【補充原則4-2①】ことに注意を要する。具体的には、報酬決定に際しては、任意の報酬委員会の適切な関与・助言を得ることが求められている【補充原則4-10①】。任意の報酬委員会を設置している会社においては、取締役会決議に当たり、委員会の答申結果等を報告することが考えられる。

そして、同じくCGコードにおいて、「経営陣の報酬については、……健全な企業家精神の発揮に資するようなインセンティブ付けを行うべき」【原則4-2】、「中長期的な業績と連動する割合や、現金報酬と自社株報酬との割合を適切に設定すべき」【補充原則4-2①】とされ、固定報酬以外の業績に連動する報酬体系の検討が求められている。

[記載例2-42]　新たに取締役の個人別の報酬等の決定方針を決定する場合

第○号議案　取締役（監査等委員を除く。）の個人別の報酬等決定方針の決定の件

議長より、会社法施行規則第121条6号の3に基づき取締役の個人別の報酬等の決定方針を決定する必要がある旨を述べ、管理担当取締役○○○○から別添資料に基づき取締役の個人別の報酬等の決定方針に関する詳細な説明があった後、議長が賛否を諮ったところ、全員異議なくこれを承認可決した。
（添付資料　取締役の個人別の報酬等の決定方針）

[記載例 2-43]　各取締役の基本報酬決定（取締役会で個人別の報酬額を決議）

第○号議案　各取締役の基本報酬決定の件

議長より、○○年○月○日から○○年○月○日までの第○期事業年度に係る各取締役の報酬額につき、報酬諮問委員会の意見を聴取し、取り入れたうえで○○年○月から、各取締役の基本報酬をその担当、役位等による当社の内規に従い下記のとおり決定したい旨の提案がなされた。この提案を諮ったところ、出席取締役の全員一致で承認可決された。

記

地位・氏名		基本報酬額
取締役社長	○○○○	金○○○○○○○円
専務取締役	△△△△	金○○○○○○○円
専務取締役	△△△△	金○○○○○○○円
常務取締役	△△△△	金○○○○○○○円
常務取締役	△△△△	金○○○○○○○円

[記載例 2-44]　各取締役の基本報酬決定（取締役社長に決定を一任）

第○号議案　各取締役の基本報酬決定の件

議長より、○○年○月○日開催の第○期定時株主総会で取締役の報酬額の改定が承認可決されたことを受け、○○年○月から各取締役の報酬額決定の基本となる職位別の基準額等に係る内規を別表のとおり改定することが提案された。この内規につき、審議した結果、全員一致をもって承認可決された。

なお、改定後の内規に基づく各取締役ごとの具体的な基本報酬の決定については、報酬諮問委員会および取締役社長に一任することを諮ったところ、出席取締役の全員一致で承認可決された。

(別表) 略

b　取締役の賞与の決定

［記載例 2-45］　取締役の賞与決定（取締役社長に決定を一任）

> 第○号議案　各取締役の賞与決定の件
> 　議長より、○○年○月○日開催の第○回定時株主総会で取締役への賞与支給の件として賞与支給総額金○○○○○○○円の議案が承認可決されたことの報告があった。この賞与支給総額の各取締役への具体的な配分については、各取締役の担当部門の業績等を踏まえ、報酬諮問委員会の意見を徴することを条件に、取締役社長に一任されたい旨を諮ったところ、出席取締役の満場一致で承認可決された。

取締役に対する賞与は、会社法上、取締役への職務執行の対価としての報酬等の一部とされ、定款に定めるか、株主総会の決議によることが必要である（361条1項）（［記載例 1-52］参照）。賞与についての株主総会の決議の取り方については、①毎年、当該事業年度の業績を勘案しながら具体的な支給額を決議する方法、②事業年度ごとの報酬等の総額（上限額）の範囲内で取締役会の決議により具体的な支給額を定める方法が考えられる。②の中でも、②－1賞与のための別枠を設定する場合と、②－2報酬等の総枠の中に含める方法とがあり得る。記載例は、株主総会に提案した取締役全員分の賞与支給総額の議案の承認可決を受けて、取締役会で、各取締役への配分を取締役社長に一任するものである。

各取締役の賞与の決定を取締役会の決議で行う場合における各取締役の特別利害関係に関する論点、および取締役社長への一任の可否に関する議論については、前記 a を参照されたい。

c　取締役に対するストック・オプションの付与

［記載例 2-46］　ストック・オプションの報酬額決定
（新株予約権の払込債務と報酬債権の相殺）

> 第○議案　ストック・オプションの報酬額決定の件
> 　議長から、当事業年度、取締役に対して発行するストック・オプションに

ついて、次のとおりとしたい旨を諮ったところ、出席取締役全員異議なくこれを承認可決した。

1　取締役に付与するストック・オプションに対応する報酬等の額

(1)　各取締役に対して付与する第○回新株予約権発行要項に基づく下記の新株予約権1個の払込金額に、各取締役に割り当てる新株予約権の数を乗じた金額の金銭報酬を、各取締役に支給する。なお、各取締役に支給する金銭報酬額の総額は、他の報酬等の額と合計して、○○年○月○日開催の第○期定時株主総会において承認された1年間の報酬等総額○○百万円の範囲内である。

(2)　上記(1)の金銭報酬は、各取締役がその割当てを受ける新株予約権の払込金額の払込債務と相殺することを条件に支給するものである。

2　新株予約権を引受ける者の募集および割当て

(1)　第○回新株予約権発行要領に基づき、新株予約権を引受ける者の募集をすることとし、当該募集新株予約権を下記の当社の各取締役に割り当てることとする。ただし、割当対象者である各取締役が、募集新株予約権の引受けの申込みを行い、当会社との間で新株予約権割当契約を締結することを、その条件とする。

(2)　(1)に拘わらず、

a　割当対象者による引受けの申込みの数が、下記の各割当て対象者の数に満たない場合には、当該申込みのあった数を、募集新株予約権の数とする。

b　募集新株予約権の割当日における公正価値の予想値に、下記割当て対象者の新株予約権の数を乗じた金額が、1の報酬等の額を超える場合には、付与する新株予約権の個数の調整を行う。

(3)　割当対象の各取締役との間で、別紙○の「新株予約権割当契約書」(案)により、割当契約を締結するものとする。

(4)　その他、募集新株予約権の募集および割当てならびに手続き等の詳細についての決定を、当社代表取締役に一任する。

記

		第○回新株予約権の個数	報酬額
代表取締役社長	○○○○	○○○個	○○,○○○,○○○円

専務取締役	○○○○	○○○個	○○,○○○,○○○円
常務取締役	○○○○	○○○個	○○,○○○,○○○円
取締役	○○○○	○○個	○,○○○,○○○円
取締役	○○○○	○○個	○,○○○,○○○円
計○名		○○○個	○○,○○○,○○○円

別紙○　新株予約権割当契約書（案）<略>

(i) 報酬等の決定決議

ストック・オプションとして取締役に付与される新株予約権は、新株予約権の発行時点において、その公正価値を算定することができることを前提に、「報酬等のうち額が確定しているもの」（確定額報酬）（361条1項1号）であって、かつ、「報酬等のうち金銭でないもの」（非金銭報酬）（361条1項6号）の両者に該当するものと整理される。この考え方によれば、ストック・オプションの報酬額決定に係る取締役会決議の前提として、確定額報酬としての総額（上限額）および非金銭報酬として具体的な内容について、定款に定めるか、株主総会の決議が必要になる（[記載例1-55]参照）。

しかし、記載例のいわゆる相殺方式では、株主総会で定めた確定額報酬等または別枠としてのストック・オプションに係る報酬等の枠内で、各取締役に金銭報酬を与え、取締役の会社に対する当該金銭報酬債権と新株予約権の払込金額の払込債務とを相殺する構成をとるので（246条2項）、形式上取締役に与えるのは金銭報酬である。そして、当該金銭報酬の額が、株主総会で定めた確定額報酬等またはストック・オプションに係る報酬等の枠内に収まっている限り、株主総会における、都度のストック・オプション報酬の承認決議の必要はないと解される。

(ii) 募集新株予約権の発行および割当ての決議

取締役会では、ストック・オプションとして、その公正価値が報酬等の枠内にある募集新株予約権の募集事項を決議する（238条1項・2項、240条1項）。このストック・オプションたる新株予約権の払込債務と、株主総会で承認を得た報酬等の枠内で与える報酬債権と相殺することになる。

会社の役員へのストック・オプションとして新株予約権を発行する場合は、取締役会で募集事項を決定する決議をしたときに、金融商品取引所の定める適時開示が必要である（上場規程402条1号 z ）。

また、新株予約権の目的である株式を上場している会社における新株予約権の発行は、金融商品取引法上の募集に該当するので、有価証券届出書の提出が必要になるのが原則である。しかし、自社の取締役のように有価証券届出書の記載事項に関する情報を既に取得し、または、容易に取得できる場合には、それらの者に対するストック・オプションたる新株予約権（譲渡禁止の旨の制限付であること）の取得勧誘を行うに際して、有価証券届出書の提出は不要とされる（金商法4条1項1号、金商法施行令2条の12、開示府令2条1項・2項）。ただし、新株予約権の払込額および行使価額の合計額が1億円以上である場合には、臨時報告書の提出が必要になる（金商法24条の5第4項、開示府令19条2項2号の2、2条4項2号）。

また、会社法上は、割当日の2週間前までに、株主に対して募集事項の通知または公告が必要とされるが（240条2項・3項）、振替株式発行会社においては、公告が必須となる（社債株式振替161条2項）。

ストック・オプションとして付与する新株予約権は、譲渡制限新株予約権であることが通例であるから（236条1項6号）、その割当ては取締役会の決議によらなければならない（243条2項2号）。この場合に、総数引受契約によることも考えられるが、総数引受契約を締結する場合にも、その契約につき取締役会の承認が必要である（244条3項）。一般的な募集新株予約権の発行にあたっては、引受けの申込みがあった後に、その申込者の中から割当てを受ける者を決定することが通例であるが、ストック・オプションの場合、割当てを受ける者が取締役という特定した者であることから、募集決議と同時に申込みのなされることを条件とした割当て決議を行っている。

なお、取締役会におけるストック・オプションの割当ては、他の報酬等の配分を取締役会で決議する場合と同様に、取締役全体の共通事項に関するので、取締役と会社または取締役会との間に特別利害関係の問題は生じないと解されている（取締役会ガイドライン400頁）。

㈲　相殺方式の場合、新株予約権の付与についてのみ決議し、各取締役が報酬債権と新株予約権の払込債務を相殺する意思表示をすることで新株予約権を取得する取扱いも考えられる。しかし、その構成では、理論上、各取締役は、金銭報酬を請求することも可能となってしまう。そこで、記載例のように新株予約権の付与と同時に、新株予約権の払込債務と相殺することを条件とした金銭報酬債権を付与することを決議することが多い。

監査役の報酬等について規定する会社法387条1項は、取締役のそれと異なり、非金銭報酬に関する規定がないが（361条1項参照）、報酬等の総額（上限額）が確定していれば、監査役への現物報酬も会社法の規定に反するものではないと解されている。実務上も監査役へのストック・オプションを付与する例はみられる。

d　取締役に対する株式報酬の付与

［記載例2-47］　譲渡制限付株式報酬の付与（金銭報酬債権の支給、同債権の現物出資による自己株式処分および割当契約の締結）

第○号議案　譲渡制限付株式報酬の件
議長は、上記議案を上程し、譲渡制限付株式報酬について、以下の事項につき決議を行った。
1　譲渡制限付株式に係る金銭報酬債権支給の件
議長より、本議案に基づく「2　譲渡制限付株式報酬としての自己株式処分の件」において現物出資財産として払い込むことを条件として別紙1に記載の取締役（社外取締役を除く。以下について同じ）○名に対して、譲渡制限付株式報酬規程に基づき別紙1に記載の金額の当社に対する金銭報酬債権を支給したい旨説明を行った。その後、議長がこれを議場に諮ったところ、いずれの取締役に対する支給についても、出席取締役全員（特別利害関係人を除く）が異議なくこれを承認し、可決した。
2　譲渡制限付株式報酬としての自己株式処分の件
議長より、下記のとおり会社法第205条に基づく総数引受契約方式による自己株式の処分を行いたい旨説明を行った。その後、議長がこれを議場に諮ったところ、いずれの取締役に対する処分についても、出席取締役全員（特別利害関係人を除く）が異議なくこれを承認し、可決した。

なお、払込金額については、○○監査役より、出席監査役全員（○名、うち○名は社外監査役）が割当予定先に特に有利な処分価額には該当しない旨の意見を表明している旨の説明があった。

記

⑴	処分する株式の種類および数	普通株式　○株
⑵	処分する株式の払込金額	1株につき金○円
⑶	出資の目的とする財産の内容および価額	本議案に基づく「⑴譲渡制限付株式に係る金銭報酬債権支給の件」に基づき、取締役○名に付与される、当社に対する金銭報酬債権金○円
⑷	払込期日	○○年○月○日（予定）
⑸	割当方法	割当ての対象となる各取締役との間で募集株式の総数につき会社法第205条第1項に規定する形での総数引受契約が締結されることを条件として、第三者割当の方法により、別紙1のとおり割り当てる。

3　譲渡制限付株式割当契約締結の件

議長より、別紙1の「対象者」欄記載の取締役との間で、別紙2の様式および内容を有する譲渡制限付株式割当契約を締結したい旨説明を行った。その後、議長がこれを議場に諮ったところ、いずれの取締役との締結についても、出席取締役全員（特別利害関係人を除く）が異議なくこれを承認し、可決した。

別紙1　割当一覧<略>

別紙2　譲渡制限付株式割当契約（案）<略>

(i)　株式報酬の導入状況

前記aの固定報酬以外の業績に連動する報酬体系の検討を求めるコーポ

レートガバナンス・コードの要請に加え、2016年に経済産業省から「「攻めの経営」を促す役員報酬～新たな株式報酬（いわゆる「リストリクテッド・ストック」）の導入等の手引～」が公表され、2016年税制改正および2017年税制改正により多様なインセンティブ報酬に係る税制が整備されたこともあり、株式報酬をはじめとするインセンティブ報酬の導入が進んでおり、上場会社の28.1％が特定譲渡制限付株式を、16.7％が業績連動型株式報酬を、14.1％が株式交付信託をそれぞれ導入している（2021年版株主総会白書173～174頁）。

代表的な株式報酬として、信託を利用した株式交付信託、一定期間の譲渡制限が付され、一定期間の継続勤務または業績目標の達成を条件に当該譲渡制限が解除される株式を付与する譲渡制限付株式（リストリクテッド・ストック）、業績目標の達成等一定の条件を達成した場合にその達成度に応じて事後的に株式を付与するパフォーマンス・シェア等があるが、［記載例2-47］は取締役に譲渡制限付株式を付与する場合の取締役会議事録の例である。

(ii) 報酬等の決定決議

取締役に報酬等として譲渡制限付株式を付与する場合、361条1項の株主総会決議を得る必要がある。令和元年の会社法改正により、無償で募集株式を発行することが認められた。もっとも、無償交付は上場会社の取締役に対象が限定されており、会社法上の役員ではない執行役員、従業員、子会社役職員等には適用されない（202条の2第1項柱書）。したがって、無償交付の例は多くなく、現在でも［記載例2-47］のような現物出資型によることが一般的である。現物出資型では、取締役に払込金額相当の金銭報酬を付与した上で、下記(iii)のように当該金銭報酬債権の現物出資を受けることで募集株式を発行し、割り当てるという形がとられる。そのため、金銭報酬の額について、株主総会で同項1号の確定額報酬の承認決議を得る必要があると考えられている。その際、「年額○円以内」などと上限枠として決議することも可能であるが、損金算入が認められるためには職務執行開始日（原則として定時株主総会の日）から1カ月が経過する日までに取締役会等で個人別の確定額の金銭報酬の支給決議を行うことが必要である。また、当初から金銭報酬債権の現物出資を受けて株式を付与することが予定されていることから、株主総会で非金銭報酬として同項３号の承認決議を得ることが適切と考えられている。そのため、株主総会参考書類には、「譲渡制限付株式の概要」などとして付与される株式の種類・数、払込金額の定め方、譲渡制限期間、退任時の取扱い、譲渡制限の解除、組織再編等における取扱い等が記載される。

株主総会で以上の決議を受けた後、［記載例２-47］のように取締役会で個人別の確定額の金銭報酬の支給決議を行うことになる。［記載例２-47］では、個人別の確定額を別紙１の割当一覧に記載している。

なお、この個人別の支給決議および下記(iv)の各取締役との割当契約の締結の決議については、ｃ(ii)で述べたストック・オプションの割当てと同様に、取締役全体の共通事項に関するものとして取締役と会社または取締役会との間に特別利害関係の問題は生じないと解する余地もあるものの、保守的に対象となる取締役を除いて取締役ごとに決議をとることも考えられる。

(iii) 新株発行または自己株式処分の決議

その上で、金銭報酬債権の現物出資を受けて募集株式の発行を行うところ、募集株式の発行は有利発行でない限り取締役会決議により行うことができる（201条１項、199条３項）ため、払込金額については、取締役会決議日の前営業日の証券取引所の終値（同日に取引が成立していない場合は直近取引日の終値）を基礎とするなど引受人である取締役に特に有利でない金額に設定することが通常である。

［記載例２-47］は自己株式を処分する場合の例であるが、新株を発行する場合、増加する資本金の額および資本準備金に関する事項（199条１項５号）の決議も必要となる。

(iv) 割当契約の締結の決議

募集株式の割当てについては、取締役と締結する割当契約の中に総数引受とする旨を記載することによって割当契約が総数引受契約を兼ねることから、募集株式の申込みおよび割当ての手続き（203条、204条）は不要とすることができる（205条１項）。［記載例２-47］では、総数引受契約としての割当契約の締結を取締役会で決議することとし、別紙2として割当契約の案を添付している。

譲渡制限について種類株式の内容とする方法によると、定款変更を要するなど手続きが煩雑であることから、割当契約の中で譲渡制限を定める方法が一般的である。

なお、会社と取締役との間の割当契約の締結は、利益相反取引（356条1項2号）に当たり得、金額等によっては重要な業務執行（362条4項）にも当たり得るところ、割当契約の締結の決議はこれらの承認決議も兼ねているものと考えられる。

(v) その他の手続き

譲渡制限付株式の払込金額の総額が1億円以上となる場合には、有価証券届出書の提出が必要となり（金商法4条1項、開示府令2条4項）、届出の効力発生（原則として届出が受理された日から15日を経過した日）前には譲渡制限付株式を付与することができない（金商法15条1項）。なお、株式報酬として株式の割当てを行う場合、割当予定先の氏名、住所、職業等を含む有価証券届出書の「第三者割当の場合の特記事項」の記載は不要である（開示府令19条2項1号）。

また、譲渡制限付株式の払込金額の総額が1億円以上となる場合には、適時開示も必要となる（上場規程402条1号 a、上場規程施行規則401条1号）が、実務上、1億円未満でも開示する例が見られる。

e 退任取締役に対する退職慰労金の贈呈

退職慰労金は、退任取締役に対する在任中における職務執行の対価として支給されるものである限り報酬等に含まれるので、定款に定めるか、株主総会の決議によって定める必要がある（361条1項）。一般的に、退職慰労金は、役位ごとに定められた基準額に役位ごとの在任期間を乗じた額を基本とし、上限30％程度の功労加算を行う例が多く、在任中における職務執行の対価と解されている。株主総会における退職慰労金の議案は確定額報酬として確定額（上限額）の決議を得るのが原則であるが、現行の実務は、一定の基準に従い退職慰労金の額の決定を取締役会に一任する決議を得ることがほとんどであり、この方法も適法と解されている（最判昭和44年10月28日判時577号92頁）。一任の決議を得る場合には、株主総会参考書類に、①一定の基準の内容を記載する、または②各株主が当該基準を知ることができるようにするための適切な措置を講じなければならない（施行規則82条2項）。記載例は、株主総会で一任の承認決議を得た後、さらに個人別の具体的な退職慰労金の額の決定を取締役会が取締役社長に一任する決議をする場合（最判昭和58年2月22日判時1076号140頁）および取締役会の決議で個人別の具体的な退職慰労金の額を決定する場合の例である。退任取締役への退職慰労金も、報酬等に該当するので、CGコードにおいてその決定過程の客観性・透明性が求められることに注意を要する【原則3-1(iii)、補充原則4-2①】。退職慰労金に関する株主総会議事録は、［記載例1-50］を参照されたい。

［記載例2-48］　退職慰労金額の決定（取締役会で具体的金額を決議）

第○号議案　退任取締役に対する退職慰労金について

議長より、○○年○月○日開催の第○期定時株主総会の終結の時をもって取締役を退任した○○○○氏および△△△△氏に対する退職慰労金につき、同定時株主総会で当社における一定の基準に従い相当額の範囲内で贈呈することが承認可決されたことが報告された。続いて、一定の基準である内規に従った計算過程およびその結果が○○取締役から報告され、また、議長からは、各氏に対する功労加算の理由等およびその結果が報告された。それらを踏まえて、各氏に対する退職慰労金額につき、審議したところ、下記のとおりとすることが、取締役会の満場一致で承認可決された。

記

○○○○氏　　　　金○○○○○○○○円
△△△△氏　　　　金○○○○○○○○円

［記載例2-49］　退職慰労金額の決定（取締役社長に決定を一任）

第○号議案　退任取締役に対する退職慰労金について

議長より、○○年○月○日開催の第○期定時株主総会の終結の時をもって取締役を退任した○○○○氏および△△△△氏に対する退職慰労金につき、同総会において当社の内規に従い相当額の範囲内で贈呈すること、その具体的な金額等は、取締役会に一任することで承認可決された旨の説明があった。ついては、当社の内規に従って具体的な金額等を本取締役会で決定することとなるが、個人別の具体的額の決定等は、取締役会から報酬諮問委員会の意見を参考にすることを条件に、取締役社長に一任することを諮ったところ、満場一致で承認可決された。

f　役員退職慰労金制度の廃止

取締役の退職慰労金は、前述のとおり取締役に対する在任中の職務執行の対価として支給されるものであれば、報酬等の規制に服する。その支給金額の算定においては取締役としての在任期間という年功的要素が大きく、業績との関係が不透明であると批判されることがある。そこで、取締役の報酬等を、より在任中の業績に連動したものとする等したうえで、退職慰労金制度を廃止する会社が増えている（「2021年度全株懇調査報告書」57頁によれば、退職慰労金制度が無い会社は86.6%）。

なお、2013年1月1日以後、勤続年数が5年以下である者が受ける役員退職手当（特定役員退職手当等）については、「（収入金額－退職所得控除額）×2分の1」を退職所得とする、いわゆる2分の1課税の適用がないものとする課税の強化がなされている。この税制改正も、近時、役員退職慰労金の廃止の動きを加速する要因になっているものと考えられる。

退職慰労金制度の廃止に伴い、打切り支給をするには、株主総会における承認決議が必要になる。

退職慰労金打切り支給に伴う株主総会議事録は、［記載例1-51］を参照されたい。

［記載例2-50］　役員退職慰労金制度の廃止

第○号議案　役員退職慰労金制度の廃止について

議長より、取締役の役員退職慰労金制度については、○○年○月の取締役会にて、決議し、実施してきたが、昨今の諸情勢を勘案し、○○年○月○日開催予定の第○期定時株主総会の終結の時をもって廃止することを説明した。同定時株主総会の終結の時までに引当済の役員退職慰労金については、今後、各役員が退職する都度、支払うこととし、同株主総会において退職慰労金制度の廃止に伴う打ち切支給に関する議案を上程し、承認を得たい旨の報告があった。

この廃止について、全取締役に諮ったところ、満場一致をもって承認可決された。

(5) 経営方針（中期経営計画）

[記載例2-51]　中期経営計画の決定

第○号議案　新中期経営計画策定の件

議長から、当社グループの安定成長を持続しつつ次なる飛躍の実現に向けた準備を進めるため、下記のとおり○○年度から3ヵ年を対象事業年度とする新中期経営計画「○○○○○」を策定したい旨の提案があった。審議の後、賛否を諮ったところ、出席取締役全員異議なくこれを承認可決した。

記

1　新中期経営計画の名称　「○○○○○」

2　新中期経営計画の期間　○○年○月～○○年○月（3ヵ年）

3　新中期経営計画の目標

新中期経営計画の最終事業年度である平成○○年度において、以下の数値目標の達成を目指す。

①　連結売上高　　○○○億円

②　連結営業利益　　○○億円

③　連結経常利益　　○○億円

④　ROE　　○○%

4　新中期経営計画のビジョン

(1)　事業構造の転換

(略)

⑵　エネルギー改革の推進
（略）
⑶　ステークホルダーエンゲージメントの推進
（略）
⑷　サステナビリティ関連施策の重視
（略）
⑸　リスク管理機能の強化
（略）
⑹　コンプライアンス体制の充実
（略）
5　事業部門別の具体的施策
（略）

企業が存続し、継続的に発展していくには、現状の認識と、それを踏まえた経営戦略の構築が必要である。一般的に、中期経営計画とは、3年～5年後の会社のあるべき姿を示し、それを実現するための道筋を示すものをいう。あるべき姿と、現状の姿を比較することによって、解決すべき課題が見え、それらの課題をいかに解決していくかが重要になる。中期経営計画においては、数値目標を立てることが一般的であるが、売上目標や、利益目標のみを追求して立てられた計画ではなく、それに至る行動計画、その具体策までを構築するものである。これは、取締役会設置会社における重要な業務執行の決定であり、取締役会の決議事項となるであろう（362条2項1号・4項本文）。

CGコードにおいて、中期経営計画を含む会社の経営計画を策定・開示する旨が、規定されている【原則3-1(i)】。また、中期経営計画の実現に向けての取締役会の努力や、その計画が未達に終わった場合の対応についても規定されている【補充原則4-1②】。さらに、中期経営計画の策定・公表に当たり、資本コストを把握し、収益力・資本効率等に関する目標を提示し、事業ポートフォリオの見直しや経営資源の配分等を説明すべきであり【原則5-2】、事業ポートフォリオに関する基本方針や事業ポートフォリオの見直しの状況についてわかりやすく示すべきとされている【補充原則5-2①】。

⑹ 競業取引・利益相反取引

a 競業取引

(i) 承認

[記載例2-52] 競業取引承認(競合会社の代表取締役への就任)

第○号議案 取締役の競業他社代表取締役への就任の件
　議長から、取締役○○○○氏が○○年○月○日開催の○○○○株式会社の第○期定時株主総会およびその後の同社取締役会において、同社の代表取締役に就任する予定である旨の報告があった。同社の事業内容は、下記のとおり当社の事業内容と一部競合しているため、本件兼任の承認をしたい旨を諮ったところ、出席取締役全員異議なくこれを承認可決した。
　なお、取締役○○○○氏は当決議について特別の利害関係を有するので、議決には加わらなかった。

記

1	兼任先	○○県○○市○○区○○町一丁目1番1 ○○○○株式会社
2	主要な事業内容	○○○類の卸販売
3	主要な営業地域	○○県および○○○県
4	売上高	○○百万円(○○○○年○月期)
5	売上数量	○,○○○個(同期)
6	就任期間	○○年○月○日から○年間 延長の際は、別途当取締役会の承認を条件とする
7	(略)	

　取締役が、会社の事業と競合する他社の代表取締役に就任することは、単なる兼職にとどまらず、会社の顧客や営業上の情報等を利用して、会社の利益を害する可能性がある。これは、取締役が会社の事業の部類に属する取引をしようとするときに該当し(356条1項1号)、競業取引と呼ばれ

る。この場合、当該取締役は取締役会に当該取引につき重要な事実を開示し、その承認を受けなければならない（365条1項）。単発的な競業取引の承認は、取引ごとに行うのが原則であるが、競業他社の代表取締役に就任し、日常的・継続的に競業取引が行われることが予定されている場合には、代表取締役への就任を承認すること、すなわち包括的な競業取引の承認をすることも可能と解される。その承認に当たっては、取締役会がその競業取引を承認するかどうかの判断材料となる重要な事実を、開示することが必要である。取締役会の承認を得ずに競業取引を行うことは、取締役がその任務を怠ったこととされ、その取引により第三者が得た利益の額は、会社に生じた損害の額と推定される（423条2項）。

包括的承認のあった後、承認時の条件と大きく異なるような事情の変更が生じた際には、あらためて、その条件に基づく承認が必要になろう。

(ii) 事後の報告

［記載例2-53］ 競業取引の事後報告

報告事項○　取締役の競業取引報告の件

議長の指名により、取締役○○○○氏から、○○年○月○日開催の取締役会で承認された競業取引につき、同氏の兼務先である○○○○株式会社の第○四半期の○○類の販売実績について下記のとおり報告があった。

記

1	売上高	○○百万円
2	売上数量	○○○個
3	主要な販売地域	○○県（約○○％）、○○○県（約○○％）
4	期間損益	営業利益○百万円
5	（略）	

競業取引を行った取締役は、当該取引後、遅滞なく、当該取引についての重要な事実を取締役会に報告しなければならない（365条2項）。単発的な取引であれば、取引後遅滞なく報告することを要するが、競業取引が、継続的な取引であって包括的に承認された場合には、一定の期間ごとに報告すればよいものと考えられる。記載例では、四半期の実績報告を行って

いるが、これは取締役の業務執行状況の報告が最低3カ月に1回以上とされていること（363条2項）に準じて、報告しているものである。なお、報告の頻度は、さらに低いことが考えられるが、最長でも、年に1回の報告は必要となるであろう。

この報告を怠ったり、虚偽の報告をした取締役には、100万円以下の過料の制裁が科せられる（976条23号）。

b　利益相反取引

［記載例2-54］　利益相反取引（直接取引・不動産売買）

第○号議案　○○○○株式会社に対する当社保有土地売却の件

議長から、取締役○○○○氏が代表取締役を兼務している○○○○株式会社に対して、当社が保有し、現在資材置場として利用している下記土地を、資産効率化の観点から売却する計画がある旨説明があった。譲渡価額については、近隣地域における売買事例、地価公示価格等を参考に、同社との交渉の末決定されたものであること、この売却により当社は、不動産譲渡益○○,○○○,○○○円が計上できること、が説明された。この譲渡について、会社法第356条第1項および第365条第1項の規定に基づき承認願いたい旨を諮ったところ、出席取締役全員異議なくこれを承認可決した。

なお、取締役○○○○氏は決議につき特別の利害関係を有するので、議決に加わらなかった。

記

1	対象土地	所在・地番　○○県○○市○○○丁目○番○
		地目　宅地
		地積　○,○○○,○○○㎡
		現況　資材置場
2	譲渡価額	○○○,○○○,○○○円
3	簿価	○○,○○○,○○○円
4	売買契約締結日	○○年○月○日（予定）
5	引渡日	○○年○月○日（予定）
6	その他	（略）

取締役が、自己または第三者のために会社と取引をする際には、会社の利益を犠牲にして自己または第三者の利益を図る恐れがある。このような取引を取締役と会社間の利益相反取引のうちの直接取引といい、該当する取引をしようとする場合には、当該取引につき重要な事実を開示し、取締役会の承認を受けなければならない（356条1項2号、365条1項）。

取締役が代表取締役を務める他の会社と、会社との不動産売買は、取締役が第三者（他の会社）のために会社と直接に取引をする場合に該当する。

任務を怠ったことによる取締役の責任は過失責任であるが、特則として、自己のために利益相反取引をした取締役の責任は、無過失責任とされ、株主総会決議等による責任の一部免除も認められない（428条）。

会社と取締役間の利益相反取引となる不動産売買における取締役会の承認は、当該不動産の所有権移転の登記原因について必要な第三者の承認とされる。そこで目的となった不動産の所有権移転登記の申請に当たっては、この利益相反取引について取締役会の承認を得たことを証する情報（取締役会議事録等）を提供することが必要となる（不動産登記令7条1項5号ハ）。この場合、取締役会議事録等へ取締役および監査役は実印をもって押印し、印鑑証明書を添付することが必要となる（不動産登記令19条）。

なお、会社法改正の目的の一つであった親子会社に関する規律の整備の一部として、親会社等との利益相反取引に関して、子会社の事業報告での開示事項が新設され（施行規則118条5号）、監査報告にも監査役の意見が必要となった（施行規則129条1項6号、130条2項2号等）。これは取締役・会社間の利益相反取引ではないが、親子会社間の取引について親会社等を有する会社に新たに求められる開示事項である。

[記載例2-55]　利益相反取引（間接取引・債務保証）

第○号議案　○○○○株式会社の債務保証の件

議長から、取締役○○○○氏が代表取締役を務める○○○○株式会社の銀行借入れについて、下記のとおり債務保証の要請があり、その要請に応じたい旨の提案があった。議長から、今般の同社の銀行借入れは、同社の期中の運転資金に充当するものであり、○○年○○月までの短期借入れであること、当社と○○○○株式会社との間には○○○○プロジェクトを共同主体として遂行しており、○○年○○月以降は、当該プロジェクトが稼働してキャッシュフローも予定されていること等の説明があった。さらに、当社は、同社から保証料約○百万円を受領することのメリットがある旨、○○○○プロジェクトの共同主体である同社の依頼に応ずることの重要性等の報告があった。その後、この債務保証につき審議し、議長が賛否を諮ったところ、出席取締役全員異議なくこれを承認可決した。

なお、取締役○○○○氏は決議につき特別の利害関係を有するため、議決に加わらなかった。

記

1　債務者　○○○○株式会社
2　保証先　株式会社○○○○銀行
3　債務の内容
(1)　借入金額　○○百万円
(2)　借入日　○○年○月○○日
(3)　返済期限　○○年○月○○日
(4)　返済方法　期限一括返済
(5)　利率　年○．○%
(6)　担保　無担保
(7)　資金使途　運転資金
4　保証料　年○．○%
5　保証期間　○○年○月○○日～○○年○月○○日（○年間）
6　その他　（略）

取締役と会社間の利益相反取引のうち、間接取引といわれる類型のものである。会社が取締役個人の債務を保証する行為が例示されているが(356条1項3号)、記載例のように、取締役が代表取締役を兼任する他の会社の債務を保証するものであっても、それに類する行為として取締役会の承認を得る必要がある（365条1項)。会社と取締役間の直接の取引ではなく、会社と第三者（記載例では、銀行）との取引であるが、会社の犠牲のもとで取締役（が代表を務める会社）に利益が生ずる可能性のある取引の類型である。

直接取引であれ、間接取引であれ、利益相反取引を行った結果、会社に損害が生じた場合には、取締役会の承認を得たか否かにかかわらず、当事者である取締役、会社が当該取引を行うことを決定した取締役および取締役会の決議に賛成した取締役は、任務を怠ったものと推定される（423条3項）。

[記載例 2-56]　関連当事者との間における取引を承認する場合

第○号議案　○○○○株式会社との取引の承認の件

議長から、当社の関連当事者である○○○○株式会社との間で、下記のとおり取引を行うことについて承認を求める提案があった。社外取締役○○○○氏から、本件取引の経済合理性について質問があり、議長から、本件取引の経済合理性については××××××との検証結果が得られていることから、本件取引の条件は公正であると認められ、当社の利益を損なうものではない旨の説明があった。審議の後、議長が本件取引の承認を求めたところ、出席取締役全員異議なくこれを承認可決した。

記

①　関連当事者の名称

○○○○株式会社

②　関連当事者の総株主の議決権の総数に占める当社が有する議決権の数の割合

直接○○．○%、間接○○．○%

③　当社の総株主の議決権の総数に占める関連当事者が有する議決権の数の割合

直接○○．○%、間接○○．○%

④　当社と関連当事者との関係

○○○○○○

⑤　取引内容

○○○○○○○○○○○

⑥ 取引金額

○○○○○○○○○○○

⑦ 取引条件

関連当事者との間に一定の取引（会社と第三者との間の取引で当該会社と当該関連当事者との間の利益が相反するものを含む。）がある場合には、関連当事者の名称、自社と関連当事者との関係、取引の内容および取引の種類別の取引金額等を注記表（個別注記表および連結注記表をいう。以下において同じ。）に表示しなければならない（計算規則112条1項）。関連当事者とは、自社の親会社や子会社、自社の役員およびその近親者等、計算規則112条4項に掲げる者をいう。

取締役が自己または第三者のために会社と取引をしようとするときや、会社が取締役の債務を保証することその他取締役以外の者との間において会社と当該取締役の利益が相反する取引をしようとするときは、あらかじめ取締役会の承認を受けなければならない（356条1項2号・3号、365条1項）が、これらに該当しない関連当事者との間の取引についても、会社の利益が害されるおそれがあることや注記表での開示事項になっていることを踏まえ、取締役会の承認事項とすることが考えられる。

(7) 株式等

a 自己の株式の取得

(i) 株主との合意による取得

(a) 取得に関する事項等の決定

取得に関する事項は、①取得する株式の数（種類株式発行会社にあっては、株式の種類および種類ごとの数）、②株式を取得するのと引換えに交付する金銭等の内容およびその総額、③株式を取得することができる期間（1年以内）の3つである（156条1項）。

これらに加えて、特定の株主から取得する場合には、その旨を併せて決議することもできる（160条1項）。

⑺　株主総会

会社が株主との合意により自己の株式を取得することは、剰余金の配当と同じく、株主に対する財産分配の一種である。したがって、取得に関する事項について株主総会の承認（普通決議）を要するのが原則である（156条1項）。なお、特定の株主から取得する場合、特定の株主の氏名または名称が決議事項に加わり、決議要件は特別決議となる（160条1項、309条2項2号）（[記載例1-53] 参照）。

⑴　取締役会

一定の要件を充たす会社は、剰余金の配当等を取締役会が決定する旨を定款で定めることができ、この定めがあれば、自己の株式の取得に関する事項の決定についても取締役会の決議で行うことができる（459条1項1号）。この場合に充たすべき一定の要件には、取締役の任期が1年以内であることや、会計監査人設置会社であって計算書類につき会計監査人による無限定適正意見があること等がある（459条1項柱書・2項、計算規則155条）。この場合の取得方法は、①市場取引、②公開買付け、③不特定の株主からの取得（いわゆるミニ公開買付け）のいずれかによることが必要であり、特定の株主からの取得はできない。なお、上場株式の取得においては、③の方法をとることもできず（金商法27条の22の2）、①、②の方法に限定される。

上記の一定の要件を充たさない会社であっても、取締役会設置会社は、①市場取引、②公開買付けいずれかの方法による場合に限り、取得に関する事項を取締役会の決議によって定めることができる旨を定款で定めることができる（165条2項・3項）。取得方法は、①、②に限定されるものの、取締役会の権限で自己の株式の取得を決定できる会社の範囲を会社法459条1項・2項の場合よりも、拡大することとなる。

なお、取締役会決議による子会社（特定の株主）からの取得については、後記(ii)を参照されたい。

(b)　取得価格等の決定

取得に関する事項の決定を株主総会または取締役会にて行った後、自己の株式を取得する場合には、その都度、以下の事項を取締役会で決議しなければならない（157条2項）。

決議する事項は、①取得する株式の数（種類株式発行会社にあっては、株式の種類および数）、②株式1株を取得するのと引換えに交付する金銭等の内容および数もしくは額またはこれらの算定方法、③株式を取得するのと引換えに交付する金銭等の総額、④株式の譲渡しの申込みの期日である（157条1項）。これらの事項は、決定ごとに均等に定めなければならない（157条3項）。

ただし、市場取引または公開買付けによる場合は、この決定は不要であるので（165条1項）、この決定が必要となるのは、不特定および特定の株主から取得する場合となる。

(c) 金融商品取引法の手続き

金融商品取引法上、上場株券の発行会社による自己の株式の買付等について、取締役会の決議があった場合には、1カ月ごとに自己株券買付状況報告書を内閣総理大臣に提出する必要がある（金商法24条の6）。提出された自己株券買付状況報告書は、財務局、発行者の本店および重要な支店、金融商品取引所において1年間公開される（金商法25条）。

(d) 市場取引の種類と規制

上場会社がオークション市場で自己の株式を取得する場合、相場操縦等により、市場の公正性・健全性が損なわれることのないように、価格規制、数量規制等が課されるのが原則である（金商法162条の2、有価証券の取引等の規制に関する内閣府令17条以下）。しかし、金融商品取引所が適当と認める方法による自己の株式の取得には、同規制の適用がない（同府令23条）。たとえば、東京証券取引所は、①事前公表型のオークション市場での買付け、②事前公表型の終値取引（ToSTNeT-2）による買付け、③事前公表型の自己株式立会外買付取引（ToSTNeT-3）による買付けの3つを適当な方法としている。ToSTNeT市場とは、東京証券取引所の通常の立会市場（オークション方式による市場）から独立した立会外市場であり、このうちToSTNeT-3は、ToSTNeT市場における取引のうち、自己の株式の取得のための売買のみが行われる取引をいう。

[記載例 2-57]　オークション市場での単純買付け（信託方式）

第○号議案　自己の株式の取得の件

議長より、株主への利益還元ならびに経営環境の変化に対応する機動的な資本政策の遂行を可能にすること等の理由から、定款○条の定めに基づき(注)、下記のとおり自己の株式を取得したい旨を諮ったところ、出席取締役全員異議なくこれを承認可決した。

記

1　取得対象株式の種類および数

当社普通株式　○○,○○○株（上限）

（発行済株式の総数に対する割合○.○%）

2　取得価額の総額

○,○○○百万円（上限）

3　取得期間

○○年○月○日から○○年○月○日まで

4　取得の方法

○○○○信託銀行に対して、信託方式による市場からの買付けを委託する。

5　その他

その他、本件自己の株式の取得に関して必要な事項については、代表取締役社長に一任する。

(注)　株主総会の授権決議を受けて、取締役会で具体的に自己の株式の取得決議をする場合は、下線部を「○○年○月○日開催の第○期定時株主総会における承認を受け」等とする。

[記載例 2-58]　立会外取引（ToSTNeT-3）における取得

第○号議案　自己の株式の取得の件

議長より、株主への利益還元ならびに経営環境の変化に対応する機動的な資本政策の遂行を可能にすること等の理由から、定款○条の定めに基づき、下記のとおり自己の株式を取得したい旨を諮ったところ、出席取締役全員異議なくこれを承認可決した。

記

1　取得対象株式の種類および数
　(1)　取得する株式の種類　　　普通株式
　(2)　取得する株式の総数　　　○○,○○○株（上限）
　(3)　株式の取得価額の総額　　○,○○○百万円（上限）
2　取得の方法
　本日（○○年○月○日）の終値（最終特別気配を含む）○円で、○○年○月○日午前8時45分の東京証券取引所の自己株式立会外取引（ToSTNeT-3）において買付の委託を行う（その他の取引制度や取引時間への変更は行わない。）。
　当該買付注文は、当該取引時間限りの注文とする。
3　取得結果の公表
　午前8時45分の取引時間終了後に取得結果を公表する。

(ii)　特定の株主からの取得

［記載例2-59］　子会社からの取得

第○号議案　子会社から自己の株式を取得する件
　議長から、会社法第163条の規定により読み替えて適用される同法第156条の規定に基づき、下記のとおり子会社の有する自己の株式を取得したい旨を諮ったところ、出席取締役全員異議なくこれを承認可決した。

記

1　子会社の名称
　○○○○株式会社
2　取得の理由
　当社が株式会社○○○○を吸収合併したことに伴い、上記子会社に割り当て交付されることとなった当社株式を取得・消却することにより、会社法上の問題を解消するため。
3　取得の内容
　(1)　取得する株式の種類および数
　　普通株式　○○,○○○株（発行済株式総数に対する割合○.○%）
　(2)　株式を取得するのと引換えに交付する金銭等の内容およびその総額

金銭　○,○○○,○○○円（○○○○年○月○日の東京証券取引所における当社普通株式の終値○○○円を１株当りの取得価額とし、これに取得する株式の総数を乗じた金額）
⑶　株式を取得することができる期間
○○年○月○日から○○年○月○日まで

会社が特定の株主から自己の株式を取得する場合には、株主総会の特別決議によることが必要なので（309条２項２号）、前記ⓐ㈠で述べた一定の要件を充たし、剰余金の配当等を取締役会が決定する旨を定款で定めた会社であっても、取締役会の決議によることはできない（459条１項１号）。

しかし、特定の株主からの取得の一類型である、子会社からの自己の株式の取得は、取締役会の決議によることができる。

そもそも、子会社が、その親会社である株式会社の株式を取得することは資本の充実・維持や、会社支配の公正等の観点からの弊害があるので、原則として禁止される（135条１項）。例外として、やむを得ない事由がある場合や、弊害の生ずる危険性が低い等の一定の場合には、子会社による親会社の株式の取得が認められる（135条２項、施行規則23条）。ただ、例外的に、取得が許される場合でも、子会社が親会社株式を保有し続けることには弊害が伴うので、子会社は、相当の時期に処分しなければならない（135条３項）。

ところが、子会社が保有する親会社の株式を処分したくとも、取引市場がなければ処分が困難であるし、取引市場があったとしても大量の処分が市場に影響を与える可能性がある。そこで、子会社が早期に親会社株式を処分できるよう、親会社の取締役会決議によって、子会社から自己の株式の取得をすることを政策的に認めている（163条）。

子会社から自己の株式を取得するには、親会社の取締役会において以下の事項を決議する（156条１項）。

①　取得する株式の数（種類株式発行会社にあっては、株式の種類および種類ごとの数）

②　株式を取得するのと引換えに交付する金銭等（当該会社の株式、社債

および新株予約権を除く）の内容およびその総額
③　株式を取得することができる期間（1年を超えることはできない）

b　自己株式の消却

［記載例 2-60］　自己株式の消却

> 第○号議案　自己株式消却の件
> 　議長から、発行済株式総数の減少を通じて資本効率ならびに株式価値の一層の向上を図るため、会社法第178条の規定に基づき、下記のとおり自己株式を消却したい旨を諮ったところ、出席取締役全員異議なくこれを承認可決した。
>
> 記
>
> 1　消却する株式の種類　　当社普通株式
> 2　消却する株式の数　　○,○○○株
> （発行済株式総数に対する割合○.○%）
> 3　消却後の発行済株式総数　　○,○○○,○○○株
> 4　消却予定日　　○○年○月○日

株式の消却とは、会社の発行済株式の一部につき、失効の手続きをして当該株式を株主名簿から抹消することである。消却できる株式は、会社が保有する株式に限られるので、消却の前提として自己株式としておくことが必要である。取締役会設置会社において自己株式を消却するには、消却する自己株式の数（種類株式発行会社にあっては自己株式の種類および種類ごとの数）を取締役会の決議によって定めなければならない（178条）。

消却の効力は、会社によって実際に株主名簿から消却した株式数を減じ、株券発行会社の場合であれば、株券を廃棄する等の現実の手続きによって生ずる。

振替株式の場合は、会社から自己株式が記録されている自己の口座を開設している証券会社等の口座管理機関に一部抹消申請をすると同時に、証券保管振替機構に一部抹消に関する事項を連絡する。同機構は、会社からの連絡に基づき、口座を開設する口座管理機関に情報の連絡をし、口座管

理機関は、会社からの申請と証券保管振替機構からの連絡に基づき、会社の口座から消却する株数の減少の記録を行う。これにより、消却の効力が発生する（社債株式振替158条）。

自己株式の消却の手続きにより登記事項である発行済株式総数が減少するので、消却の効力が生じた日から2週間以内に株式の消却による変更登記が必要である（915条1項、911条3項9号）。

この登記申請にあたっては、消却の決議をした取締役会の議事録が添付書類となり、登記すべき事項は、消却後の発行済株式総数（種類株式発行会社にあっては、発行済株式の種類および数を含む）および変更年月日である（商業登記法46条2項）。この場合の変更年月日は、株式の失効の手続きの完了日であって、取締役会決議の日と必ずしも同一ではない。

c　募集株式の発行等

(i)　第三者割当て

[記載例2-61]　募集株式の発行（第三者割当て）

第○号議案　募集株式の発行の件

議長から、資本の充実を図り、また、業務提携の実効をあげるため、下記のとおり第三者割当てによる募集株式の発行を行いたい旨を諮ったところ、出席取締役全員異議なくこれを承認可決した。

記

1　募集株式の数　　当社普通株式　○○○株
2　募集株式の払込金額　　1株につき金○○○円
3　募集の方法　　第三者に割り当てる
4　増加する資本金および資本準備金に関する事項
　増加する資本金の額　　○○○，○○○，○○○円
　増加する資本準備金の額　　○○○，○○○，○○○円
5　割当先　　株式会社○○○○　　○○○，○○○株
　ただし、申込みがされることを条件とする。
6　申込期間　　○○年○月○日から○○年○月○日まで
7　払込期日　　○○年○月○日

8　払込取扱金融機関
　東京都○○区○○町○丁目○番○号
　株式会社○○銀行　本店
9　発行条件
　前各号については、金融商品取引法による届出の効力発生を条件とする。

(a)　募集株式の発行・割当手続き

公開会社における募集株式の発行で、いわゆる第三者割当てによる募集事項の決定は、有利発行の場合を除き、取締役会の決議による（201条1項）。取締役会が募集事項を定めたときは、払込期日の2週間前までに株主に対して募集事項の通知または公告をする必要があるが、振替株式の発行会社においては公告が必須となる（201条3項・4項、社債株式振替161条2項）。これは、株主に募集株式の発行をやめることの請求をする機会を与えるためである（210条）。

募集株式の申し込みを行おうとする者は、会社から申し込み事項の通知を受け、募集株式の引き受けの申し込みをする（203条）。会社は、申込者の中から割当てを受ける者を決定し、その者に割当てる募集株式の数を定める（204条1項）。第三者からの申し込みが確実に見込まれる場合には、申し込みがあることを条件に、募集事項の決定と同時に、割当手続きを事前に行っておくことが可能である。

もっとも、公開会社において、譲渡制限株式以外の株式の第三者割当てに当たっては、その割当てをすべき機関は法定されていないので、代表取締役等の業務執行機関が行うことができる（204条2項）。

なお、公開会社の場合、ある引受人が募集株式の引受け後に、発行会社の議決権の2分の1超の議決権を保有することとなる場合において、総株主の議決権の10分の1以上の議決権を有する株主の反対があったときには、払込期日等の前日までに、その引受人に対する割当て等に関して、原則として、株主総会の決議が必要となる（206条の2）。この場合、払込期日の2週間前までの通知（または公告）事項に、当該引受人の名称等や、引受人が株主となった場合の議決権の数等が加わる（206条の2第1項）。

(b) 金融商品取引法上の手続き

金融商品取引法上、募集株式の取得勧誘の対象が50名未満の場合（ただし、過去6カ月間に同一種類の有価証券の発行がある場合は、勧誘人数を通算される）には募集には該当せず、届出等は不要である（金商法2条3項、金商法施行令1条の5・1条の6）が、募集株式が上場株式等の場合、50名未満への勧誘であっても募集に該当し、届出が必要となる（金商法施行令1条の7）。また、有価証券届出書の届出効力発生（原則として届出書受理から15日を経過した日）後でなければ募集により取得させることができない（金商法8条、15条1項）。なお、一定の要件を充たす発行者であって発行価額の総額が1億円以上5億円未満の募集は、少額募集等として届出書の簡素化が認められる（金商法5条2項）。

また、発行価額の総額が1億円未満であっても1000万円を超える場合には有価証券通知書の提出が必要になる（金商法4条6項）。

(c) 金融商品取引所の要請

金融商品取引所は、上場会社が第三者割当てによる募集株式等の割当てを行い、希釈化率が25%以上となる場合には、緊急性がきわめて高い場合を除き、取締役会の決議に加えて次の手続きのいずれかを行うよう求めている（上場規程432条、上場規程施行規則435条の2）。

① 経営者から一定程度独立した者による当該割当ての必要性および相当性に関する意見の入手
② 当該割当てに係る株主総会決議などによる株主の意思確認

(d) 特に有利な金額か否かの判断基準

日本証券業協会の自主ルール「第三者割当増資等の取扱いに関する指針」によると、有利発行とならない要件として、募集株式の「発行価格は、当該増資にかかる取締役会決議の直前日の価格（直前日に売買がない場合は、当該直前日からさかのぼった直近日）に0.9を乗じた額以上の価格であること。ただし、直近日または直前日までの価格または売買の状況などを勘案し、当該決議の日から発行価格を決定するまでに適当な期間（最長6カ月）をさかのぼった日から当該決議の日までの間の平均の価格に0.9を乗じた額以上の価格とする事ができる」とされている。この要件に該当しない場合には、有利発行として株主総会の特別決議が必要になる。

(ii) 第三者割当て・有利発行（株主総会の委任を受けた取締役会）

［記載例 2-62］ 募集株式の発行（有利価額発行）

第○号議案　募集株式の発行の件

議長から、○○年○月○日開催の第○期定時株主総会で承認可決された、特に有利な金額による募集株式の発行に係る募集事項の決定の取締役会への委任を受けて、下記のとおり第三者割当てによる募集株式の発行を行いたい旨を諮ったところ、出席取締役全員異議なくこれを承認可決した。

記

1　募集株式の数　　　　　　当社普通株式　　○○○株
2　募集株式の払込金額　　　1株につき金○○○円
3　募集の方法　　　　　　　第三者に割り当てる
4　増加する資本金および資本準備金に関する事項
　増加する資本金の額　　　　○○○，○○○，○○○円
　増加する資本準備金の額　　○○○，○○○，○○○円
5　割当先　　　　株式会社○○○○　　　○○○，○○○株
6　申込期間　　　○○年○月○日から○○年○月○日まで
7　払込期日　　　○○年○月○日
8　払込取扱金融機関
　東京都○○区○○町○丁目○番○号
　株式会社○○銀行　本店
9　発行条件
　前各号については、金融商品取引法による届出の効力発生を条件とする。

公開会社における募集株式の発行で、第三者に対する有利発行に該当する場合、原則として株主総会の特別決議によって募集事項を決定する必要がある（201条1項、199条3項）。この場合、株主総会は、募集事項の決定を取締役会に委任することもでき、その場合には、株主総会において取締役会で決定することができる募集株式の数の上限および払込金額の下限を定めなければならない（200条1項・2項）。この委任の決議は、払込期

日または払込期間の末日が株主総会の決議の日から1年以内の日である募集について効力を有する（200条3項）。

記載例は、株主総会（［記載例1-54］参照）の委任を受けた取締役会が、募集事項の決定を行うものである。

(iii) 自己株式の処分

［記載例2-63］　募集株式の発行等（自己株式の処分）

第○号議案　第三者割当てによる自己株式処分の件

議長から、業務提携先である株式会社○○○○との関係強化を図るとともに、○○○○の共同開発を推進するために必要な資金を調達するため、下記のとおり第三者割当てによる自己株式の処分を行いたい旨を諮ったところ、出席取締役全員異議なくこれを承認可決した。

記

1　処分する株式の種類　　当社普通株式
2　処分する株式の総数　　○○○，○○○株
3　処分価額　　1株につき○○○円
（取締役会決議直前日1ヵ月間（○○年○月○日から○○年○月○日まで）の東京証券取引所における当社普通株式の終値の平均値（円未満切捨）とする。）
4　処分価額の総額　　○○○，○○○，○○○円
5　処分先　　株式会社○○○○
6　払込期日　　○○年○月○日
7　資金使途　　運転資金
（株式会社○○○○との業務提携および共同開発に係る資金等の需要増に充当する。）
8　業績への影響の見通し　○○年○月期の連結業績および単独業績への影響は軽微であることから、○○年○月○日に開示した業績予想の修正は行わない。

会社法は、会社成立後の新株発行と自己株式の処分を同一の規律のもとに規定している（199条以下）。これらの行為は、会社が株式の引受けを募

集し、それを引受けた者から金銭等の払い込みを受けて、株式を交付するという点で、同一の手続きに服すべき行為だからである。異なる点は、新たに株式を発行するか、自己株式を移転するかであり、その差に従い、前者では発行済株式総数や資本金の増加があるが、後者ではそれがない。記載例は、自己株式を、第三者に処分する決議をするものである。

d　株式の分割

［記載例 2-64］　株式の分割

第○号議案　株式の分割を実施する件

議長から、株式の流動性を高めるとともに、株主数の増加を図ることを目的として、下記のとおり株式分割を実施したい旨を諮ったところ、出席取締役全員異議なくこれを承認可決した。

記

1　○○年○月○日（○曜日）付をもって、次のとおり普通株式1株を○.○株に分割する。

(1)　分割により増加する株式数

普通株式とし、○○年○月○日（○曜日）最終の発行済株式総数に○.○を乗じた株式数とする。ただし、1株未満の端数が生じたときは、これを切り捨てる。

(2)　分割の方法

○○年○月○日（○曜日）を基準日として、株主の所有する普通株式1株につき○.○株の割合をもって分割する。ただし、分割の結果生じる1株未満の端数株式は、これを一括売却または買受けし、その処分代金を端数の生じた株主に対し、その端数に応じて分配する。

2　その他、この株式の分割に必要な事項は、今後の取締役会において決定する。

［記載例 2-65］ 株式の分割（同時に発行可能株式総数増加）

第○号議案　株式の分割および発行可能株式総数の増加の件

議長から、株式の流動性を高めるとともに、株主数の増加を図ることを目的として、下記のとおり株式分割を実施したい旨を諮ったところ、出席取締役全員異議なくこれを承認可決した。

記

1　○○年○月○日（○曜日）付をもって、次のとおり普通株式1株を○．○株に分割する。

(1)　分割により増加する株式数

普通株式とし、○○年○月○日（○曜日）最終の発行済株式総数に○．○を乗じた株式数とする。ただし、1株未満の端数が生じたときは、これを切り捨てる。

(2)　分割の方法

○○年○月○日（○曜日）を基準日として、株主の所有する普通株式1株につき○．○株の割合をもって分割する。ただし、分割の結果生じる1株未満の端数株式は、これを一括売却または買受けし、その処分代金を端数の生じた株主に対し、その端数に応じて分配する。

2　発行可能株式総数の増加

会社法第184条第2項の規定に基づき、株式の分割の効力発生日である○○年○月○日（○曜日）付をもって当社定款第○条を変更し、発行可能株式総数を○○，○○○株増加して、○○，○○○株とする。

3　その他、この株式の分割に必要な事項は、今後の取締役会において決定する。

株式の分割とは、既に発行している株式を細分化してそれよりも多い数の株式にすることである（183条1項）。各株主の保有する株式数を一定の割合で一律に増加させる行為であり、会社の財産に変更はない。

株式の分割は、取締役会設置会社では取締役会で、分割の割合および基準日、分割の効力発生日、分割する株式の種類（種類株式発行会社の場合）を決議して行う（183条2項）。

株式分割の基準日を定めたときは、当該基準日の2週間前までに、基準日および基準日株主が行使することができる権利の内容を公告しなければならない（124条3項）。

株式の分割を行う際には、分割後の発行済株式総数が発行可能株式総数を超えることは許されないので、大きな比率の株式の分割を行う際には発行可能株式総数の変更が必要な場合もある。発行可能株式総数は定款の記載事項であるから、その変更には株主総会の特別決議が必要であるが（466条、309条2項11号）、株式の分割を行うに際して、発行可能株式総数の変更のための株主総会の特別決議を経なくてはならないということでは機動的な株式の分割ができない。そこで、株式の分割を行う場合には、その分割比率の範囲内で、発行可能株式総数の増加という定款変更を、取締役会の決議で行うことができるとされている（184条2項。現に2以上の種類の株式を発行している会社を除く）。［記載例2-65］は、この規定により、発行可能株式総数の定款の定めを取締役会の決議で増加するものである。

e　株式譲渡の承認（譲渡制限株式）

［記載例2-66］　株式譲渡承認請求（承認）

第○号議案　当社株式の譲渡承認の件

議長から、当社の株主である○○○○氏より、下記のとおり株式会社○○○○に対して当社株式を譲渡したいので、承認をするか否かの決定の請求があった旨説明があった。譲受人である株式会社○○○○の業種、株主構成等を中心に慎重に審議し、今回の譲渡に係る賛否を諮ったところ、出席取締役全員異議なくこれを承認した。

記

1　譲渡人
　○○県○○市○○町○丁目○番○号
　○○○○

2　譲受人
　○○県○○市○○町○丁目○番○号

株式会社○○○○
代表取締役○○○○
3　譲渡株式の種類および数
普通株式　○,○○○株

［記載例 2-67］　株式譲渡承認請求（不承認と買受人の指定）

第○号議案　当社株式の譲渡承認請求の件
議長から、当社の株主である○○○○氏より下記のとおり当社株式を譲渡することについて承認の請求があり、併せて当社が譲渡を承認しない場合には、当社または当社の指定する者による当該株式の買取りの請求があった旨の説明があった。譲受人である○○○○株式会社の業種、株主構成等を中心に審議し、議長が譲渡を承認するか否かについて議場に諮ったところ、取締役の全員一致の反対をもって譲渡不承認の決議を行った。
記
1　譲渡人（株主）
○○県○○市○○町○丁目○番○号
○○○○
2　譲受人
○○県○○市○○町○丁目○番○号
○○○○株式会社
代表取締役　○○○○
3　譲渡株式の種類および数
普通株式　○,○○○株
続いて議長から、上記株式の譲渡を承認しないことに決したので、当社が上記3の株式を買い取ることとする旨を述べ、賛否を諮ったところ出席取締役全員異議なく、これを承認可決した。なお、当該株式の買い取りに係る今後の手続きについては、総務担当の○○常務取締役が至急詰めることとした。

株式の譲渡は、原則として自由である（127条）が、会社は全部または一部の株式の内容として譲渡による当該株式の取得について会社の承認を要することを定款に定めることができる（107条1項1号、108条1項4号）。この定めのある株式については、その株式を譲渡しようとする株主または株式の取得者のいずれからも、会社に対して譲渡による当該株式の取得を承認するか否かの請求をすることができる（136条、137条）。

この場合、併せて、会社が譲渡による取得を承認しない旨の決定をする場合には、会社または会社の指定する者（指定買取人）が、その株式を買い取る旨の請求することができる（138条）。

譲渡を承認するか否かの決定は、定款に別段の定めのない限り、取締役会設置会社においては、取締役会の決議によらなければならない（139条1項）。

また、会社が譲渡を承認しない場合に、当該株式を会社が買い取るには、株主総会の決議が、当該株式を買い取る者を指定する場合には、取締役会設置会社においては、原則として取締役会の決議が必要である（140条）。

なお、譲渡人または譲受人が当該会社の取締役である場合には、その取締役は、譲渡を承認するか否かを審議する取締役会において特別利害関係を有すると解されるので、議決に加わることができず、取締役会の定足数にも算入されない（369条2項）。

新株予約権の譲渡承認については、後記(8)［記載例2-75］を参照されたい。

f　所在不明株主の株式売却

［記載例2-68］　所在不明株主の株式売却

> 第○号議案　所在不明株主の株式売却の件
>
> 議長から、別添資料に基づき、当社株式の流動性を高めるとともに、株主管理コストを削減することを目的として、下記のとおり会社法第197条第1項に規定する株式（所在不明株主の株式）を売却したい旨の提案があった。慎重に審議した後、議長が賛否を諮ったところ、出席取締役全員異議なくこれを承認可決した。

記

1　売却対象株式等

株主数　　　　○○○名

株式数　　　　合計：普通株式○○，○○○，○○○株

各株主の氏名または名称および住所ならびに所有株式数については、別添のとおり。

2　今後のスケジュール等

○○年○月○日　　株式売却に関する異議申述公告および催告

○○年○月○日～○○年○月○日　　　異議申述期間

異議申述先　　株主名簿管理人

〒○○○－○○○○　東京都○○区○○丁目○番○号

○○○○信託銀行株式会社　証券代行部

電話　○○－○○○○－○○○○（フリーダイヤル）

3　株式売却日等

売却日（予定）　　○○年○月○日

売却方法　　会社法第197条第3項および第4項の規定に基づき、当社が買取る予定であるが、別途取締役会の決議により詳細を定める。

売却代金　　株式会社○○銀行に開設した○○預金口座で10年間管理し、従前の株主から申出があった場合に売却代金相当額を支払う。なお、売却代金に対する利息は付さない。

資料（略）

会社が株主に対してする通知・催告は、株主名簿上の株主の住所等に宛てて発信すれば、通常到達すべきであった時に到達したものとみなされる（126条1項・2項・5項）。

さらに、このように発信された通知・催告が5年以上継続して到達しない場合は、会社は株主に対する通知・催告をすることを要せず、会社の株主に対する義務の履行場所は、会社の本店となる（196条1項・2項、4条）。これにより、株主に対する通知・催告は不要となるものの、会社と

しては株主としての管理を継続することが必要であり、株主管理コストは依然として必要である。

そこで、会社によるこれらの所在不明株主の管理の手間をなくす方法として、所在不明株式の売却の制度がある。

すなわち、株主に対して通知・催告を要しないとする前述の要件を充たす株式であって、かつ、当該株主が継続して5年間剰余金の配当を受領しないものについて、会社は一定の手続きを経た後に、その株式を競売または一定の方法で売却することができる（197条1項・2項、198条1項～4項、施行規則38条）。この競売等の結果、所在不明株主は、株主の地位を失い、株式の競売等に係る代金の請求権のみを有することとなる（197条1項）。会社は、株主としてではなく、株式の売却代金の請求権を有する債権者としての管理をすればよい。

この競売等に代えて、会社は取締役会の決議によって、当該株式を買い取ることも可能である（197条3項・4項、155条8号、461条1項6号）。記載例は、これら一連の手続きを定める取締役会の決議である。

(8) 新株予約権

新株予約権の発行は、公開会社であれば取締役会決議事項であるが（240条）、特に有利な価額による場合は株主総会の特別決議が必要となる（238条3項）。

新株予約権の発行の目的には、資金調達目的、経営支配権維持、インセンティブ目的、報酬見合い、株主還元、敵対的買収者への対抗措置など、様々なものがある。

なお、取締役および執行役等へ報酬として新株予約権を割り当てる場合には、有利発行に当たらなければ取締役会決議により新株予約権を発行できるが、別に役員報酬としての株主総会決議が必要となる。

a　第三者割当て

[記載例 2-69]　第三者割当ての方法により新株予約権を発行する場合

議案　新株予約権発行の件

　議長より、新製品開発とそれに伴う設備投資に要する資金を調達するため、業務提携先の○○○○株式会社に対して、別紙募集要領のとおり第三者割当ての方法により新株予約権を発行したい旨を諮ったところ、出席取締役全員異議なくこれを承認可決した。

（別紙）第○回新株予約権募集要項

　第三者割当てにより新株予約権を発行する場合は、特に有利な価額による発行かどうかという観点から、株主総会の特別決議が必要かどうかがかわってくる（特に有利な価額による発行ではない場合かつ公開会社の場合は取締役会決議により発行が可能）。特に有利な価額、すなわち①新株予約権の発行価額がゼロであることが特に有利な条件であるとき、または②払込金額が特に有利な金額であるとき（新株予約権の発行価額が発行時点におけるオプション評価モデルにより算定された公正価値よりも著しく下回る場合）である。

　なお、金融商品取引所の規則により、大幅な希釈化を伴う場合（第三者割当てによる希釈化率が25%以上となる場合）は、独立した第三者機関の意見書か株主総会の普通決議によらなければならない（上場規程432条）。

　また、原則として発行価額の総額が1億円以上となる場合には有価証券届出書の提出の必要が（金商法4条1項）、1億円未満の場合は有価証券通知書の提出の必要がある（開示府令4条）。

　さらに、公開会社おいて、第三者割当て実施後の引受人の議決権比率（当該引受人の新株予約権を行使した際の交付株式を勘案）が2分の1を超える場合には、当該引受人の名称等の開示が必要で（244条の2第1～4項）、また議決権比率10%以上の株主からの反対通知があった場合には、原則として株主総会の普通決議による承認が必要である（同条5項）。

b　新株予約権無償割当て

［記載例2-70］　新株予約権無償割当ての方法により資金調達を行う場合
（ライツ・オファリングに係る新株予約権の発行）

> 議案　新株予約権無償割当ての件
> 　議長より、○○事業の設備投資に要する資金を調達するため、別紙ライツ・オファリング（ノンコミットメント型）に係る新株予約権の概要および発行要領のとおり新株予約権無償割当ての方法により新株予約権を発行したい旨を諮ったところ、出席取締役全員異議なくこれを承認可決した。併せて有価証券届出書の提出と有価証券上場申請手続きを行うことが報告された。
> （別紙）
> ・ライツ・オファリング（ノンコミットメント型）に係る新株予約権の概要
> ・第○回新株予約権発行要項

新株予約権無償割当てを活用し、当該新株予約権が上場され売買できるスキームをライツ・オファリングという。上場会社における資金調達手法の1つとされている。

公募増資や第三者割当増資と異なり、既存株主にとって、新株式発行による希薄化に伴う株価下落に対し、割り当てられた新株予約権の市場売却によりその損失を理論上カバーできることから、金融商品取引所は資金調達に際して本スキームを推奨している。

会社は、会社法上の要件として新株予約権無償割当ての決議（278条）が必要となる。なお、別途金商法上の手続きとして有価証券届出書の提出および有価証券上場規程上の手続きとして当該新株予約権の上場申請が併せて行われることとなる。

証券会社等特定の者が一定の行使期間内に行使されなかった新株予約権をすべて引き受けた上で、その行使を約束するスキームをコミットメント型といい、一定の行使期間内に行使されなかった新株予約権が消滅するスキームをノンコミットメント型という。なお、ノンコミットメント型ライツ・オファリングの場合は、証券会社による増資の合理性についての審査、または株主総会決議などによる株主の意思確認が必要とされていることと、2年連続赤字または債務超過でないことが条件となっている（上場規程304条）。

金融商品取引所が、本スキームを推奨しているものの、発行例が少ないのは、法令により資金調達完了までに時間を要するというデメリットがあげられており、これに対応するよう2015年の会社法改正により、新株予約権の割当通知の発送期限を行使期間の初日の2週間前までとされていたものが、期間満了の2週間前までとするものとされており、資金調達にかかる期間短縮がさらに図られている（279条2項・3項）。

c ストック・オプション

［記載例2-71］ 従業員等に対しストック・オプションを割り当てる場合（発行決議）

> 議案 当社の従業員および当社子会社の役職員に対しストック・オプションとして新株予約権を発行する件
>
> 議長から、○○年○月○日開催の定時株主総会において、「第○号議案 当社の従業員および当社子会社の役職員に対しストック・オプションとして新株予約権を発行する件」が承認可決されたことを受け、当社の従業員および当社子会社の役職員に対して、当社の業績向上に対する意欲や士気を一層高め、当社企業価値の向上に資することを目的として、別紙発行要領のとおりストック・オプションとして新株予約権を発行したい旨を諮ったところ、出席取締役全員異議なくこれを承認可決した。
>
> （別紙）第○回新株予約権発行要項、第○回新株予約権総額引受契約書（案）

本記載例は、株主総会でのストック・オプション発行決議の承認、すなわち新株予約権の募集事項の決定の取締役会に対する委任決議を受け（［記載例1-56］参照）、取締役会で発行決議を行うものである。株主総会における報酬決議を受けた取締役会決議は［記載例2-46］解説を参照されたい。

なお、総額引受契約の場合（244条1項）は、譲渡制限新株予約権の付与契約を取締役会において承認することが必要である（同条3項）。

[記載例 2-72]　従業員等に対しストック・オプションを割り当てる場合（割当決議）

議案　当社の従業員および当社子会社の役職員に対しストック・オプションとして新株予約権を割り当てる件 　議長から、○○年○月○日開催の取締役会において発行決議がなされた第○回新株予約権について、別紙のとおり割当てしたい旨を諮ったところ、出席取締役全員異議なくこれを承認可決した。 （別紙）第○回新株予約権割当明細（氏名・所属・役職・割当個数）

本記載例は、ストック・オプション発行決議の後、具体的な割当先と割当個数について決定するものである。ストック・オプションは通常は譲渡制限が付されており、この場合、具体的な割当先の決定は取締役会による決定が必要となる（243条2項）。なお、総額引受契約の場合（244条1項）には、発行決議時において割当先と割当個数も合わせて決議することとなる（[記載例 2-46] 参照）。

d　新株予約権の取得・譲渡

[記載例 2-73]　取得条項付新株予約権の取得

議案　第○回新株予約権の全部取得の件 　議長から、○○年○月○○日発行の第○回新株予約権について、昨今の株式市場の動向および当社の株価水準等に鑑み、対象者全員より放棄の申出があった旨説明がなされたことから、第○回新株予約権割当契約書第○条および会社法第273条の定めに従い、○○年○月○日付けにて当該新株予約権を無償で当社が取得したい旨を諮ったところ、出席取締役全員異議なくこれを承認可決した。

取得条項付新株予約権（一定の事由が生じた日に株式会社が新株予約権を取得することができる旨の定めのある新株予約権をいう（236条1項7号イ））を取得することにより、当該新株予約権を自己新株予約権とすることができる。この場合、会社が別に定める日が到来することをもって取得の事由

とするときは（236条1項7号ロ）、原則として取締役会において取得の日を定め、当該日の2週間前までに新株予約権者に対し、通知または公告を行う（273条2項・3項）。取締役会において取得の日を定めない場合（236条1項7号イ）でも、取得後速やかに当該新株予約権者に対し、通知または公告を行う（275条4項・5項）。

［記載例2-74］　自己新株予約権の取得およびその消却

> 議案　自己新株予約権の取得および消却の件
> 　議長から、○○年○月○○日発行の第○回新株予約権について、昨今の株式市場の動向および当社の株価水準等に鑑み、対象者全員より放棄の申出があった旨説明がなされたこと、当該新株予約権を無償で当社が取得すること、および当該新株予約権を会社法第276条に基づき消却したい旨を諮ったところ、出席取締役全員異議なくこれを承認可決した。なお、本件消却により、○○年○月期に特別利益として○○百万円を計上する旨合わせて報告がされた。
> 1　消却する自己新株予約権の内容
> 　当社第○回新株予約権（内容については別添資料のとおり）
> 2　消却する自己新株予約権の数（新株予約権の目的である株式の数）
> 　○○○個（普通株式○○○株）
> 3　消却日
> 　○○年○月○○日
> （別添資料）当社第○回新株予約権の内容

　新株予約権者は債権者に過ぎないため、株式会社が自己の新株予約権を有償で取得しても、株主に対する払戻しにはならず、その取得について財源規制・手続規制は存在しない。したがって、通常の債権と同様に業務執行の一環として、自己の新株予約権を取得することができる（相澤・論点解説248頁）。ここでは、新株予約権者から新株予約権を会社が無償で譲り受けることにつき付議している。

　自己新株予約権の消却に当たっては、取締役会決議により消却する自己新株予約権の内容（236条1項）および数を定めなければならない（276条）。変更登記に際しては、本議事録が添付書類として必要となる。

なお、ストック・オプション付与対象者が退職した場合等、新株予約権割当契約書に基づきストック・オプションを行使することができなくなった場合には、新株予約権は消滅する（287条）。

[記載例2-75]　譲渡制限新株予約権の譲渡承認

議案　新株予約権譲渡承認の件

議長から、○○年○月○○日発行の第○回新株予約権について、新株予約権者である○○○○株式会社より、その所有する新株予約権全部について△△△△株式会社へ譲渡することにつき譲渡承認請求がなされた旨および本件譲渡については○○○○株式会社との業務提携解消および△△△△株式会社との新たな業務提携を前提としていることから、譲渡についての懸念はなく、△△△△株式会社との新たな業務提携契約の中でも本件譲渡を前提としていることから、譲渡承認したい旨を諮ったところ、出席取締役全員異議なくこれを承認可決した。

第三者割当て型の新株予約権（ここでは、市場で流通しない、いわゆる非振替新株予約権とする）の発行の際、その性質上、新株予約権の譲渡に際しては取締役会の承認が必要となる旨が定められることが通例である。そもそも新株予約権の譲渡については原則自由であり（別途会社と新株予約権者の間で、契約に記載される条件がある場合を除く）、譲渡承認請求があった場合には株式同様、取締役会による譲渡承認の手続きを要することとされている（262条～265条）。ただし、株式の場合（140条）と異なり、新株予約権の会社による買取または指定買受人による買取の制度は設けられていない。

(9) 借入等

a 社債の発行

［記載例 2-76］ 普通社債を発行する場合

> 議案 第○回無担保普通社債発行の件
> 　議長より指名された財務担当取締役の○○○○から、設備投資資金を調達するため、別紙要領にて第○回無担保普通社債を発行したい旨の説明があり、議長が諮ったところ、出席取締役全員異議なくこれを承認可決した。
> （別紙）第○回無担保普通社債の要項

会社は、社債を引き受ける者の募集をしようとするときは、676 条および施行規則 162 条に基づき、その都度、募集社債に関する事項を定めなければならない。また、362 条 4 項 5 号および施行規則 99 条に基づき、社債を引き受ける者の募集に関する重要な事項は取締役に委任できないものとして取締役会で定める必要がある。社債の募集に関して、2 以上の募集に係るものであるときはその旨、募集社債の総額の上限の合計額、利率の上限、払込金額の総額の最低金額等を取締役会で定め、その決定を取締役に委任することにより、その範囲内であれば、市場の状況に応じて機動的に社債を発行することができる（施行規則 99 条 1 項）。

なお、発行決議時には、金融商品取引法および企業内容開示府令に基づき、有価証券届出書、臨時報告書、または発行登録書等の開示および金融商品取引所規則上の適時開示の定めがある。

［記載例 2-77］ 転換社債型新株予約権付社債を発行する場合

> 議案 第○回転換社債型新株予約権付社債発行の件
> 　議長より指名された財務担当取締役の○○○○から、新製品開発とそれに伴う設備投資に要する資金を調達するため、業務提携先の○○○○株式会社に対して、別紙募集要領のとおり第三者割当ての方法により転換社債型新株予約権付社債を発行したい旨の説明があり、また常勤監査役○○○○氏から、監査役全員が当該払込金額は特に有利な払込金額に該当していないことを確

認した旨の説明があり、議長が諮ったところ、出席取締役全員異議なくこれを承認可決した。
（別紙）第○回転換社債型新株予約権付社債の要項

転換社債型の新株予約権付社債は、新株予約権の行使をする場合にそれに対応する社債が消滅するものとされる。新株予約権付社債の募集には新株予約権と同じ規定が適用され、社債の募集に関する規定は適用されない（248条）。第三者割当てにより新株予約権付社債を発行する場合は、特に有利な払込価額による発行かどうかという観点から、株主総会の特別決議が必要かどうかがかわってくる（特に有利な価額による発行ではない場合かつ公開会社の場合は取締役会決議により発行が可能）。

なお、金融商品取引所の規則により、大幅な希釈化を伴う場合（第三者割当てによる希釈化率が25％以上となる場合）は、独立した第三者機関の意見書か株主総会の普通決議によらなければならない（上場規程432条）。また、原則として発行価額の総額が1億円以上となる場合には有価証券届出書の提出の必要（金商法4条1項）が、1億円未満の場合は有価証券通知書の提出の必要（開示府令4条）がある。

さらに、第三者割当て実施後の引受人の議決権比率（当該引受人の新株予約権を行使した際の交付株式を勘案）が2分の1を超える場合には、当該引受人の名称等の開示が必要であり（244条の2第1～4項）、また議決権比率10％以上の株主からの反対通知があった場合には、原則として株主総会の普通決議による承認が必要である（同条5項）。

b　銀行借入・保証等

［記載例2-78］　M＆A資金の銀行借入を行う場合

第○号議案　○○株式会社買収に伴う買収資金の借入の件
　財務担当取締役○○○○より、○○年○月○日の取締役会にて決議された○○株式会社買収の件に関し、同社株式の取得資金につき、下記のとおり借入れを行いたい旨の提案があり、議長が賛否を諮ったところ、出席取締役全員異議なくこれを承認可決した。

記

1	借入金額	○○億円
2	借入先	株式会社○○銀行○○支店
3	金利	○.○%
4	借入日	○○年○月○日
5	返済期日	○○年○月○日（期間○年）
6	借入方法	○○年○月○日に金銭消費貸借契約を締結
7	借入条件	○○株式会社株式に質権を設定
8	返済方法	期限一括返済

会社が多額の借財を行う場合は、取締役会決議が必要となる（362条4項2号）。

多額の借財に当たるか否かは、当該借財の額、その会社の総資産・経常利益等に占める割合、借財の目的および会社における従来の取扱い等の事情を総合的に勘案して判断すべきものである（東京地判平成9年3月17日判時1605号141頁）。1件ごとの金額のみでなく、累積残高も考慮される。借財には保証予約、デリバティブ取引等も当たり得る（江頭・株式会社法414頁）。

実務上は、取締役会規程（規則）で借財の際の基準を定め、基準に該当する借入等については取締役会決議事項とし、それ以外は取締役会報告事項としている場合が多い。

また、年度始めにその年度の総借入枠（極度額）と適用利率の範囲について取締役会にて決議をとり、その範囲内での借入実行について取締役に委任する場合もある。実績については取締役会報告事項となる。

［記載例2-79］　子会社債務に対し債務保証をする場合

第○号議案　当社子会社の銀行借入に対する債務保証の件

議長より、当社子会社の株式会社○○○○が、設備資金調達のため下記の株式会社○○銀行から○○億円を借り入れるに際し、当社が保証したい旨を諮ったところ、全員異議なくこれを承認可決した。

記

(1) 保証金額　　○○億円
(2) 保証先　　株式会社○○銀行○○支店
(3) 債務の内容
　① 借入金額　　○○億円
　② 借入先　　株式会社○○銀行○○支店
　③ 金利　　○．○%
　④ 借入日　　○○年○月○日
　⑤ 返済期日　　○○年○月○日（期間○年）
　⑥ 借入方法　　○○年○月○日に金銭消費貸借契約を締結
　⑦ 返済方法　　期限一括返済
　⑧ 資金使途　　○○○○○○
(4) 保証料　　年○．○%
(5) 保証期間　　借入日から返済期日まで
(6) その他　　略

多額の借財を行う場合は、取締役会決議が必要となる（362条4項2号）。借財には保証予約、デリバティブ取引等も当たり得る（江頭・株式会社法414頁）。

⑽ 重要な財産の取得または処分

a 不動産の取得および処分

不動産の取得および処分が「重要な財産の処分及び譲受け」に該当するときは、取締役会の決議を要する（362条4項1号）。重要な財産の処分に当たるか否かは、当該財産の価額、その会社の総資産に占める割合、当該財産の保有目的、処分行為の態様および会社における従来の取扱い等の事情を総合的に考慮して判断すべきものである（最判平成6年1月20日民集48巻1号1頁）。あらかじめ取締役会規程（規則）において、取締役会にて決定すべき重要な財産の処分についての基準を定めておくことが望ましい。

[記載例2-80]　不動産を取得する場合

議案　不動産の取得の件

議長から、○○年○月○日開催の取締役会において決議された、○○事業における製造ライン増設のための新工場の建設計画に関し、その用地として、下記のとおり不動産を取得したい旨、その取得価額については△△不動産鑑定の不動産鑑定評価書における鑑定価格とほぼ同等である旨を説明したうえで諮ったところ、出席取締役全員異議なくこれを承認可決した。なお、新工場建設についての監督官庁の許認可は取得済みであること、取得の相手方は当社との取引関係はなく、反社会的勢力にも該当しないこともあわせて報告がされた。

記

1　取得する不動産

○○県○○市○○町○番○他　土地○○○,○○○,○○㎡

2　取得価額

○,○○○百万円

3　取得の相手方

○○県○○市○○町○丁目○番○号

○○○○株式会社　代表取締役　○○○○

4　取得の日程（予定）

○○年○月○日　不動産売買契約締結・手付金支払（契約書別添）

○○年○月○日　土地引渡・残金決済

[記載例2-81]　不動産を譲渡する場合

議案　固定資産譲渡の件

議長から、経営資源の有効活用および財務体質の改善を目的として、下記のとおり固定資産を譲渡したい旨を諮ったところ、出席取締役全員異議なくこれを承認可決した。なお、譲渡価格については、更地の評価額として近隣相場および建物の簿価から勘案して妥当な金額であること、ならびに希望する2社からの入札により実施していること、譲渡する相手方は反社会的勢力には属さないことにつき報告がされた。

記

1　譲渡する固定資産の内容

(1)　対象資産　　○○県○○市○○町○番○号他所在

土地：○,○○○,○○○㎡

建物：○,○○○,○○○㎡

(2)　帳簿価格　　○○○百万円（土地○○○百万円、建物○○百万円）

2　譲渡価格　　○○○百万円（土地○○○百万円、建物○○百万円）

3　譲渡先の概要

(1)　商号　　　　○○○○株式会社

(2)　本店所在地　　○○県○○市○○町○丁目○番○号○○

(3)　代表者　　　○○○○

(4)　資本金　　　○○○百万円

(5)　主な事業内容　　不動産の開発および売買等

(6)　当社との関係　　資本、人的および取引上の関係なし

4　譲渡の日程

○○年○○月○○日　不動産売買契約締結、手付金受領

○○年○○月○○日　物件引渡・代金決済（予定）

5　当期の業績に与える影響

本件固定資産の譲渡に伴い、○○○百万円を特別利益に計上する。

b　事業の譲受けおよび譲渡等

［記載例2-82］　事業の全部を譲り受ける場合

議案　事業の全部譲受けの件

議長より、新規事業の一環として、下記のとおり、○○○○株式会社の事業の全部を譲受けしたい旨および別添の事業譲渡契約書のとおり契約を締結

したい旨を諮ったところ、出席取締役全員異議なくこれを承認可決した。

記

1　本件事業譲受けの概要

(1)　譲受対象事業の概要

○○○○株式会社の事業全部（△△事業）

(2)　譲受先

商号	○○○○株式会社
所在地	○○県○○市○○○丁目○番○号
代表者	代表取締役社長　○○○○
資本金	○○百万円
事業内容	○○○○の製造販売等
当社との関係	なし

(3)　当該譲受事業の経営成績（平成○○年○月期）

売上高	○○○百万円
営業利益	○○百万円

2　譲受価額　○○百万円

3　事業譲受けの日程

○○年○月○日　事業譲受契約締結

○○年○月○日　事業譲受公告日（予定）

○○年○月○日　事業譲受日（予定）

4　当社の業績に与える影響

○○○○○○○

5　その他

本件は会社法に定める簡易事業譲受けにつき、一定の反対通知がない限り株主総会の特別決議は不要である。

（別添）事業譲渡契約書

他の会社（外国会社その他の法人を含む）の事業の全部の譲受けを行う場合は、株主総会の特別決議によりその契約の承認を受けなければならない（467条1項3号、309条2項11号）。ただし、当該譲受けが、いわゆる略式事業譲受（468条1項）または簡易事業譲受（468条2項）に該当する場合は株主総会の決議は不要であり、重要な財産の譲受けとして取締役会の決議が必要となる（362条4項1号）。なお、簡易事業譲受により事業の全部譲受けをする場合において、施行規則138条に定める数の反対の通知を受けた場合は株主総会の決議が必要となる（468条3項）。

また、これら事業の譲受けに関しては、簡易事業譲受の場合を除き、反対株主の株式買取請求の規律が適用される（469条）。

[記載例2-83]　事業の一部を譲渡する場合

議案　事業の一部譲渡の件

議長より、経営資源の有効活用および財務体質の改善を目的として、当社△△部門を、○○○○株式会社へ譲渡したい旨および別添の事業譲渡契約書のとおり契約を締結したい旨を諮ったところ、出席取締役全員異議なくこれを承認可決した。

記

1　本件事業譲渡の概要

(1)　譲渡対象事業の概要

当社△△事業部門

(2)　譲渡先

商号　　　　　○○○○株式会社
所在地　　　　○○県○○市○○○丁目○番○号
代表者　　　　代表取締役社長　○○○○
資本金　　　　○○百万円
事業内容　　　○○○○の製造販売等
当社との関係　なし

(3)　当該譲渡事業の経営成績・財産の状況（○○年○月期）

売上高　　　　○○○百万円
営業利益　　　　○○百万円
帳簿価格　　　　○○百万円（建物○○百万円、その他○○百万円）

2　譲渡価額　　　○○百万円（譲渡損益　▲○○百万円）

3　事業譲渡の日程

〇〇年〇月〇日　事業譲渡契約締結
〇〇年〇月〇日　事業譲渡公告日（予定）
〇〇年〇月〇日　事業譲渡日（予定）
4　当社の業績に与える影響
〇〇年〇月期に特別損失として、▲〇〇百万円を計上する。
5　その他
本件は会社法に定める簡易事業譲渡につき、一定の反対通知がない限り株主総会の特別決議は不要である。
（別添）事業譲渡契約書

自社の事業の全部または事業の重要な一部の譲渡を行う場合は、株主総会の特別決議によりその契約の承認を受けなければならない（467条1項1号・2号、309条2項11号）。ただし、当該譲渡が、いわゆる略式事業譲渡（468条1項）または簡易事業譲渡（467条1項2号括弧書）に該当する場合は株主総会の決議は不要であり、重要な財産の処分として取締役会の決議が必要となる（362条4項1号）。また、これら事業の譲渡に関しては、簡易事業譲渡の場合を除き、反対株主の株式買取請求の規律が適用される（469条）。

［記載例2-84］　子会社株式を譲渡する場合

議案　当社子会社株式の譲渡の件
議長より、当社グループの経営資源の有効活用および財務体質の改善を目的として、当社100％子会社の△△株式会社株式を譲渡したい旨および別添の株式譲渡契約書のとおり契約を締結したい旨を諮ったところ、出席取締役全員異議なくこれを承認可決した。
記
1　子会社株式譲渡の概要
(1)　株式の帳簿価格　　〇〇百万円
(2)　△△株式会社の経営成績・財産の状況（〇〇年〇月期）

売上高　　　　○○○百万円
営業利益　　　　○○百万円
当期利益　　　　○○百万円
総資産　　　　○○○百万円
純資産　　　　　○○百万円
事業内容　　　　△△△△△
(3)　譲渡先
商号　　　　　○○○○株式会社
所在地　　　　○○県○○市○○○丁目○番○号
代表者　　　　代表取締役社長　○○○○
資本金　　　　○○百万円
事業内容　　　○○○○の製造販売等
当社との関係　なし
2　譲渡価額　　　○○百万円（譲渡損益　＋○百万円）
3　譲渡の日程
○○年○月○日　株式譲渡契約締結
○○年○月○日　株式譲渡日（予定）
4　当社の業績に与える影響
○○年○月期に特別利益として、○百万円を計上する。
（別添）株式譲渡契約書（案）

子会社株式の譲渡は、その重要度や金額等により重要な財産の処分(362条4項1号）に該当することから取締役会で決議することとなる。実際には、取締役会規程（規則）に定める基準に従い付議の決定がなされることとなる。なお、親会社の総資産の20%を超える帳簿価格の子会社株式を譲渡する場合で、かつ当該子会社の議決権の過半数を有しなくなる場合には、事業譲渡等に関する規律と同様、株主総会の特別決議による承認が必要となり（467条1項2号の2、309条2項11号、施行規則134条)、また反対株主買取請求の対象となっている（469条1項)。

c　特別取締役による重要な財産の処分

[記載例 2-85]　特別取締役制度に基づき重要な財産を処分する場合

特別取締役による取締役会議事録

1　日時　○○年○月○日（○曜日）午前○時

2　場所　当社本店会議室

3　出席者

特別取締役○名中、○○○○、○○○○、○○○○の○名全員

監査役○名中○○○○の○名全員

4　議事の経過の要領およびその結果

特別取締役○○○○が選ばれて議長となり、開会を宣した。

議案　当社○○工場跡地譲渡の件

議長から、財務体質の改善および経営資源の有効活用のために、当社遊休不動産を下記のとおり譲渡したい旨を諮ったところ、出席特別取締役全員異議なくこれを承認可決した。

記

(1)　譲渡資産の内容

(略)

(2)　譲渡先の概要

(略)

(3)　譲渡の日程

○○年○月○日　不動産売買契約締結

○○年○月○日　物件引渡（予定）

以上をもって、議案の審議を終了したので議長は午前○時○分閉会を宣した。

ここに議事の経過の要領および結果を記載し、出席した特別取締役および監査役は記名押印する。

○○年○月○日

議長　特別取締役　○○○○　㊞

特別取締役　○○○○　㊞

特別取締役　○○○○　㊞

監査役　　　○○○○　㊞
監査役　　　○○○○　㊞
監査役　　　○○○○　㊞

「重要な財産の処分及び譲受け」(362条4項1号）および「多額の借財」（同項2号）についての取締役会の決議については、取締役の員数が6名以上かつ社外取締役が1名以上であることを条件に、あらかじめ選定した3人以上の取締役（特別取締役）のうち、議決に加わることができるものの過半数（これを上回る割合を取締役会で定めた場合にあっては、その割合以上）が出席し、その過半数（これを上回る割合を取締役会で定めた場合にあっては、その割合以上）をもって行うことができる旨を定めることができる（373条1項)。特別取締役による議決の定めがあるときは、(ア)特別取締役による議決の定めがある旨、(イ)特別取締役の氏名、(ウ)取締役のうち社外取締役であるものについて、社外取締役である旨を登記しなければならない（911条3項21号)。

特別取締役の互選によって定められた者は、特別取締役による取締役会の決議後、遅滞なく、当該決議の内容を特別取締役以外の取締役に報告しなければならない（373条3項)。この報告によって他の取締役が、決議内容が不当であると判断した場合、取締役会の開催を求め、当該決定の変更を審議することを可能とする主旨とされている（龍田節＝前田雅弘『会社法大要〔第2版〕』（有斐閣、2017）126頁)。

「重要な財産の処分及び譲受け」および「多額の借財」については日常業務的色彩の濃い事項であり、これらの決定を一部の取締役に委ね、取締役会はより基本的な事項の審議に専念することを可能にするため、当該制度が設けられているとされている（江頭・株式会社法437頁)。特別取締役による議決の定めがある場合には、特別取締役以外の取締役はこれらの事項についての決定をする取締役会に出席することを要しない（373条2項)。

議事録の内容については、取締役会が特別取締役による取締役会である旨（施行規則101条3項2号）を記載することとなる他は、通常の取締役会

における もの と同様である。なお、株主による取締役会の招集請求および取締役会決議の省略の規定は適用されない（同条4項）。

⑾ 組織再編

合併、会社分割および株式交換等の組織再編行為に関しては、各組織再編に応じて、「合併契約書承認の件」（748条）、「吸収分割契約承認の件」（757条）、「株式交換契約承認の件」（767条）等として、株主総会の特別決議が必要となり（783条、795条、309条2項12号）、株主総会招集の取締役会において付議議案の内容を決議することとなる。略式組織再編（784条1項、796条1項）および簡易組織再編（784条2項、796条2項、805条）の場合には、株主総会の特別決議は不要であるが、重要な業務執行として取締役会決議が必要となる（362条4項）。簡易組織再編であっても、一定の反対の通知が集まった場合には、効力発生日までに株主総会の開催の必要がある（796条3項）。

なお、合併存続会社、分割会社および株式交換完全親会社において簡易組織再編の要件を充たす場合には、反対株主は、株式買取請求権を有しない（797条1項但書）。

［記載例2-86］ 合併契約の締結について決議する場合（簡易合併）

第○号議案　当社子会社○○○○株式会社と合併の件

議長より、経営資源の集中と合理化を図るため、当社子会社○○○○株式会社を下記のとおり吸収合併したい旨および合併契約を締結したい旨の提案があり、議場に諮ったところ、出席取締役全員異議なくこれを承認可決した。

1　合併の要旨

(1)　合併の日程

合併契約締結日　　　　○○年○月○日

合併公告　　　　　　　○○年○月○日

合併期日（効力発生日）○○年○月○日

(2)　合併に際して交付する株式

当社完全子会社につき、合併に伴い新株は割当てない。
(3) 資本金等に関する事項
増加資本金等はなし
(4) 合併手続
本合併は会社法第796条第2項に定める簡易合併であるため、一定の反対通知がない限り、株主総会での承認を要しない。
別添　合併契約書（省略）

⑿ その他

a 内部統制システムの基本方針

［記載例2-87］ 内部統制システムの基本方針を新たに定める場合

第○号議案　内部統制システムの基本方針決定の件
議長より、当社は第○期において会社法第2条第6号イに定める大会社に該当することとなったことから、会社法第362条第4項第6号の規定により、取締役の職務の執行が法令および定款に適合することを確保するための体制その他株式会社の業務ならびに株式会社およびその子会社からなる企業集団の業務の適正を確保するために必要なものとして会社法施行規則第100条第1項および第3項で定める体制を整備する必要がある旨を述べ、管理部門担当取締役○○○○から別添資料に基づき内部統制システムの基本方針に関する詳細な説明があった後、議長が賛否を諮ったところ、全員異議なくこれを承認可決した。
（添付資料　内部統制システムの基本方針）（省略）

大会社である取締役会設置会社においては、取締役の職務の執行が法令および定款に適合することを確保するための体制その他株式会社の業務ならびに株式会社およびその子会社からなる企業集団の業務の適正を確保するために必要なものとして法務省令で定める体制の整備に関する事項を取締役会で決定しなければならず（362条4項6号・5項）、内部統制システムないしリスク管理体制の構築が義務づけられている。「その他株式会社の業務ならびに株式会社およびその子会社からなる企業集団の業務の適正を確保するために必要なものとして法務省令で定める体制」は、監査役設置会社の場合、施行規則100条1項および3項に列挙されている。

内部統制システムないしリスク管理体制を取締役会で決議したときは、その決議の内容の概要および運用状況の概要を事業報告に記載しなければならない（施行規則118条2号）。

内部統制システムの運用状況についての報告は、［記載例2-102］を参照されたい。

b　コーポレート・ガバナンスに関する基本方針

［記載例2-88］　コーポレート・ガバナンスに関する基本方針を新たに定める場合

> 第○号議案　コーポレート・ガバナンスに関する基本方針決定の件
> 　議長より、当社のコーポレート・ガバナンスに関する基本方針を新たに決定したい旨説明があった。引き続き、管理部門担当の○○取締役より、その内容は別紙のとおりであり、東京証券取引所が定める「コーポレートガバナンス・コード」に沿ったものであること、および当社の現状のガバナンス体制を踏まえたものであることなど、詳細な説明があった。別紙基本方針決定について、議長が賛否を諮ったところ、全員異議なくこれを承認可決した。
> （添付資料　コーポレート・ガバナンス基本方針）（省略）

CGコード（上場規程436条の3、445条の3／2021年6月11日改訂）においては、コーポレート・ガバナンスに関する基本的な考え方と基本方針を開示・公表すべきとされている【原則3-1(ii)】。この基本方針については、CGコードの各原則を踏まえ作成し、取締役会で決議する必要がある。作成済の基本方針を変更する場合も同様である。またこの「基本方針とは、株主その他のステークホルダーに対して、会社のガバナンスの基本構造およびそれを支える基本的な考え方を「見える化」するためのもの」と説明されている（太田洋ほか「コーポレートガバナンス基本方針の策定に向けた実務対応」商事法務2070号15頁）。

なお、「コーポレートガバナンスに関する基本方針ベスト・プラクティス・モデル（2015）」が日本取締役協会より公表されており、これに沿った形で作成することも考えられる。

CG コードにおいては、これ以外にも、方針として定めることを求めているものがいくつかあり（主なものとして、CG コード原則 1-3、1-4、1-7、3-1、4-9、4-14、5-1、補充原則 4-1①、4-2②、4-3④、4-11①、5-2①などがある）、新たに設ける場合または変更する場合は取締役会にて決議することが望ましい。また、CG コードに係る取締役会での報告・審議に関するものは、［記載例 2-104］を参照願いたい。

c　役員等の責任免除

［記載例 2-89］　定款規定に基づき取締役の責任を免除する場合

第○号議案　取締役○○○○氏の責任免除に関する件

議長より、取締役○○○○氏の会社法第 426 条第 1 項に基づく△△の件に関する会社に対する任務懈怠による損害賠償責任について、添付資料○のとおり、……であり、これらにつき充分に検討を加えた結果、同氏の義務違反は軽微であって善意無重過失であると考えられること及びこれまでの誠実な職務遂行や当社に対する多大な功績に鑑み、特にその責任の免除をする必要があることから、添付資料○のとおり、その損害賠償額を○○百万円に軽減し、その余××百万円については責任を免除したいこと、本議案に関しては各監査役の同意を得ていること並びに会社法第 426 条第 3 項に基づく公告を添付資料○のとおり行いたい旨詳細に説明し議場に諮ったところ、全員異議なく承認可決した。なお、取締役○○○○氏は本議案につき特別利害関係人に該当するため議決に参加しなかった。

役員等（取締役、監査役、執行役または会計監査人）は、その任務を怠ったときは、会社に対し、これによって生じた損害を賠償する責任を負う（423 条 1 項）。

ただし、監査役設置会社（取締役が 2 人以上ある場合に限る）、監査等委員会設置会社または指名委員会等設置会社は、この責任について、当該役員等が職務を行うにつき善意でかつ重大な過失がない場合において、責任の原因となった事実の内容、当該役員等の職務の執行の状況その他の事情を勘案して特に必要と認めるときは、425条1項の規定により免除することができる額を限度として取締役会の決議によって免除することができる旨を定款で定めることができる（426条1項）（[記載例1-36]）。

この定款の定め（取締役の責任を免除することができる旨の定めに限る）を設ける議案を株主総会に提出する場合は、監査役設置会社の場合は各監査役の同意が必要となる（425条3項）（監査役会の同意については、[記載例3-41] 参照）。

取締役会の決議による責任の免除に関する定款の定めを設けたときは、その定めを登記しなければならない（911条3項24号）。

定款の定めに基づいて役員等の責任を免除する旨の取締役会の決議を行ったときは、取締役は、遅滞なく、425条2項各号に掲げる事項および責任を免除することに異議がある場合には一定の期間内に当該異議を述べるべき旨を公告し、または株主に通知しなければならず、総株主の100分の3以上の議決権を有する株主が一定の期間内に異議を述べた場合は、定款の定めに基づく免除はできない（426条3項・5項）。また、本取締役会議案を取締役会に提出するに当たっては、監査役設置会社の場合は各監査役の同意が必要（426条2項、425条3項）である（監査役会の同意については、[記載例3-43] 参照）。

[記載例2-90]　非業務執行取締役等と責任限定契約を締結する場合

> 第○号議案　非業務執行取締役等と責任限定契約を締結する件
>
> 議長より、社外取締役○○○○氏、監査役□□□□氏、社外監査役△△△△氏および社外監査役××××氏が株主総会で選任された場合には、各氏との間で会社法第423条第1項の損害賠償責任を限定する契約（責任限定契約）を別添の内容にて締結したい旨ならびに再任した場合は同契約を継続することを説明し議場に諮ったところ、全員異議なく承認可決した。

会社は、取締役（業務執行取締役等であるものを除く）、監査役または会計監査人（以下「非業務執行取締役等」という）の423条1項の責任について、当該非業務執行取締役等が職務を行うにつき善意でかつ重大な過失がないときは、定款で定めた額の範囲内であらかじめ会社が定めた額と最低責任限度額とのいずれか高い額を限度とする旨の契約を非業務執行取締役等と締結することができる旨を定款で定めることができる（427条1項）（[記載例1-36]）。本記載例は、株主総会の招集決議の際に、株主総会で選任されることを条件として、契約締結をすることにつき決議するものであるが、これは重要な業務執行の一環また利益相反取引に該当する可能性もあるため、取締役会で決議しておくものである。この場合、非業務執行取締役等が選任される株主総会に関する株主総会参考書類において、責任限定契約を締結予定である旨を記載する必要がある（施行規則74条1項4号）。

取締役（業務執行取締役等を除く）との責任限定契約に関する定款変更案を付議するに際しては、監査役設置会社の場合は、各監査役の同意が必要となる（427条3項）（[記載例3-42]）。責任限定契約を締結することができる旨の定款の定めを設けたときは、その定めを登記しなければならない（911条3項25号）。

なお、2015年の会社法改正前は、責任限定契約の適用範囲が、社外取締役、社外監査役および会計監査人であったところ、それに基づいて定款も社外取締役、社外監査役および会計監査人を対象として規定している場合には、責任限定契約の締結対象は定款規定に従うこととなる。このような会社が、適用範囲を非業務執行取締役等に拡大するには、定款変更およびその旨の登記が必要となる。

株主総会後の取締役会において本決議を行う場合においても、締結対象となる取締役（業務執行取締役等を除く）は特別利害関係人に該当する可能性もあるため、議事録上はたとえば、「なお、社外取締役○○○○氏は本議案につき特別利害関係人に該当するため議決に参加しなかった。」旨の記載をすることとなる。

[記載例 2-91]　補償契約を締結する場合

> 第○号議案　補償契約締結の件
> 　議長より、取締役○○○○、○○○○、……が損害賠償責任を負うことを過度に恐れることで、その職務執行が萎縮することがないように、会社法第430条の2第1項に基づく補償契約を、別添の補償契約書（案）のとおり締結したい旨を諮ったところ、出席取締役全員異議なくこれを承認可決した。
> 　なお、取締役○○○○氏、○○○○氏、……は決議につき特別の利害関係を有するため、議決に加わらなかった。
> (別添)・補償契約書（案）

会社法改正により、会社補償に係る規律の整備がなされた。補償契約とは、役員等（取締役、監査役、執行役又は会計監査人をいう）が、職務の執行に関して法令違反が疑われ、または責任追及に係る請求を受けたことに対する防御費用や第三者に生じた損害につき賠償責任を負う場合の賠償金及び和解金の全部または一部につき、役員等が会社に生じた損害につき賠償責任を負う場合を除き、会社が役員等に対して補償することを約する契約をいう（430条の2第1項）。補償契約では、後述の役員等賠償責任保険契約と異なり、保険金支払請求手続きが不要であるため直ちに立替払いを受けることができるといった特徴を有する。補償契約の内容を決定するには、取締役会決議による必要がある（同項柱書）。なお、役員等賠償責任保険契約締結の場合と異なり、補償契約は各役員等との間で別個に締結される契約のため、相手方である取締役は特別利害関係取締役（369条2項）に該当し、議決に加わることができないと解されている（商事法務2270号97頁）。

そして、役員等が会社との間で補償契約を締結しているときは、事業報告への①当該役員等の氏名、②補償契約の内容の概要（補償契約によって当該役員等の職務の執行の適正性が損なわれないようにするための措置を講じている場合にあってはその内容を含む）の記載が求められる（施行規則121条3号の2）。

さらに、会社補償の内容は、役員等の選任議案の賛否を検討するにあたって重要な事実であるから、役員等の選任議案においては、候補者と会社との間で補償契約を締結しているとき又は締結予定があるときは、補償契約の内容の概要につき、株主総会参考書類への記載が求められている（施行規則74条1項5号、74条の3第1項7号、76条1項6号、77条6号）。事業報告と異なり、株主総会参考書類には、補償契約によって役員等の職務執行の適正性が損なわれないようにするための措置の内容についての記載は要求されていない。

［記載例2-92］　役員等賠償責任保険契約を締結する場合

第○号議案　役員等賠償責任保険契約締結の件

議長より、取締役○○○○、○○○○、……が損害賠償責任を負うことを過度に恐れることで、その職務執行が萎縮することがないように、会社法430条の3第1項に基づく役員等賠償責任保険契約について、別添の役員等賠償責任保険契約書（案）のとおり、下記概要にて締結したい旨を諮ったところ、出席取締役全員異議なくこれを承認可決した。

記

1　保険会社

○○○株式会社

2　被保険者

当社の取締役及び監査役

3　保険料

年○○○百万円

4　保険期間

○○年○月○日から○○年○月○日まで

5　主な補償対象

・・・・・・・・・・・・・・・・・

6　支払限度額

・・・・・・・・・・・・・・・・・

7　填補される損害の範囲

・・・・・・・・・・・・・・・・・

8　主な免責事由
・・・・・・・・・・・・・・・・・・
9　その他
・・・・・・・・・・・・・・・・・・
（別添）・役員等賠償責任保険契約書（案）
・対象とする役員等一覧表

会社法改正により、役員等賠償責任保険（以下、「D&O 保険」という）に係る規律の整備が行われた。D&O 保険とは、会社が保険者との間で締結する保険契約のうち役員等がその職務の執行に関し責任を負うこと又は当該責任の追及に係る請求を受けることによって生ずることのある損害を保険者が填補することを約するものであって、役員等を被保険者とするもの（当該保険契約を締結することにより被保険者である役員等の職務の執行の適正性を著しく損なわれるおそれがないものとして法務省令で定めるものを除く）をいう（430条の3第1項）。保険契約は会社と保険会社との間で締結され、その保険料は会社が支払うことになる。また、保険期間中に、当該保険の被保険者である役員等が損害賠償請求を受けた結果、争訟費用や損害賠償金を支払うことになった場合に、その損害填補を目的として保険会社が役員等に支払うことになる。

D&O 保険契約の内容を決定するには、取締役会決議が必要となる。取締役全員を被保険者とすることが一般的であるため、取締役全員が共通の利害関係を有するものとして、被保険者である取締役も議決に加わることができると解されている（竹林・一問一答144頁）。

なお、会社法改正前は、会社が D&O 保険の保険料を負担することについては会社法の解釈につき争いがあったが、会社法改正後は、上述のとおり D&O 保険の契約内容につき取締役会決議が法定され、会社が保険料を負担することについても契約の一内容として取締役会決議により決定できる。

また、会社が、会社法に基づき D&O 保険の保険料を負担した場合には、当該負担は会社法上適法な負担と考えられるため、役員個人に対する経済的利益の供与はなく、役員個人に対する給与課税を行う必要はないとされている（経済産業省「令和元年改正会社法施行後における会社役員賠償責任保険の保険料の税務上の取扱いについて」(2020年9月30日))。

そして、D&O保険契約を締結している場合、①被保険者の範囲、②契約内容の概要につき、事業報告への記載が求められる（施行規則121条の2、119条2号の2)。

さらに、役員等の選任議案においては、候補者を被保険者とするD&O保険契約を締結しているとき又は締結する予定がある場合、そのD&O保険契約の内容の概要につき、株主総会参考書類への記載が求められる（施行規則74条1項6号、74条の3第1項8号、76条1項8号、77条7号)。

d　本店の変更および重要な組織の設置、変更等

[記載例2-93]　本店移転を決議する場合（同一行政区域内）

> 第○号議案　本店移転の件
>
> 議長より、下記のとおり分散している拠点を一元化し業務の効率化を図ることを目的として、本店移転したい旨を説明し議場に諮ったところ、全員異議なく承認可決した。
>
> 記
>
> 1　新本店所在地
>
> ○○区○○○丁目○番○号
>
> 2　移転予定日（業務開始日）
>
> ○○年○月○日
>
> 3　業績への影響
>
> 本店移転に伴い発生する費用は、○○年○月期業績予想に織り込み済。
>
> 4　その他
>
> 本店移転は、当社定款第○条に定める所在地内で行うため、定款の変更手続は不要である。

定款では、本店所在地の最小行政区画（市区町村）を定めれば足りるの

で（商業登記ハンドブック18頁）、同一の市区町村内の移転であれば定款変更は不要である。本店および支店の所在場所は登記事項であるため、本店および支店を移転したときは、定款変更の有無にかかわらず、変更登記申請の必要がある（911条3項3号）。定款変更を伴わない本店移転の場合で、移転後に取締役会の承認決議があったときは、当該決議の日に移転したものとして取り扱われる（商業登記ハンドブック198頁）。

［記載例2-94］　本店移転を決議する場合（異なる行政区域内）

第○号議案　本店移転の件

議長より、下記のとおり分散している拠点を一元化し業務の効率化を図ることを目的として、本店移転したい旨を説明し議場に諮ったところ、全員異議なく承認可決した。

記

1　新本店所在地

○○区○○○丁目○番○号

2　移転予定日（業務開始日）

○○年○月○日

3　業績への影響

本店移転に伴い発生する費用は、○○年○月期業績予想に織り込み済。

4　その他

本店移転は、○○年○月開催予定の第○回定時株主総会において、本店所在地変更に係る定款変更が承認されたのちに行う。

本店の所在地は、定款の絶対的記載事項であり（27条3号）、本店を移転する場合は、株主総会の特別決議により定款変更が必要となる（466条、309条2項11号）。その場合の株主総会の議事録は［記載例1-34］を参照されたい。

本店を他の登記所の管轄区域内に移転した場合の新所在地における登記の申請は、旧所在地を管轄する登記所を経由して行う必要がある（915条1項、商業登記法51条、商業登記規則65条）。登記申請には、移転先および移転の時期を定めたことが記載された株主総会議事録および取締役会議事録を添付する。なお、取締役会議事録に係る移転年月日が概括的な記載である場合には、議事録とは別に、現実の移転年月日を証する書面を添付する必要があるとされている（商業登記ハンドブック187頁）。

［記載例2-95］　重要な組織の新設

第○号議案　内部監査室新設の件
　議長より、コンプライアンス機能の一層の強化・充実を図るため、法務室にある同機能を切り出し、独立した室として新たに「内部監査室」を○○年○月○日付にて新設したい旨、その室長には○○○○法務室副室長としたい旨を諮ったところ、出席取締役全員異議なくこれを承認可決した。

支店その他の重要な組織の設置、変更および廃止は取締役会決議事項である（362条4項4号）。本記載例は、組織の新設であり、あわせて重要な使用人の選任も同時に行っているものである。

［記載例2-96］　子会社設立

第○号議案　子会社設立の件
　議長より、中国での売上高の拡大を図るため、現地に当社製品の販売網を整備すること、その中心的役割を担うものとして、下記のとおり中国に子会社を設立したい旨を諮ったところ、出席取締役全員異議なくこれを承認可決した。

記

1　新設会社の商号　　○○○○○○有限公司
2　代表者　　○○○○
3　所在地　　中華人民共和国○○州
4　設立年月日　　○○年○月○日
5　主な事業内容　　○○部門における当社製品の販売等
6　決算期　　○月

7	従業員数	約○○名の予定
8	資本金	○○○元
9	当社出資比率	100%

支店その他の重要な組織の設置、変更および廃止は取締役会決議事項である（362条4項4号）。本記載例は、重要な子会社の新規設立である。なお、重要な子会社の解散も同様に取締役会決議事項である。

3 意見または発言内容の概要

取締役会において、以下の事項について意見または発言があった場合、その内容の概要を記載しなければならない（施行規則101条3項6号）。

① 利益相反取引または競業取引をした取締役による当該取引に関する重要な事実の報告

② 株主からの請求に基づいて招集された取締役会に株主が出席した際における意見

③ 事業報告および計算書類ならびにそれらの附属明細書、臨時計算書類、連結計算書類の承認を行う取締役会における会計参与の意見

④ 取締役が不正の行為をし、もしくは当該行為をするおそれがあると認めるとき、または法令もしくは定款に違反する事実もしくは著しく不当な事実があると認めるときの監査役（監査等委員）による報告

⑤ 監査役の意見

⑥ 補償契約に基づく補償をした取締役および補償を受けた取締役による当該補償についての重要な事実の報告

しかし、実際にはこれらの意見または発言よりも取締役会における審議状況に関する記載が多くを占める。取締役会議事録は登記の際に使用されることはもちろん、何らかの問題となる事象が生じた時に、取締役や監査役が当該事象に関してどのように業務執行の監督・監査を行ったのかを明らかにする点で、証拠資料として役に立つ。

このような点から、意見または発言がなされた際にはその発言者の氏名を記しておくべきであり、また、議事進行の過程が明確になる程度に、質

疑応答の内容は具体的に記載されることが望ましい。取締役会議事録を閲覧する株主等は当該記載をもって各取締役・監査役の適格性を判断する一資料とすることが想定され得るためである。

4 報告事項

取締役会設置会社においては、株主総会における法定権限が縮小され、取締役会の意思決定に委ねる事項が広範なものとなっている。取締役会の意思決定に基づき代表取締役や業務執行取締役として選定された取締役(363条1項)が業務執行を行うこととなるが、その広範な意思決定権限ゆえに、各取締役の相互監督、相互牽制の体制が重要となる。

会社法においては当該監督機能に資するため、代表取締役および業務執行取締役として選定された取締役は、3カ月に1回以上、自己の職務の執行の状況を取締役会に報告しなければならないこととしている(363条2項)。当該報告は取締役の全員に対して通知することによる報告の省略が認められないことから(372条2項)、必ず取締役会が開催され、報告されることとなる。

ここで報告される事項は、月次の決算や経営計画の進捗状況、重大な事故、訴訟といった会社の業績に重大な影響を与える可能性がある事実のほか、総務、人事、営業、研究開発などの各部門において生じた重要な事項などが考えられる。これらの報告についてはそれぞれの事項に関する資料に基づきなされることが一般的であり、議事録上では、詳細な事項については「別紙の資料により」等とし、その概要や報告された内容のみを記載することが考えられる。

なお、コーポレートガバナンス・コードにおいては、「第4章 取締役会等の責務」をはじめとして、取締役会によるモニタリング機能の強化がより一層期待されている。たとえば、政策保有株式についての保有の適否の検証【原則1-4】、行動準則が実践されているか否かのレビュー【補充原則2-2①】、中期経営計画が目標未達に終わった場合の分析【補充原則4-1②】、取締役会全体の実効性の分析・評価【補充原則4-11③】等について、定期的に取締役会における報告や審議が必要となることに留意を要する。

a　月次決算報告

［記載例 2-97］　月次決算について報告する場合

> 報告事項○　○○年○月の月次決算報告の件
> 　議長の指名により、取締役○○○○（経理担当）から、○○年○月の月次決算について、別紙の資料により報告がなされた。
> 　（報告の概要）
> 　○○年○月の売上高は○○百万円となり、前年同期比○百万円の増加となった。次に、セグメント毎の売上高およびその変動要因について、……（以下省略）

b　事業計画の実施状況

［記載例 2-98］　中期経営計画の進捗状況について報告する場合

> 報告事項○　第○期中期経営計画の進捗状況報告の件
> 　議長の指名により、取締役○○○○（経営企画担当）から、第○期中期経営計画の進捗状況について、別紙の資料により報告がなされた。
> 　その概要は……（以下省略）

c　取締役の職務執行

［記載例 2-99］　業務執行取締役の職務執行の状況を報告する場合

> 報告事項○　○○年○月における業務執行状況報告の件
> 　議長の指名により、専務取締役○○○○、常務取締役○○○○、取締役○○○○から、各事業部門における○○年○月の業務執行状況について、別紙の資料により報告がなされた。
> 　その概要は……（以下省略）

d　株主提案権の行使に関する報告

［記載例 2-100］株主提案権の行使を受けたことについて報告する場合

報告事項○　株主提案権を行使する書面の受領報告の件

議長の指名により、取締役○○○○（総務担当）から、○○年○月○日開催予定の定時株主総会において、下記のとおり株主提案権を行使する書面を受領した旨および、当該提案への対応方針について報告がなされた。

記

1　株主提案権の内容（詳細は株主提案権の行使書面（資料1）のとおり）

①　議案　：　剰余金の配当の件

②　提案の理由の概要　：　当社が公表している第○期末の配当予想○○円に、さらに追加して○円を配当することを提案する。

2　提案株主について

①　株主名　：　○○○○

②　住所　：　東京都○○区○○町○番地○号

③　保有株式数（○○年○月○日現在）　：　○○,○○○株

④　議決権個数（総議決権数に占める割合）　：　○○○個（○.○%）

3　株主提案の手続に関する適法性について

当該株主は○○年○月○日付で当社に対して社債、株式等の振替に関する法律に定める個別株主通知を実施（資料2)、当該通知の有効期間である4週間の範囲内である○月○日に当該株主提案権を行使する書面を当社に送付している。また、株主が保有する議決権個数およびその保有期間は、会社法に定める株主提案に必要な要件を満たしており、かつ第○回定時株主総会の開催予定日の8週間前までに株主提案が行われていることから、第○回定時株主総会に付議するために必要な要件を充足している。

4　株主提案の対応方針について

提案内容の適法性については顧問弁護士の意見も踏まえて確認したうえ、改めて第○期定時株主総会に付議することおよび株主提案に対する取締役会の意見について、取締役会に諮ることとする。

(資料)

1　株主提案権の行使書面
2　個別株主通知に係る株主名簿管理人からの還元資料

定時株主総会の招集決定の取締役会以前に、株主提案権が行使されたことを報告する場合の記載例である。上場会社の場合、少数株主権等を行使する際には個別株主通知を行うことが求められ（社債株式振替154条2項）、当該通知がなされた後4週間が経過する日までに行使されること（社債株式振替施行令40条）を前提とし、総株主の議決権の100分の1以上または300個以上の議決権を6カ月前から引き続き有する株主が、株主総会の8週間前までに行うことが形式的に必要となる（303条2項・4項、305条1項・3項）。また、改正会社法により、株主提案権の濫用的行使に対処するため、株主が提案することができる議案の数の制限に関する規定が新設され、取締役会設置会社は、株主から10個を超える数の議案が提案された場合であっても、10個を超える数に相当することとなる数の議案について、当該株主による議案要領通知請求権（305条1項）の行使を拒絶することができることとなった（同条4項）。形式的な要件に加え、提案の内容が法令もしくは定款に違反する場合等については株主提案を付議することを要しないことから（304条但書）、本記載例では、形式要件を充足していることから、内容の適法性を確認したうえで付議の可否について別途取締役会で決議することを報告している。株主提案を株主総会に付議することを決議する場合の取締役会議事録の記載例については、［記載例2-16］を参照されたい。

なお、個別株主通知の後、株主提案がなされるまでの間も引き続き株主であることを確認するため、情報提供請求（社債株式振替277条）を行うことも考えられる。もっとも、社債株式振替施行令40条の定める期間は個別株主通知に対抗力が認められる期間であることから、その期間中においては、発行会社の側から少数株主権等を行使した者について、情報提供請求によって株主であるか否かを当然に確認する必要があることにはならないと解されている（大野晃宏＝小松岳志「社債、株式等の振替に関する法律施行令の一部を改正する政令の解説」商事法務1861号15頁）。

e　訴訟提起

[記載例 2-101] 訴訟が提起されたことについて報告する場合

報告事項○　当社に対する訴訟が提起された件
議長の指名により、取締役○○○○（法務担当）から、下記のとおり当社を被告とする訴訟が提起された旨の報告がなされた。

記

1　訴訟を提起した者
(1)　名称　　○○○○株式会社
(2)　所在地　東京都○○区○○町○番地○号
(3)　代表者　○○○○
2　訴訟の提訴があった裁判所および年月日
(1)　訴訟の提訴があった裁判所　東京地方裁判所
(2)　訴訟の提訴があった年月日　○○年○月○日
3　訴訟の内容
(1)　訴訟内容　売買代金等請求訴訟
(2)　訴訟の目的の価額　業務委託代金○億円およびこれに対する年6%の割合による遅延損害金
4　訴訟に至った経緯
（省略）
5　当社の対応
上記売買契約は無効であると認識しており、当社に債務は存在しないことから、顧問弁護士○○○○を訴訟代理人として選任し、応訴する方針で臨む。

訴訟の提起がなされた場合、代表取締役もしくは業務執行取締役として選定された取締役の判断により手続きを進めることとなるが、訴訟の目的となる金額や訴訟相手が自社の業績や今後の取引関係に大きな影響を及ぼし得る場合には、取締役会において訴訟の事実や今後の対応方針について報告、審議もしくは決議をしておくことも考えられる（監査役会での報告例については［記載例 3-38］参照）。

f　競業取引および利益相反取引に関する報告

取締役会設置会社においては、取締役が自己または第三者のために株式会社の事業の部類に属する取引をしようとするとき（競業取引）、株式会社と取引をしようとするとき（直接取引）、株式会社が取締役以外の者との間において株式会社と当該取締役との利益が相反する取引をしようとするとき（間接取引）は、重要な事実を開示し、その承認を受けなければならない（356条1項、365条1項）。直接取引と間接取引を合わせて、一般的に利益相反取引といわれている。

取締役がこれらの取引をなした場合には、遅滞なく当該取引についての重要な事実を取締役会に報告しなければならないとされている（365条2項）。これらの議事録における記載については、［記載例2-53］、［記載例2-54］、［記載例2-55］を参照されたい。

g　内部統制システムの運用状況に関する報告

［記載例2-102］内部統制システムの運用状況について報告する場合

報告事項○　内部統制システムの運用状況報告の件

議長の指名により、取締役○○○○（グループ統括担当）から、当事業年度における当社および当社グループの業務の適正を確保するための体制（内部統制システム）の運用状況について、以下のとおり報告がなされた。

当社は内部統制システムの内容につき、継続的に見直しを行うことによって絶えず改善を図り、より適切かつ効率的な体制を構築することを基本方針としており、当該方針に基づき、当事業年度においては、概要、以下のような対応を実施した。

（業務執行の適正性の確保等）

取締役会の開催に先立ち、社外取締役に対する事前説明を実施すること、各社外取締役は取締役会開催前に議案について協議する機会を設けることにより、業務執行の適正性の確保、効率性の向上に努めた。

（コンプライアンス）

・内部統制システムの統括部署であるコンプライアンス統括部において、業務執行体制の整備について確認、評価を行い、必要と判断する諸規程や業務の見直しを実施した。
・グループ役職員のコンプライアンス意識の維持・向上を図るため、全役職員を対象とする、eラーニングによる研修を実施した。
（中略）
これらの実施状況について確認、評価の結果、当社の内部統制システムについては、有効に機能しており、重大な欠陥や不備は存在しないと判断する。

取締役会設置会社において、株式会社の業務ならびに株式会社およびその子会社から成る企業集団の業務の適正を確保するための体制（内部統制システム）等の整備の基本方針は、取締役会の専決事項とされており（362条4項6号）、また、大会社は、内部統制システムに関する事項について決定しなければならない（362条5項）。適切な内部統制システム・リスク管理体制を構築、運用していることは、従業員や他の取締役に対する監督について、善管注意義務違反がないとされる根拠の1つとなり得る。

各取締役は、代表取締役または業務執行取締役として選定された取締役が内部統制システムを構築する義務を果たしているか否かを監視する義務を負うことから、内部統制システムの運用状況を随時取締役会に報告することが考えられる。

なお、内部統制システムの運用状況は、事業報告にその概要を記載することが求められている（施行規則118条2号）。事業報告には、当該報告内容や、議事録への記載内容を踏まえて記載を行うことが考えられる。

h　常勤監査役の選定に関する報告

[記載例2-103]　常勤監査役の選定について報告を受けた場合

報告事項○　常勤監査役選定の件
監査役○○○○から、会社法第390条第3項に基づき、監査役会の決議により同監査役が常勤監査役に選定された旨の報告があった。

監査役会設置会社においては、監査役の中から常勤の監査役を選定しなければならず（390条3項）、監査役会において選定する（390条2項2号）。

監査役のうち、誰が常勤監査役を務めるのかという事実は取締役会にとっても関心事であるため、監査役会からの報告を受けることが考えられる。

当該報告は、常勤監査役が改選された株主総会終結後の取締役会において行われることが一般的であり、この場合、常勤監査役選定の監査役会は当該取締役会に先立って行われることとなる。取締役会開催の後に常勤監査役選定の監査役会が開催される場合、取締役会としては次回の取締役会まで報告を受ける機会が無いこととなるため、報告に代えて常勤監査役選定書によって通知を受けることが考えられる。常勤監査役を選定する監査役会の議事録記載例および常勤監査役選定書の記載例については、[記載例 3-8]、[図表 3-3] を参照されたい。

i　コーポレート・ガバナンスに関する報告事項

[記載例 2-104] コーポレート・ガバナンスに関する報告事項の例

報告事項○　コーポレート・ガバナンスに関する事項

当社のコーポレート・ガバナンスに関して、コーポレート・ガバナンスを担当する○○取締役より、以下のとおり報告があった。

1　政策保有株式の保有状況等について

当社の政策保有株式の保有および縮減の状況について、別添資料1に基づき報告がされた。△△取締役より×××について意見が出され、次回取締役会までに当該意見に対しての調査を事務局で行い、報告することとなった。

2　取締役会の実効性評価について

先般、各取締役に対して行った取締役会の実効性評価についてのアンケート結果等につき、別添資料2に基づき報告がなされた。課題として挙がった×××と△△△につき、□□取締役より、今後の取締役会の運営に反映させるべきとの意見が出された。なお、コーポレートガバナンス・コード補充原則4-11③に対応する「コーポレート・ガバナンス報告書」に開示すべき内容は、別添資料2記載のとおりとする旨の報告が合わせてなされた。

(以下略)

CGコードにおいては、取締役会が主体的に取り組み、定期的に対応すべき項目がいくつか存在する。

上記記載例に挙げた、政策保有株式の保有状況では「また、毎年、取締役会で、個別の政策保有株式について、保有目的が適切か、保有に伴う便益やリスクが資本コストに見合っているか等を具体的に精査し、保有の適否を検証する」【原則 1-4】とされており、取締役会の実効性評価では「取締役会は、毎年、各取締役の自己評価なども参考にしつつ、取締役会全体の実効性について分析・評価を行い、その結果の概要を開示すべきである。」【補充原則 4-11 ③】とされており、いずれも取締役会の関与が不可欠となっている。

CG コードの中には、上記例のとおり「毎年」とされているものや「定期的にレビュー」とされているもの、特段の期間や時期の限定はされていないものなどがあるが、取締役会が「策定」「整備」「確認」「検討」「適確な対処」「監督」「説明」「開示」等を求められているものがあることに対応し、必要に応じて取締役会で報告・審議することが考えられる（取締役会での報告・審議が必要な事項として、中村＝倉橋 32 頁参照）。なお、CG コードに係る取締役会決議に関するものは、［記載例 2-88］を参照願いたい。

5　議事の結果

［記載例 2-105］全員が賛成した場合の記載例

> 議長より、……としたい旨諮ったところ、全員異議なくこれを承認可決した。

［記載例 2-106］特別の利害関係を有する取締役がいる場合の記載例

> 議長より、……としたい旨諮ったところ、出席取締役全員異議なくこれを承認可決した。なお、取締役○○○○は当該議案の特別利害関係人であるため、議決に加わらなかった。

[記載例 2-107] 異議をとどめた取締役がいる場合の記載例

> 議長より、十分審議が尽くされたとして、本議案の採決を諮ったところ、議決に加わることのできる取締役の過半数の賛同を得たので、本件は可決された。
> なお、取締役○○は、本件につき異議をとどめた。

定款に定めた場合を除き、取締役会の決議は、議決に加わることができる取締役の過半数が出席し、その過半数をもって行う（369条1項)。当該決議について特別の利害関係を有する取締役は議決に加わることができないことから（369条2項)、その取締役の氏名を記載し（施行規則101条3項5号)、その事実および議決権を行使していない旨を明らかにする。

監査役（監査の範囲を会計に関するものに限定する旨を定款で定めている場合を除く）は取締役会に出席し、必要があると認めるときは意見を述べなければならない（383条1項)。また、出席した取締役および監査役は議事録に署名または記名押印しなければならない（369条3項）が、取締役会議事録に監査役が異議をとどめることなく署名しているからといって、そのことから監査役が決議に賛成したものと推定されることはないと解されている（大隅＝今井＝小林270頁)。したがって、議事録上、「全員異議なくこれを承認した」といった記載は、取締役全員の賛成を指すが、当該事実を明確にするために、「取締役全員異議なくこれを承認した」と記載することも考えられる。

取締役会の決議に参加した取締役であって、取締役会の議事録に異議をとどめないものは、当該決議に賛成したものと推定される（369条5項）ため、議案について反対した取締役がいた場合、議事録上は［記載例2-107］のようにその旨を明確にする。当該規定は推定であることから、議事録に決議に賛成した旨の記載があっても、実際上これに反対した取締役は自らその事実を立証すればその責任を免れることとなる。しかし、取締役が議事録に署名しているときは、禁反言の法理により、後に議事録の記載の不実なことを主張し得ないとする見解がある（大隅＝今井260頁)。

また、議案について棄権した取締役がいた場合、棄権をしたということが明らかに記載されていれば、異議をとどめたものと解されている（稲葉・議事録作成の実務128頁）。

6　議長の閉会宣言と閉会時刻

［記載例2-108］　閉会宣言とともに末尾に閉会時間を記載する場合

> 以上をもって会議の目的である事項の審議ならびに報告を終了したので、○○時○○分、議長は閉会を宣した。

［記載例2-109］　議事録冒頭に閉会時間を記載する場合

> 開催日時　○○年○○月○○日（○曜日）　自午前○○時○○分
> 　　　　　　　　　　　　　　　　　　　　至午前○○時○○分

議長の閉会宣言により取締役会は閉会となる。当該宣言までが議事の経過であるため、記載することが適切であると考えられる。取締役会での議事がどの程度の時間をかけて、慎重に審議されたのかを明確にするためにも、閉会時間を記載する。当該記載箇所については、末尾の閉会宣言とともに記載をするか、議事録の冒頭に記載するかのいずれかが考えられる。

なお、取締役会に関しては会社法上、「取締役会の目的である事項」（366条2項）または「議事」（369条3項）という用語が用いられているため、［記載例2-108］および後記［記載例2-110］ではそれに倣った記載としている。

7　保証文言

その文書を作成した目的を明確にするため、末尾に記載がなされている。旧商法においては、「議事録には議事の経過の要領およびその結果を記載し、出席取締役および監査役がこれに署名することを要する」と定められていたため、当該規定に従った記載がなされることが多い。

［記載例 2-110］　保証文言の記載

> 上記議事の経過の要領および結果を明らかにするため、議事録を作成し、出席取締役および監査役は記名押印する。

8　作成年月日

取締役会議事録の作成時期や作成期限について、会社法上明文の定めがないことについては既述のとおりであるが（第1章第2節3参照）、議事録の必要的事項ではないものの、一般的に記載がなされている。議事録の性格上、取締役会を開催したその日に議事録を完成させることが困難である場合も考えられるが、当該作成年月日については取締役会の開催日が記載されることが一般的である（今井宏＝成毛文之『議事録作成マニュアル〔新訂第4版補訂版〕』（商事法務、2008）281頁）。

9　記名押印

取締役会議事録が書面をもって作成されているときは、出席した取締役および監査役は、これに署名し、または記名押印しなければならず（369条3項）、また、議事録が電磁的記録をもって作成されている場合における当該電磁的記録に記録された事項については、電子署名をしなければならない（同条4項、施行規則225条1項6号）。署名または記名押印は議事録の末尾に行われることが一般的である。

その他、留意点については第1章第2節4を参照されたい。

第４節　書面決議および書面報告

1　書面決議

［記載例2-111］　会社法370条により取締役会の決議を省略した場合

取締役会議事録

会社法第370条の規定により、取締役全員が提案された事項に同意し、かつ各監査役から異議が述べられなかったことから、以下のとおり提案された事項を可決する旨の取締役会の決議があったものとみなされた。

1　取締役会の決議があったものとみなされた事項

(1)　……

(2)　……

2　上記事項の提案をした取締役の氏名

(1)につき取締役　○○○○

(2)につき取締役　○○○○

3　取締役会の決議があったものとみなされた日

○○年○○月○○日

上記のとおり、取締役会を開催しないで、提案された事項の決議がなされたので、これを証するため会社法第370条および会社法施行規則第101条第4項第1号に基づき本議事録を作成する。

本議事録の作成に係る職務を行った取締役

取締役総務部長　○○○○

以　上

取締役会設置会社は、定款で定めることによって取締役が取締役会の決議の目的である事項について提案をした場合において、当該提案の議決に加わることができる取締役全員が書面または電磁的記録により同意の意思表示をしたときは、当該提案を可決する旨の取締役会の決議があったものとみなすことができる（370条）。ただし、監査役が当該提案について異議を述べたときは除かれている（同条括弧書）。このような取扱いは一般的に書面決議といわれている。

書面決議において、本来的には議事は観念されないが、取締役会決議があったものとみなされることから、会社法施行規則101条4項1号に定める事項を記載した議事録を作成する。具体的な項目は、①取締役会の決議があったものとみなされた事項の内容、②決議事項を提案した取締役の氏名、③取締役会の決議があったものとみなされた日、④議事録の作成に係る職務を行った取締役の氏名である。

書面決議は全取締役の同意の意思表示が揃った時点で決議があったものとみなされ、議事録上は当該日を記載する。もっとも、実務的には併せて全監査役からの異議のない旨の確認書が揃ったとき以後に効果が生じたものとして取扱うことが考えられる。書面決議に基づき業務を執行したところ、後に監査役から異議が出されると、その前提となる取締役会決議が不存在であるという事態が生じるためである。

書面決議の対象が登記事項であるときは、取締役会議事録に代えて取締役会の決議があったものとみなされることを証する書面を添付する（商業登記法46条3項）。当該書面については、書面決議に係る議事録をもって、当該場合に該当することを証する書面として取扱って差し支えないとされている（平成18年3月31日付法務省民商第782号法務省民事局長通達48頁）。

なお、書面決議の対象が代表取締役選定の場合、登記に際しては取締役全員の同意書（実印の押印と印鑑証明書が必要）を添付するか、議事録に全取締役の実印の押印と印鑑証明書の添付が必要とされている（ただし、法務局に登録されている代表取締役の印鑑が議事録に押印されている場合は、各取締役の印鑑証明書は不要とされている）。

上記の場合以外においては、取締役会を開催したときの議事録と異なり、出席取締役および監査役が存在しないので、署名または記名押印は不要である。議事録の作成に係る職務を行った取締役に関しても、署名または記名押印に関する定めはなく、不要となる。

[図表2-5]　取締役会の書面決議提案書（各取締役に対する通知例）

〇〇年〇〇月〇〇日

取締役〇〇〇〇殿

代表取締役〇〇〇〇

提　案　書

会社法第370条の規定に基づいて、取締役会の決議の目的である事項について下記のとおり提案いたします。

つきましては、下記「提案事項」についてご検討いただき、同意する場合は別添「同意書」に署名押印のうえ、〇〇年〇〇月〇〇日までにご提出くださいますようお願い申し上げます。

記

提案事項　〇〇〇〇の件

（提案内容省略）

以　上

書面決議の対象となる事項を各取締役に対して提案する場合の例である。差出人となっている取締役が、議事録上の提案をした取締役となる。

[図表2-6]　取締役会の書面決議提案書（各監査役に対する通知例）

〇〇年〇〇月〇〇日

監査役〇〇〇〇殿

代表取締役〇〇〇〇

提　案　書

会社法第370条の規定に基づいて、取締役会の決議の目的である事項について下記のとおり提案いたします。

つきましては、下記「提案事項」についてご検討いただき、異議の有無を別添「確認書」に記載し、署名押印のうえ、○○年○○月○○日までにご提出くださいますようお願い申し上げます。

記

提案事項　○○○○の件

（提案内容省略）

以　上

各監査役に対して異議の有無を確認するために提案事項を通知する場合の例である。監査役の異議はいつでも申し述べることができるので、実務上、異議がないことを書面または電磁的方法により確認しておく必要がある。なお、監査役の権限を会計に関する事項に限る旨の定款の定めがある場合、取締役の業務執行に関する監査権限がないため当該通知は不要となる。

［図表 2-7］　取締役会の書面決議同意書（各取締役の同意）

○○年○○月○○日

代表取締役社長　○○○○殿

同　意　書

私は、会社法第 370 条の規定により○○年○○月○○日付提案書にて提案のありました取締役会の決議の目的である下記事項について同意いたします。

記

1　提案事項　○○○○の件

（提案内容省略）

取締役　○○○○　㊞

同意の意思表示は書面または電磁的方法により行われる。法律上、当該意思表示に係る署名または記名押印、電子署名は求められていないが、意思表示をしたことを証する手段として、これらを求めておくことが考えられる。

[図表 2-8]　取締役会の書面決議同意書（各監査役の異議の確認）

○○年○○月○○日

代表取締役社長　○○○○殿

確　認　書

私は、会社法第370条の規定により○○年○○月○○日付提案書にて提案のありました取締役会の決議の目的である事項について、その異議の有無を下記のとおり確認いたします。

記

私は、○○年○○月○○日付提案書にて提案のありました取締役会の決議の目的である事項について（いずれか一方に○印をしてください。）

1　異議はありません。

2　異議があります。

（異議の内容の要旨）

監査役　○○○○　㊞

㊟　上記2に○印をされた場合には、異議の内容の要旨を記入してください。（上記1に○印をされた場合は不要です。）

2　書面報告

[記載例 2-112]　会社法372条により取締役会への報告を省略した場合

取締役会議事録

会社法第372条第1項の規定により、取締役および監査役全員に対して以下のとおり取締役会に報告すべき事項の通知がなされた。

1　取締役会への報告を要しないものとされた事項の内容

(1)　……

(2)　……

2　取締役会への報告を要しないものとされた日

○○年○○月○○日
以上のとおり取締役会への報告を要しないものとされたので、これを証するため会社法第372条第1項および会社法施行規則第101条第4項第2号に基づき本議事録を作成する。
本議事録の作成に係る職務を行った取締役の氏名
　取締役総務部長　○○○○
以　上

取締役、会計参与、監査役または会計監査人が取締役および監査役の全員に対して取締役会に報告すべき事項を通知したときは、当該事項を取締役会へ報告することを要しない（372条1項）。このような取扱いは、一般的に書面報告といわれている。ただし、3カ月に1回以上行われる、代表取締役もしくは業務執行取締役として定められた取締役の職務執行状況の報告については適用されないことは、前記第3節4において記載のとおりである。

決議事項ではない以上、取締役の賛否を問うものではないことから、通知に対する他の取締役の同意等は不要であり、書面決議の場合のような同意書面は作成されない。そのため、議事録の作成によって、報告に代わる措置が取られたことを明らかにすることとなる。

議事録における記載事項のうち、「取締役会への報告を要しないものとされた日」（施行規則101条4項2号ロ）とは、報告すべき事項の通知を取締役および監査役の全員に発信した日と解される。

第３章
取締役会議事録記載例

ここでは、株主総会終了後に開催される取締役会の議事録を掲載している。各議案の解説については、第２章第３節２⑶⑷他参照（なお、記載例は必ずしも同一のものとはなっていない）。

[記載例２−113]　定時株主総会による取締役全員改選後の取締役会議事録

取　締　役　会　議　事　録

１　日　　時　　○○年○月○日（○曜日）午前○時○分
２　場　　所　　東京都○○区○○町○番○号　当社本店○階会議室
３　出 席 者　　○○○○、○○○○、○○○○、○○○○、……および○○○○の全取締役
　　　　　　　　○○○○、○○○○、○○○○および○○○○の全監査役
４　議　　事

出席取締役の互選により、取締役○○○○氏が議長となり開会を宣し議事に入った。

決議事項

第１号議案　代表取締役選定の件

議長から、本日開催の第○期定時株主総会において取締役全員の任期満了による改選の結果、代表取締役を選定したい旨を述べたところ、取締役○○○○氏から○○○○氏を推薦する旨の提案があり、出席取締役全員異議なくこれを承認した。被選者は就任を承諾した。

第２号議案　役付取締役選定の件

議長から、本日開催の定時株主総会において取締役全員任期満了により改選の結果、取締役○名の選任があったので、定款第○条の規定に基づき、取締役社長に○○○○氏、取締役副社長に○○○○氏、専務取締役に○○○○

氏ならびに常務取締役に○○○○および○○○○の両氏を選任したい旨を諮ったところ、出席取締役の全員は異議なくこれに賛成し、被選者はいずれも就任を承諾した。

第3号議案　職務代行順位決定の件

議長から、定款第○条および第○条の規定に基づき、取締役社長に事故あるときの株主総会の招集権者および議長、ならびに取締役会の招集権者および議長の職務代行順位を以下のとおり決定したい旨を諮ったところ、出席取締役全員異議なくこれを承認可決した。

第1順位　専務取締役　○○○○

第2順位　常務取締役　○○○○

第4号議案　業務執行取締役選定の件

議長から、本日開催の第○期定時株主総会の終結の時をもって取締役全員の任期が満了しその改選が行われたため、以下のとおり業務執行取締役を選定したい旨を諮ったところ、出席取締役全員異議なくこれを承認可決した。

地　位	氏　名	担　当
専務取締役	○○○○	経営企画担当
常務取締役	○○○○	人事・総務担当
取　締　役	○○○○	財務担当
取　締　役	○○○○	営業担当

第5号議案　退任取締役に対する退職慰労金贈呈の件

議長から、退任取締役○○○○氏に対する退職慰労金贈呈の件につき、本日開催の定時株主総会において、一定の基準に従って贈呈すること、かつ、その具体的金額、贈呈の時期および方法については取締役会に一任することに承認可決されたので、これらを決定したい旨を述べたところ、取締役○○○○氏から、「退職慰労金支給規定」に従うとともに報酬諮問委員会の答申を尊重することを条件に、取締役社長の裁定に一任したい旨の提案があり、出席取締役全員異議なくこれを承認可決した。(注1)

第6号議案　取締役に対する賞与配分の件

議長から、本日開催の定時株主総会において役員賞与支給議案として承認された取締役に対する賞与金の配分につき決定したい旨を述べたところ、取締役○○○○氏から、具体的金額の決定については報酬諮問委員会の答申を

尊重することを条件に、取締役社長に一任したい旨提案があり、出席取締役全員異議なくこれを承認可決した。(注1)

第7号議案　取締役の報酬額決定の件

議長から、本日開催の第○期定時株主総会において取締役の報酬額改定の件として承認可決された年額報酬の範囲内で、○○年○月以降の各取締役の報酬額の具体的金額につき決定したい旨を述べたところ、取締役○○○○氏から、具体的金額の決定については報酬諮問委員会の答申を尊重することを条件に、取締役社長に一任したい旨提案があり、出席取締役全員異議なくこれを承認可決した。(注1)

報告事項　常勤監査役選定の件

監査役○○○○氏から、監査役会において監査役○○○○氏が常勤監査役に選定された旨が報告された。(注2)

以上をもって、議事の審議を終了したので議長は午前○時○分閉会を宣した。

ここに議事の経過の要領および結果を記載し、出席した取締役および監査役は記名押印する。

○○年○月○日

○○○○株式会社　取締役会

議長　代表取締役社長○○○○　㊞

専務取締役○○○○　㊞

常務取締役○○○○　㊞

取締役○○○○　㊞

取締役○○○○　㊞

取締役○○○○　㊞

常勤監査役○○○○　㊞

監査役○○○○　㊞

監査役○○○○　㊞

(注1)　取締役社長に一任せず、具体的金額を取締役会や任意の報酬諮問委員会で決定する場合もある。

(注2)　取締役会の後に監査役会が開催されている場合は当該報告を行うことができないので、

別途代表取締役に通知することになる（[図表3-3] 参照)。

第3編

監査役会議事録

第１章
総　論

第１節　意義

１　監査役会の意義

⑴　概要

監査役会は、株式会社に必ず設置しなければならない機関ではなく、定款の定めによって置くことができる（326条２項）。ただし、監査等委員会設置会社および指名委員会等設置会社を除き、公開会社である大会社では、監査役会の設置を必要不可欠なものと位置づけている（328条１項）。これは、このような会社では、一般に多数の株主が存在し頻繁に変動することから、株主による会社経営に対する監視が及び難い実情に配慮し、監査役監査の強化の目的で監査役会の設置が必要と考えられたことに起因する（逐条会社法⑷232頁〔酒巻俊雄〕）。

監査役会は、すべての監査役で組織される（390条１項）。すなわち、常勤監査役であるか否か、社外監査役であるか否かを問わない。監査役会設置会社では、監査役は３人以上でそのうち半数以上は社外監査役（２条16号）でなければならない（335条３項）。

390条２項では、監査役会の職務が、①監査報告の作成、②常勤監査役の選定および解職、③監査の方針、監査役会設置会社の業務および財産の状況の調査の方法その他の監査役の職務の執行に関する事項の決定であることが明確にされている。

⑵　監査役会の職務

ａ　監査報告の作成

監査役会設置会社においては、各監査役の監査報告に加え、監査役会監査報告が作成される（施行規則129条、130条、計算規則122条、123条、127条、128条）。監査役会が監査役会監査報告を作成する場合には、監査役会は、1回以上、会議を開催する方法または情報の送受信により同時に意見の交換をすることができる方法により、その内容（付記の内容を除く）を審議することとされる（施行規則130条3項、計算規則123条3項、128条3項）。ここで、「会議を開催する方法」とは、テレビ会議等での出席を認めたうえで開催場所を設定して行う方法であり、「情報の送受信により同時に意見の交換をすることができる方法」とは、開催場所を設定することなく意見交換のすべてをテレビ会議等で行う場合を指す（相澤・論点解説410頁）。

上記のとおり、監査役会監査報告の作成に当たっては、監査役会の決議は求められていない。しかしながら、実務としては、各監査役の監査報告を形式的にとりまとめるだけでなく、審議のうえ監査役会の決議を得るのが無難と思われる。

b　常勤監査役の選定および解職

監査役会は、監査役の中から常勤監査役を選定しなければならない（390条3項）。その選定・解職は、監査役の過半数をもって行う監査役会の決議による（393条1項）。常勤監査役の定義は、会社法上の定めはない。これについては、会社の事業時間や常勤監査役の勤務時間は、会社ごとに異なるので、常勤監査役が他の会社の常勤監査役を兼務することも不可能でないとする見解がある（相澤・論点解説404頁）。これに対し、他の会社の常勤監査役・代表取締役・使用人等を兼任することは許されないとする見解（大隅＝今井305頁）もあり、これが会社法制定前後を通じた常勤監査役の意義であるといわれる（逐条会社法(5)136頁〔受川環大〕）。ただし、常勤監査役の勤務状態が「常勤」の名に値しなくとも、その選定・監査が無効とはならず、監査役の善管注意義務違反の問題が生じるのみとされる（江頭・株式会社法562頁）。

c　監査役の職務の執行に関する事項の決定

監査役会は、監査の方針、監査役会設置会社の業務および財産の状況の調査の方法その他の監査役の職務の執行に関する事項の決定を行う（390条2項3号）。この決定は、監査役の過半数をもって行う監査役会の決議による（393条1項）。上記決定は、監査役の職務分担を明確にすることにより、効率的な監査に資するものであり、それが合理的である限り、各監査役は当該決定に拘束されるものと一般的にいわれる。ただし、当該決定は、各監査役の権限行使を妨げることができないとされ（390条2項但書）、監査役の独任性が保障されている。監査役会の決定により職務分担を定めることの法的意義は、定められた分担が合理的と判断される限り、各監査役は、自己の分担外の事項については職務遂行上の注意義務が軽減される点にあるといわれる（江頭・株式会社法563頁）。

(3)　決議方法と決議事項

前記(2)のとおり、監査役会の決議は、監査役の過半数をもって行う（393条1項）。株主総会や取締役会とは異なり、定足数の定めはない。したがって、現実に出席している監査役の数に左右されることなく、就任している監査役全員の過半数をもって、決議が成立することになる。このとおり、会社法では定足数を定めていないため、定款をもってしても、それを定めることは認められない（29条）。

監査役会の決議事項としては、前記(2)における各事項のほかに、会計監査人の選任および解任ならびに不再任に関する議案の内容（344条）、会計監査人の報酬等に対する同意（399条1項・2項）、仮会計監査人の選任（346条4項・6項）などが挙げられる。なお、監査役の全員の同意が必要な事項、すなわち、会計監査人の解任（340条2項・4項）、取締役の会社に対する責任の一部免除等の議案の提出（425条3項1号、426条2項、427条3項）、株主代表訴訟につき会社が被告側に補助参加する申出をすること（849条3項1号）については、監査役会の決議は必須ではない（江頭・株式会社法564頁）。もっとも、監査役会規則（ひな型）11条1項によれば、「監査役会における協議を経て行うことができる」とされている。

監査役会においては、取締役会における特別の利害関係を有する取締役に相当する規定はない（369条2項対照）。

2　議事録作成の意義

監査役会議事録は、株主総会議事録および取締役会議事録（以下、この章において、両議事録を併せて「株主総会議事録等」という）と同様に議事の経過の要領およびその結果を中心に記載する（393条2項、施行規則109条）。法令に基づき、正確かつ明確な記載がなされることで、証拠力が備わり訴訟上の証拠資料となるとともに、株主等による閲覧・謄写の請求対象となる。ただし、株主総会議事録等と異なり、商業登記申請時の添付書類となる場合は限定される（後記第2章第3節5e）。

監査役会の決議に参加した監査役であって、監査役会議事録に異議をとどめないものは、その決議に賛成したものと推定される（393条4項）。この定めの趣旨は取締役会議事録におけるものと同様である。

監査役は、監査役会議事録に記載・記録すべき事項を記載・記録せず、または虚偽の記載・記録をしたときは、100万円以下の過料に処せられる（976条7号）。過料となるのは、不記載・不記録および虚偽記載・虚偽記録のいずれについても、当該監査役に過失がある場合である（会社法コンメ(21) 176頁〔佐伯仁志〕）。

第2節　議事録作成の実務

1　主な記載内容

(1)　通常の監査役会の場合

会社法では、監査役会議事録は、［図表3-1］に示される事項を、その内容としなければならない（393条2項、施行規則109条3項）。

[図表 3-1]　監査役会議事録の記載事項（施行規則 109 条 3 項）

①　監査役会が開催された日時および場所
②　監査役会の議事の経過の要領およびその結果
③　会社法で定める一定の規定により監査役会で述べられた意見または発言があるときは、その意見または発言の内容の概要
④　監査役会に出席した取締役または会計監査人の氏名または名称
⑤　監査役会の議長が存するときは、議長の氏名

［図表3-1］のうち、①については、監査役会が開催された場所にいない監査役、取締役または会計監査人が、監査役会に出席をした場合における当該出席の方法が含まれる。これは、株主総会における場合（前記第1編第1章第2節1）と同様、インターネット・テレビ・電話会議等による出席がなされた場合の措置と考えられる。上記の場合は、株主総会、取締役会の場合と同様に、情報伝達の双方向性および即時性が確保される必要があるとの見解に加え、開催場所を観念できないバーチャル監査役会は、監査役会を開催したものと会社法上評価できないとの見解が示されている（弥永・コンメ施規 592 頁）。

③については、具体的には次の場合が該当する。

a　取締役による会社に著しい損害を及ぼすおそれのある事実の報告（357 条 1 項・2 項）

b　会計監査人による取締役の職務の執行に関する不正の行為または法令もしくは定款に違反する重大な事実の報告（397 条 1 項・3 項）

⑵　監査役会における報告の省略

監査役会においては、株主総会、取締役会と異なり、書面または電磁的記録による監査役全員の同意の意思表示があったとしても、監査役会の決議があったとみなすことはできない（319 条 1 項、370 条対照）。一方、取締役、監査役または会計監査人が監査役全員に対して監査役会に報告すべき事項を通知したときは、当該事項を監査役会へ報告することを要しない（395 条）。株主総会への報告が省略できるのは、株主の全員が書面または電磁的記録により同意の意思表示をすることが前提とされているのに対し(320条)、監査役会への報告の省略は、報告すべき事項を通知した事実のみで認められることになる(取締役会においても同様(372条))。この場合の監査役会議事録は、[図表3-2]に示される事項がその内容となる。

[図表3-2] 報告が省略された場合の監査役会議事録の記載事項(施行規則109条4項)

① 監査役会への報告を要しないものとされた事項の内容
② 監査役会への報告を要しないものとされた日
③ 議事録の作成に係る職務を行った監査役の氏名

2 作成義務者

株主総会議事録には、その作成に係わる職務を行った取締役の氏名の記載が求められているのに対し(前記第1編第1章第2節1(1))、監査役会議事録の作成者については、特段の定めはない。この点、監査役の独任性に着眼し各監査役に作成義務があるとも考えられるが、常勤監査役が作成し、各監査役に署名または記名押印を求めるのが一般的であると思われる。また、監査役の職務を補助すべき使用人(いわゆる監査役スタッフ)が置かれているときは、当該使用人に作成の実務を委ねることもあり得る。

監査役会における報告の省略がなされた場合の議事録には、[図表3-2]のとおり、「議事録の作成に係る職務を行った監査役の氏名」が、その内容となっている。

3 作成時期

監査役会議事録の作成時期や期限については、明文の定めはないが、株主総会議事録等と同様に、商業登記の変更に関連して、2週間以内での作成を目安とすべきであろう。

なお、会社は監査役会の日から10年間、監査役会議事録を本店に備え置く必要があるが(394条1項)、このうち、「監査役会の日から」とあるのは、備置期間の起算点を示しているだけであり、同日より備置きが必要であるという趣旨ではない。

4　記名押印

監査役会議事録が書面をもって作成されているときは、出席した監査役は、これに署名し、または記名押印しなければならない（393条2項）。また、議事録が電磁的記録をもって作成されている場合における当該電磁的記録に記録された事項については、電子署名をしなければならない（同条3項、施行規則225条1項7号）。署名または記名押印を要する理由は、取締役会議事録と同様、議事録に異議をとどめない監査役につき、その決議に賛成したとの推定が生ずるためと思われる（前記第1節2）。

議事録に押印する印鑑については、会社法上特段の制限はない。なお、監査役会への報告の省略が行われた場合、取締役会議事録と同様、署名または記名押印は求められないものと思われる。

5　電磁的記録による作成

監査役会の議事録は、電磁的記録（26条2項括弧書）をもって作成することができる（施行規則109条2項）。電磁的記録とは、磁気ディスクその他これに準ずる方法により一定の情報を確実に記録しておくことができる物で調製するファイルに情報を記録したものとされ（同規則224条）、具体的な媒体としては、フロッピーディスク、USBメモリ、ICカード、CD-ROM、DVD-ROMなどが該当する（弥永・コンメ施規1217頁）。

6　様式および体裁

監査役会議事録の様式や体裁には、法令上特段の定めはない。しかしながら、登記申請につき書面をもって行う場合、申請書の記載は横書きが義務づけられていること（商業登記規則35条1項）やA4判を用いることが好ましいとされていること（法務局ホームページ）に併せ、最近のビジネス文書がA4判で作成されることが通例的であることを考慮すると、A4判で横書きとするのが合理的であろう。

第３節　備置きと閲覧・謄写請求

１　備置き

会社は、監査役会議事録を、監査役会の日から10年間、書面または電磁的記録にて、本店に備え置かなければならない（394条１項、株主総会議事録とは異なり、支店への備置きは求められていない）。前記第２節１(2)のとおり、監査役会への報告を省略した場合であっても、議事録の作成は必要であり、その備置きが求められる。

監査役会議事録を備え置かなかった場合は、100万円以下の過料に処せられる（976条８号）。

２　閲覧・謄写請求

株主（親会社の株主（親会社社員（31条３項括弧書））を含む）は、権利を行使するため必要があるときに、また、会社の債権者は、役員の責任を追及するため必要があるときに、裁判所の許可を得て、監査役会議事録の閲覧または謄写の請求をすることができる（394条２項・３項）。ここで、監査役会議事録が書面で作成されているときは、当該書面が請求の対象となり、電磁的記録で作成されているときは、当該電磁的記録に記録された情報の内容を法務省令で定める方法により表示したものが請求の対象となる。法務省令で定める方法とは、電磁的記録に記録された事項を紙面または映像面に表示する方法とされる（施行規則226条23号、その具体的方法として、第１編第１章第４節２）。

監査役会議事録は、取締役会議事録と同じく、閲覧または謄写請求にあたっては、事前に裁判所の許可が必要となる。裁判所は、閲覧または謄写をすることにより、会社またはその親会社もしくは子会社に著しい損害を及ぼすおそれがあると認めるときは、当該請求の許可をすることができない（394条４項）。一方、裁判所が許可をした場合は、会社は閲覧または謄写を拒否することはできないのは、取締役会議事録における場合と同様と考えられる。正当な理由がないのに、閲覧・謄写の請求を拒んだときは、100万円以下の過料に処せられる（976条4号）。

裁判所の許可を得て閲覧または謄写の請求がなされた場合のポイント（閲覧・謄写・謄抄本交付請求書への記載要請、本人確認、個別株主通知の確認）は、株主総会における場合と同様である（第1編第1章第4節2）。

なお、閲覧・謄写の請求に対し、請求者間において不平等が生じないよう統一的な取扱いに留意しつつ、会社判断で謄抄本を交付する場合がある。この場合を含め、閲覧・謄写等の請求への対応に際し、その事務負担および発生費用等を勘案し、手数料を申し受けることもあり得る。

第２章
記載内容と記載例

第１節　日時および場所

［記載例 3-1］　日時および場所の記載例（箇条書き形式）

> 監査役会議事録
>
> 1　日　時　○○年○月○日（○曜日）午前○時
>
> 2　場　所　東京都○○区○○町○丁目○番○号　当社本店○○会議室

［記載例 3-2］　日時および場所の記載例（文章形式）

> 監査役会議事録
>
> ○○年○月○日（○曜日）午前○時、当社本店○○会議室において○月度定例監査役会を開催した。

監査役会が開催された日時および場所は、監査役会議事録の法定記載事項である（施行規則 109 条 3 項 1 号）。［記載例 3-1］のように箇条書きとする場合が多いが、［記載例 3-2］のように日時および場所を文章によって記載する例も見られる。

場所は、「当社本店」に留まらず「○○会議室」のように会議室が特定できる記載とするのが一般的である。

第２節　役員の出席状況

１　監査役の出席状況

［記載例３-３］　監査役の出席状況についての例

３　出席者
　当社本店○○会議室
　　監査役○○○○（常勤）、○○○○および○○○○（社外）
　当社大阪支店○○会議室
　　監査役○○○○
　監査役総数○名
　出席監査役○名

監査役会議事録には、監査役会に出席した監査役が署名または記名押印等をしなければならないことから（393条２項・３項）、監査役会における監査役の出席の状況は、監査役の署名または記名押印等で確認することができる。

もっとも、監査役会の決議は監査役の過半数をもって行う（393条１項）ことから、決議要件を充たしているか否かを明確にするため、監査役会議事録においては、署名または記名押印等とは別に出席した監査役の氏名を記載し、監査役の総数と出席監査役の数を記載することが有益である。

２　監査役会に出席した取締役、会計参与または会計監査人の氏名または名称

［記載例３-４］　出席した取締役についての例

３　出席者
　監査役○○○○（常勤）、○○○○および○○○○（社外）
　監査役総数○名

出席監査役○名
取締役○○○○

監査役会に報告すべき事項があるために監査役会に出席をした取締役、会計参与または会計監査人がある場合には、その氏名または名称を記載しなければならない（施行規則109条3項4号）。

取締役が監査役会に対して報告義務を負うのは、会社に著しい損害を及ぼすおそれのある事実があることを発見したときである（357条1項・2項、「会社に著しい損害を及ぼすおそれのある事実についての取締役からの報告」は後記第3節6b参照）。また、会計監査人が監査役会に対して報告義務を負うのは、取締役の職務の執行に関し、不正の行為または法令もしくは定款に違反する重大な事実があることを発見したときである（397条1項・3項、「会計監査人からの取締役の法令違反の報告」は後記第3節6c参照）。

3　監査役会が開催された場所に存しない監査役、取締役、会計参与または会計監査人が監査役会に出席をした場合における当該出席の方法

［記載例3-5］　テレビ会議システムを用いて監査役会を開催する場合

監査役会議事録

○○年○月○日（○曜日）午前○時、当社本店○○会議室および当社大阪支店○○会議室において、テレビ会議システムを用いて○月度定例監査役会を開催した。

監査役会の構成員である監査役や、監査役会に報告すべき事項があるために監査役会に出席をした取締役、会計参与または会計監査人が、実際に監査役会が開催された場所にはおらず、電話会議システムやテレビ会議システムを利用して出席した場合には、その旨を記載する（施行規則109条3項1号括弧書）。

第３節　議事の経過の要領およびその結果

１　議長の就任および開会宣言

［記載例３-６］　議長の就任および開会宣言の例

> ４　議　事
> 　監査役会規程（規則）第○条の定めにより常勤監査役○○○○が議長となり、開会を宣した。

　監査役会に議長が存する場合には、議長の氏名を記載しなければならないが（施行規則109条３項５号）、実務的には議事の経過の一部である開会宣言と併せて記載するのが一般的である。

２　監査役会の体制・方針に関する事項

ａ　監査役会の議長・招集者の決定

［記載例３-７］　監査役会の議長および招集者を決議する場合

> 第○号議案　監査役会の議長および招集者決定の件
> 　監査役○○○○氏より、監査役会の議長および招集者として監査役△△△△氏を推薦したい旨の提案があり、監査役全員に諮ったところ、次のとおり選定することに全員異議なく承認可決された。監査役△△△△氏は、その就任を承諾した。よって、監査役会の議長および招集者は監査役△△△△氏に決定した。

　監査役会の議長の選定手続きについては、特段法令上の規定はない。監査役会規則（ひな型）においては、監査役会の決議で定めることとしている。監査役会の決議は、監査役の過半数をもって行うこととなる（393条１項）。

　監査役会の決議により、議長と併せて招集者を決定することも考えられる。もっとも、監査役会規程（規則）に、議長が監査役会を招集する旨を定める場合には、議長のみを決定すれば足りる。

監査役会は、監査役会の決議や監査役会規程（規則）によって招集者を決定していたとしても、各監査役が監査役会を招集することを妨げるものではない（391条）。

b　常勤監査役の選定

［記載例3-8］　常勤監査役の選定を決議する場合

第○号議案　常勤監査役選定の件
議長より、本日開催の株主総会において監査役の一部が任期満了により改選され、あらたに監査役○名が就任したので、あらためて常勤監査役を選定したい旨説明し、全員に諮ったところ、次のとおり選定することに全員異議なく承認可決された。被選定者は、その就任を承諾した。

常勤監査役　○○○○氏

監査役会設置会社においては、監査役会は、監査役の中から常勤の監査役を選定しなければならない（390条2項2号・3項）。常勤監査役とは、他に常勤の仕事がなく、会社の営業時間中原則としてその会社の監査役の職務に専念する者である（江頭・株式会社法562頁）。

常勤監査役の選定は、常勤監査役であった者が株主総会で改選された場合や常勤監査役が欠けた場合には行う必要があるが、常勤監査役以外の監査役が株主総会で改選された場合には、現に常勤監査役である者が引き続きその任に当たるのであらためて行う必要はない。

常勤監査役の選定は、監査役会において監査役の過半数をもって行う（390条2項2号、393条1項）。常勤の監査役は、登記事項ではないので、就任を承諾する旨の記載は、登記手続きとの関係で必要となるものではないが、常勤の義務を負うことから就任承諾が必要と解される（新版注釈会社法(6)626頁〔神崎克郎〕）。

常勤監査役の選定結果については、取締役に報告をする必要があり、その方法は、取締役会で報告する方法、文書により報告する方法が考えられる（[図表3-3] 参照）。

[図表3-3] 常勤監査役選定書

○○年○月○日

○○○○株式会社

取締役社長　○○○○殿

監査役　○○○○　㊞

監査役　○○○○　㊞

監査役　○○○○　㊞

常 勤 監 査 役 選 定 書

私ども監査役は、会社法第390条第3項（および当社定款第○条）に基づき、下記のとおり常勤監査役を選定し被選者は就任を承諾しました。

記

1　常 勤 監 査 役　　○ ○ ○ ○

○ ○ ○ ○

2　就　任　日　　○○年○月○日

以　上

c　常勤監査役の解職および選定

[記載例3-9] 常勤監査役の解職と後任の常勤監査役の選定を決議する場合

第○号議案　○○常勤監査役解職の件

議長より、常勤監査役○○○○氏については、病気療養が長期化し、常勤監査役の職務を遂行することが困難であるので、その常勤の職務を解職したいと述べ、全員に諮ったところ、出席監査役の全員が異議なく、これに賛成し承認可決された。

第○号議案　常勤監査役選定の件
議長より、第○号議案が承認可決されたことにより常勤監査役が欠けることになるので、後任の常勤監査役を選定したい旨説明し、全員に諮ったところ、次のとおり選定することに全員異議なく承認可決された。被選定者は、その就任を承諾した。

常勤監査役　○○○○氏

常勤の監査役の解職は、監査役会において監査役の過半数をもって行う（390条2項2号、393条1項）。

常勤監査役の解職を監査役会で決議することは通常頻繁にあることではない。記載例のように病気で職務を全うできない場合等限定的である。

常勤監査役を解職したことにより、常勤監査役が欠けることがないようにあわせて後任の常勤監査役を選定する必要がある点に留意する。常勤監査役の選定を怠った場合には、監査役は100万円以下の過料に処せられる（976条24号）。

d　監査方針の決定

［記載例3-10］　監査方針を決議する場合

第○号議案　第○期事業年度　監査方針の決定の件
議長より、第○期事業年度に係る監査の方針につき、別紙原案をもとに説明がなされた。その内容につき、出席者全員で慎重に協議した結果、別紙原案のとおりとすることに全員異議なく承認可決された。

監査の方針・監査計画の決定は、監査方針、業務および財産の状況の調査の方法その他の監査役の職務の執行に関する事項の決定に該当し、監査役会において行う（390条2項3号）。この決議は、監査役の過半数をもって行う（393条1項）。

e　監査費用計画の策定

[記載例3-11]　監査に要する費用予算を決議する場合

> 第○号議案　第○期の監査に要する費用予算の決定の件
> 　議長より、第○期（○○年○月○日から○○年○月○日まで）の監査に要する費用を監査役会規程（規則）第○条に基づき代表取締役に提出するにあたって、その内容について、別紙により説明し、全員に諮ったところ全員異議なく承認可決された。
> 　議長から、承認可決された費用予算を、代表取締役に対して提出する旨の報告があった。

記載例は、監査に要する費用を予算として監査役会で決定し、会社に請求する場合の例である。この決定は、「監査役の職務の執行に関する事項」（390条2項3号）として、監査役の過半数をもって行う（393条1項）。

監査役がその職務の執行に要する費用として会社に請求を行ったものについては、会社は当該費用が監査役の職務の執行に必要でないことを証明しない限り、その支払いを拒むことはできないため（388条）、監査費用の予算を監査役会で承認したとしても、各監査役は監査に必要である限り、予算には拘束されない。

監査役監査基準においては、監査役は、監査役の職務の執行に要する費用については、あらかじめ予算を計上しておくことが望ましく、また監査費用の支出にあたっては、その効率性および適正性に留意しなければならない旨が指摘されている。

f　監査役の職務分担の決定

[記載例3-12]　監査役の職務分担を決議する場合

> 第○号議案　第○期事業年度監査役の職務分担決定の件
> 　議長より、第○期事業年度に係る監査に関して、各監査役の職務の分担を別紙のとおり決定したい旨の説明がなされた。その内容につき、慎重に協議した結果、別紙のとおりとすることに全員異議なく承認可決された。

監査役会は、組織的かつ効率的に監査を実施するため、監査業務の分担を定めることができる。監査役の職務の分担の決定は、監査方針、業務および財産の状況の調査の方法その他の監査役の職務の執行に関する事項の決定に該当することから、監査役会において行う（390条2項3号）。当該決議は、監査役の過半数をもって行う（393条1項）。

当該決議により、監査役の職務を分担したとしても、各監査役が自らの分担外の職務について権限の行使を妨げることはできない（390条2項柱書・但書）。

g　監査役の補助者の設置要請

［記載例3-13］　監査役の補助者の設置を求めることについて決議する場合

第○号議案　監査役の補助者の設置を求める件

議長より、第○期（○○年○月○日から○○年○月○日まで）に実施した当社事業所の往査および子会社の日常監査活動を通じて、監査役会として別紙のとおりの問題点を認識したことの説明があった。

その中で、緊急を要する問題点として当社の事業部門の多様化、事業所の全国展開等を勘案すると、監査役だけでは、十分な監査が困難な状況にあることが指摘され、取締役に対して、当社○○規程第○条に基づき、職務を補助すべき使用人を最低でも2名置くことを求めたいとの提案があった。

この提案につき説明し、全員で審議したところ全員異議なく、その提案に賛成した。

議長から、承認可決された補助者の件について、代表取締役に求める旨の報告があった。

大会社の取締役会は、「取締役の職務の執行が法令及び定款に適合することを確保するための体制その他株式会社の業務並びに当該株式会社及びその子会社から成る企業集団の業務の適正を確保するために必要なものとして法務省令で定める体制の整備」（内部統制システム）について決定しなければならない（362条4項6号・5項）。

監査役設置会社においては、内部統制システムの一環として、「監査役がその職務を補助すべき使用人を置くことを求めた場合における当該使用人に関する事項」を定めなければならない（施行規則100条3項1号）。

記載例は、内部統制システムの一環として、監査役の職務を補助すべき使用人に関する定めを設けた規程に基づき、取締役に対して監査役の職務を補助すべき使用人の設置を求める決議をするものである。

監査役から設置の要求があった場合の監査体制の構築は、会社の業務執行の一部として取締役がその構築の義務を負う。

h　特定監査役の選定

［記載例3-14］　特定監査役の選定を決議する場合

> 第○号議案　特定監査役を定める件
>
> 議長より、会社法施行規則第132条第5項ならびに会社計算規則第130条第5項に規定する特定監査役を定めたい旨を説明し、全員に諮ったところ、次のとおり定めることに全員異議なく承認可決された。被選定者は、その就任を承諾した。
>
> 特定監査役　○○○○氏

特定監査役の職務は、事業報告および計算関係書類等について監査役の監査報告の内容を会計監査人や特定取締役（［記載例2-31］参照）に通知すること、会計監査人から会計監査報告の内容の通知を受けること、当該通知期日を特定取締役や会計監査人との間で合意することである（施行規則132条1項・5項2号イ、計算規則124条1項・5項2号イ、130条1項・5項2号イ、132条1項）。

特定監査役の選定は、監査役会の決議による。監査役会の決議は、監査役の過半数をもって行うこととなる（393条1項）。

特定監査役を選定しない場合は、すべての監査役がその職務を担うことになる（施行規則132条5項2号ロ、計算規則124条5項2号ロ、130条5項2号ロ）ので注意が必要である。

特定監査役は登記事項でないし、法令上就任承諾に関する特段の規定はなく、就任承諾が必要か否かは明らかではないが、特定監査役を定めたことを明確にするため、承諾を得ておくのがよい。

特定監査役を定めた場合には、その内容を取締役会、会計監査人には通知すべきであろう。

i　監査役会規程（規則）改正

［記載例3-15］　監査役会規程（規則）の改正を決議する場合

第○号議案　監査役会規程（規則）改正の件

議長より、監査役会規程（規則）を一部改正したい旨の申出があり、下記のとおり案を提示して審議した。審議の結果、監査役全員の一致をもって、改正することに合意した。

記

1　監査役会規程（規則）第○条を新設

<新設案>

第○条（特別取締役による取締役会に出席する監査役）

監査役は、監査役の互選によって特別取締役による取締役会に出席する監査役を定める。

第○条以下の条数を1条ずつ繰り下げる。

2　改正の理由

当社が、取締役会の決議によって会社法第373条に規定する特別取締役による議決の制度を導入したことに伴い、当該取締役会に出席する監査役を定めることを可能にするもの。

監査役会規程（規則）は、監査役会の運営、各監査役の職務分担等監査役会に関する事項を定める規程（規則）である。多くの上場会社では、定款において監査役会の決議により監査役会規程（規則）を定める旨の定めがある。

監査役会規程（規則）の制定・改廃は、監査方針、業務および財産の状況の調査の方法その他の監査役の職務の執行に関する事項の決定に該当し、監査役会において行う（390条2項3号）。この決議は、監査役の過半数をもって行う（393条1項）。

j　監査役監査基準改正

[記載例3-16]　監査役監査基準の改正を決議する場合

第○号議案　監査役監査基準改正の件
　議長より、監査役監査基準を別紙のとおり一部改定したい旨の申出があり、監査役全員で審議した。審議の結果、監査役全員の一致をもって、改正することに合意した。

　監査役監査基準は、監査役の職責とその職責を果たすうえでの心構えを明らかにし、職責を遂行するための監査体制のあり方、監査にあたっての基準および行動の指針を定めるものである（監査役監査基準1条1項）。
　監査役監査基準の制定・改廃は、監査方針、業務および財産の状況の調査の方法その他の監査役の職務の執行に関する事項の決定に該当し、監査役会において行う（390条2項3号）。当該決議は、監査役の過半数をもって行う（393条1項）。

k　特別取締役による取締役会に出席する監査役の互選

[記載例3-17]　特別取締役による取締役会に出席する監査役を互選により決定する場合

第○号議案　特別取締役による取締役会に出席する監査役について
　当社における特別取締役による取締役会に出席する監査役は、○○年○月○日から○○年○月○日までの一年間については、監査役○○○○氏の1名とすることを監査役の互選により決定した。
　なお、監査役○○○○氏は、特別取締役による取締役会に出席する監査役となることを承諾した。

　取締役会の権限のうち、重要な財産の処分および譲り受け、多額の借財につき、一定の要件を充たす取締役会設置会社においては、あらかじめ選定した3名以上の取締役のみで構成する取締役会で決議することができる旨を定めることができる（373条1項）（［記載例2-85］参照）。この特別取締役による取締役会は機動的に開催されることが予想されるため、監査役全員の出席は免除され、監査役の互選により定められた監査役最低1名が出席すればよい（383条1項但書）。互選は、監査役の過半数の決定により行われ、必ずしも監査役会の開催は要しないが、監査役会を開催してそこで選任することはもとより可能である。

特別取締役による取締役会に出席する監査役として定められた監査役以外の監査役は、特別取締役による取締役会に出席する義務はないが、出席を妨げるものではない。したがって、特別取締役による取締役会の招集は、出席すると定められた監査役を含む監査役全員に通知しなければならない（368条1項、373条2項参照）。

特別取締役による取締役会に出席した監査役は、他の監査役に対して付議事項等について報告を行うこととなる。

I　監査役の補助者の異動への同意

［記載例3-18］　監査役の補助者の異動に同意する場合

第○号議案　監査役室長○○○○氏の異動について

議長より、人事担当の○○○○常務取締役より、当社監査役室長の○○年○月○日付の定期人事異動による変更の内示が提示され、この異動については、当社○○○○規程第○条の規定により、監査役会の承認が必要となることから、監査役会の同意を求められた旨の説明があった。

議長より、以下のとおり、○○○○常務取締役から示された案を全員に諮った。

現監査役室長○○○○氏を○○部長とし、後任の監査役室長については、現在大阪支店○○部長の△△△△氏とすること。また、△△△△氏の当社入社以来の経歴につき、別紙に従って、議長より報告があった。

○○○○監査役から、その他の監査役スタッフの異動予定等について質問があったが、その他の議論はなく、全員異議なく今回の異動案に同意した。

大会社の取締役会は、「取締役の職務の執行が法令及び定款に適合することを確保するための体制その他株式会社の業務並びに当該株式会社及びその子会社から成る企業集団の業務の適正を確保するために必要なものとして法務省令で定める体制の整備」(内部統制システム)について決定しなければならない(362条4項6号・5項)。

この内部統制システムに、「監査役の職務を補助すべき使用人の取締役からの独立性に関する事項」(施行規則100条3項2号)、「監査役の職務を補助すべき使用人に対する指示の実効性の確保に関する事項」(施行規則100条3項3号)がある。

本記載例は、監査役の職務を補助すべき使用人の人事異動にあたっては、事前に監査役会の意見を聴取する旨が内部統制システムとして定められていることを前提に、当該定めに基づいて監査役会で審議した場合の例である。

このような場合の監査役の職務を補助すべき使用人の人事異動に関する意見は、「監査役の職務の執行に関する事項」(390条2項3号)として、監査役会で決定すべき事項であり、その決議は監査役の過半数をもって行う(393条1項)。

3　定時株主総会に向けた対応

a　期末監査日程の確認・決定

[記載例3-19]　期末監査日程について決議する場合

第○号議案　第○期事業年度の期末監査日程の件

議長より、第○期事業年度末を迎えるにあたり、第○期定時株主総会の開催予定日を○○年6月○日として、別紙のとおり監査日程を予定している旨の説明があった。

議長より、本件につき承認を求めたところ、異議なく全監査役一致で原案通り可決された。

別紙

3月31日　事業年度末

4月○○日　取締役会から計算書類等および事業報告の受領
5月○○日　会計監査人から会計監査報告受領
5月○○日　各監査役から監査役会への監査報告
5月○○日　監査役会開催（監査役会監査報告作成のための審議）
5月○○日　監査役会監査報告を取締役および会計監査人に通知
5月○○日　計算書類承認の取締役会（決算取締役会）
5月○○日　決算発表
6月○○日　第○期定時株主総会

本記載例は、定時株主総会に向けて監査役会監査報告を作成するための監査日程を監査役間で確認し、決定するものである。監査役会監査報告作成のための審議を行う監査役会開催日を中心に、取締役会、会計監査人との計算書類等の受け渡しの予定日を確認し、各監査役が行うべき作業を踏まえて、その具体的な日程を確認することが重要である。

b　監査役会監査報告の作成

[記載例3-20]　監査役会監査報告の内容を決議する場合

第○号議案　第○期事業年度　監査役会監査報告作成の件
　議長より、各監査役の監査報告の内容を踏まえて、第○期事業年度に係る監査役会監査報告を作成したい旨の発言があった。それを受けて、各監査役からそれぞれの監査報告がなされ、その後、監査報告の内容につき慎重に審議した結果、特に修正を求める意見はなく別紙のとおり監査役会監査報告を作成することに全員異議なく承認可決した。
　議長より、この監査役会監査報告を取締役および会計監査人に提出する旨が併せて報告された。

監査役会の監査報告は、各監査役が作成した監査報告に基づき作成する（施行規則130条1項、計算規則123条1項、128条1項）。監査役会は、監査役会監査報告を作成するためには、1回以上会議を開催する方法またはテレビ会議システム等の情報の送受信により同時に意見の交換をすることができる方法により、監査役会監査報告の内容を審議しなければならないが（施行規則130条3項、計算規則123条3項、128条3項）、監査役会監査報告の最終的な決定は持回り決議等適宜の方法で行うことができるとの解釈も可能であるようである（相澤哲＝和久友子「計算書類の監査・提供・公告、計算の計数に関する事項」商事法務1766号68頁参照）。もっとも、監査役会においては、書面決議の制度は採用されていないことから、監査役会の決議によるか持回り決議により監査役全員の同意によることになろう。

記載例は、各監査役の監査報告を受けるため、およびこれを受けた監査役会監査報告を作成するために監査役会を開催し、審議した場合の例である。記載例のほか、監査役会監査報告に記載するのと同様に監査の結果を箇条書きにすることも考えられる。

c　監査役会監査報告の作成（意見付記）

［記載例3-21］　各監査役の意見が付記された監査役会監査報告の内容を決議する場合

第○号議案　第○期事業年度　監査役会監査報告作成の件

議長より、各監査役の監査報告の内容を踏まえて、第○期事業年度に係る監査役会監査報告を作成したい旨の発言があった。それを受けて、各監査役からそれぞれの監査報告がなされ、その後、監査報告の内容につき慎重に審議した結果、別紙のとおり監査役会監査報告を作成することに出席監査役3名中2名の賛成を得て承認可決した。

○○○○監査役は、……の点については、疑義があり賛成できない旨、この点については意見を付記したい旨の申出があり、申出のとおり監査役会監査報告に意見を付記することとなった。

議長より、この監査役会監査報告を取締役および会計監査人に提出する旨が併せて報告された。

監査役監査報告と監査役会監査報告との内容が異なる場合には、異なる意見を持つ監査役は、その事項に係る監査役監査報告の内容を監査役会監査報告に付記することができる（施行規則130条2項、計算規則123条2項、

128条2項)。

記載例は、監査役の1名から意見を付記したい旨の申出があり、監査役会監査報告に意見を付記することとしたものである。

d　株主総会へ報告する監査報告の内容の決定

[記載例3-22]　株主総会へ報告する監査報告の内容および報告者について決議する場合

第○号議案　株主総会へ報告する監査報告の内容を決定する件 　議長より、○○年○月○日開催予定の第○期定時株主総会における口頭による監査役会監査報告は、監査役全員の意見が一致していることから、常勤監査役の○○が行うこととし、報告の内容は別紙のとおりとしたい旨の報告があった。 　監査役全員がこの提案に賛成したので、この提案は承認可決された。

定時株主総会において監査役会の監査報告を口頭で行うことは、会社法上義務づけられたものではないが(437条、438条、384条参照)、ほとんどすべての上場会社が行っている。記載例は、その報告を常勤監査役が行うことおよび監査報告の内容を決定するものである。

定時株主総会において監査報告をする監査役を決定することは、「監査役の職務執行に関する事項」であるので、監査役会で決議するべきである(390条2項3号)。

なお、連結計算書類を作成している会社においては、連結計算書類の監査結果の報告が必要となり、会社法上は取締役が行うこととされているが(444条7項)、代表取締役(議長)の指名により、監査役が報告する事例も多い。

e　株主総会での質疑の回答者の決定

[記載例3-23]　株主総会における質疑の回答者を決議する場合

第○号議案　第○期定時株主総会における質疑の回答者決定の件

議長より、○○年○月○日開催予定の第○期定時株主総会において監査役会の監査報告について、出席株主から質問がなされた場合には、監査役会監査報告が全員一致で作成されたことに鑑み、回答者を常勤監査役○○○○氏とすることとしたい旨の提案があり、監査役全員に諮ったところ、全員異議なく承認可決された。

監査役は、株主総会において、株主から特定の事項について説明を求められた場合には、会議の目的である事項に関しないものである場合、説明することにより株主共同の利益を著しく害する場合等の一定の例外的な場合を除き、必要な説明をしなければならない（314条）。記載例は、監査役全員の一致により作成された監査役会監査報告に関して質問がなされた場合に、常勤監査役が監査役会を代表して回答すると定めたものである。

株主の質問が各監査役の監査報告に関するものである場合等、個々の監査役が回答すべき事項であると判断されるときは、監査役の独任性を反映して個々の監査役に説明義務があるとされる場合がありうる点には留意する。

f　株主総会提出議案および書類の調査

［記載例 3-24］　株主総会提出議案および書類について審議し、指摘すべき事項がないことを確認する場合

第○号議案　第○期定時株主総会提出議案および書類調査の件
議長より、第○期定時株主総会に付議される議案、提出される書類等に関して、法令もしくは定款に違反し、または著しく不当な事項が存在しないかにつき、審議したい旨提案があり、協議の結果、全員一致により、指摘すべき事項はないことを確認した。

監査役は、取締役が株主総会に提出しようとする議案、書類・電磁的記録を調査し、法令もしくは定款に違反し、または著しく不相当な事項があると認められるときは、その調査結果を株主総会に報告しなければならない（384条、施行規則106条）。報告は書面、電磁的記録、口頭のいずれであっても差し支えない。

調査・報告の権限は各監査役が行使するが、監査役会においては、各監査役の調査の結果を踏まえて、法令もしくは定款に違反し、または著しく不当な事項が存在しないかにつき審議をすることが考えられる。

また、議案につき株主総会に報告すべき調査の結果があるときは、その調査の結果の概要を株主総会参考書類に記載しなければならない点にも留意する（施行規則73条1項3号）。

4　監査役の選任に関する事項

a　監査役選任議案への同意

［記載例3-25］　監査役選任議案に同意する場合

第○号議案　監査役選任議案に同意する件

議長より、○○年○月○日代表取締役○○○○氏から、来る○○年○月○日開催予定の第○期定時株主総会に、○○○○氏を候補者とする監査役選任議案（略歴等詳細は別紙のとおり）を提出したいので、監査役会の同意を得たい旨の申出があったことを述べ、全員に諮った。出席監査役全員にて慎重に審議した結果、全員が異議なく、この議案の提出に同意する旨を述べた。

取締役が、監査役選任議案を株主総会に提出するには、監査役会の同意を得なければならない（343条1項・3項）。

監査役会の同意は、監査役の過半数をもって行う監査役会の決議でよい（393条1項）。

取締役から同意書の提出を求められている場合には、同意書を交付する。

これらの手続きについては、補欠監査役選任議案に関しても同様である。

b　監査役の選任を株主総会の目的とすることの請求

[記載例3-26]　監査役の選任を株主総会の目的とすることの請求を取締役に対して行うことを決議する場合

> 第○号議案　監査役の選任を株主総会の目的とすることを取締役に請求する件
> 　議長より、当社の監査体制の強化、充実を図るため監査役を増員することが必要であり、代表取締役○○○○氏に対して○○年○月○日開催予定の第○期定時株主総会に監査役1名の選任に関する議題の提出を求めたいとの説明があり、慎重に協議した結果、その旨の請求をすることに全員異議なく、承認可決された。
> 　なお、監査役の候補者については、監査役会から推薦することはしないことに全員一致で賛成した。

監査役会は、取締役に対し、監査役の選任を株主総会の目的とすることを請求することができる（343条2項・3項）。当該事項に関する監査役会の決議は、監査役の過半数をもって行う（393条1項）。

記載例は、監査役の選任を株主総会の目的とすることを請求するものであり、監査役会が特定の監査役候補者を指定するものではないので、当該請求を受けた取締役会が候補者を決定し、監査役会はその議案に対して同意するか否かについて決定する。

c　監査役の選任議案を株主総会に提出することの請求

[記載例3-27]　監査役の選任議案を株主総会に提出することの請求を取締役に対して行うことを決議する場合

> 第○号議案　○○○○氏を候補者とする監査役選任議案を株主総会に提出することを取締役に請求する件
> 　議長より、来る○○年○月○日開催予定の第○期定時株主総会に、○○○○氏を監査役の候補者とする監査役選任議案（○○○○氏の略歴等の詳細は、添付のとおり）を提出することを取締役に請求したい旨の提案があった。出席監査役全員にて、慎重に審議した結果、全員が異議なく、この議案をもって取締役に請求することに同意したので、本議案は承認可決された。

監査役会は、取締役に対し、監査役の選任に関する議案を株主総会に提出することを請求することができる（343条2項・3項）。この場合、監査役会が特定の監査役候補者を指定して議案とすることを請求することとなる。当該事項に関する監査役会の決議は、監査役の過半数をもって行う（393条1項）。

5　会計監査人の選任・解任・不再任への対応

a　会計監査人選任議案の決定

［記載例3-28］　会計監査人選任議案を株主総会に提出する場合

> 第○号議案　会計監査人選任議案決定の件
> 議長より、来る○○年○月○日開催予定の第○期定時株主総会に、○○監査法人を候補者とする会計監査人選任議案を提出したい旨の提案があった。○○監査法人の沿革、実績、監査体制、監査報酬の水準、独立性に関する事項等の資料をもとに審議した結果、会計監査人としての独立性および専門性を有しており、当社の監査品質の確保が可能であると判断したことから、出席監査役の全員が異議なく、この議案を第○期定時株主総会に提出することを決定した。

監査役会設置会社においては、会計監査人選任議案を株主総会に提出するには、監査役の過半数をもって行う監査役会の決議により決定する（344条1項・3項、393条1項）。

会計監査人の選任議案については、株主総会参考書類に当該候補者を会計監査人の候補者とした理由を記載しなければならない（施行規則77条3号）。

会計監査人の候補者の決定に当たっては、候補者である監査法人または公認会計士の概要、欠格事由の有無、内部管理体制、監査報酬の水準、会計監査人の独立性に関する事項等職務の遂行に関する事項（計算規則131条）等について、検討のうえ判断する必要がある（日本監査役協会「会計監査人の選解任等に関する議案の内容の決定権の行使に関する監査役の対応指針」（2015年3月5日）2～3頁参照）。

b　会計監査人不再任議案の決定

［記載例 3-29］　会計監査人不再任議案を株主総会に提出する場合

第○号議案　会計監査人○○監査法人の不再任議案決定の件
　議長より、現会計監査人である○○監査法人につき、……の理由から、来る○○年○月○日開催予定の第○期定時株主総会終結の時をもって再任しない旨の提案がなされた。
　議長から、……の理由による○○監査法人の会計監査人不再任について、各監査役の意見を求めたところ、△△監査役より、当該理由による不再任はやむを得ないとの意見が出され、審議の結果、全監査役の一致をもって、○○監査法人の会計監査人不再任の件に関する議案を第○期定時株主総会に提出することを決定した。

監査役会設置会社においては、会計監査人を再任しないことを議案として株主総会に提出するには、監査役の過半数をもって行う監査役会の決議により決定する（344条1項・3項、393条1項）。

会計監査人設置会社の多くは、単数の会計監査人を設置するのみであるが、そのような会社においては、現在の会計監査人を不再任とする場合には、併せて後任の会計監査人を選任する必要がある。会計監査人の選任議案を株主総会に提出する場合も、監査役会の決議により決定する（344条1項・3項）（前記 a 参照）。

c　会計監査人の報酬等の決定への同意

［記載例 3-30］　会計監査人の報酬等の決定について同意する場合

第○号議案　会計監査人の報酬等に同意する件
　議長より、代表取締役○○○○氏から、第○期の会計監査人の報酬等について、金○○○○万円としたいので、会社法399条第1項および第2項の規定に従い監査役会の同意を得たい旨の提案があったことを述べ、前期の監査実績を踏まえ、新年度の監査計画における監査時間、配員計画および報酬額の見積もりの相当性等につき全員に諮った。慎重に審議した結果、出席監査役の全員がこの金額に同意することに異議なく、承認可決された。

会計監査人との契約の締結は、業務執行の一環として取締役または代表取締役に権限がある。しかし、報酬額の決定までも取締役会等に一任すると、その額が不当に低額な場合には監査の質を落とすおそれがあるし、逆に過度に高額の報酬を提供する場合には監査の独立性を害するおそれがある。このような弊害を生じさせないために、監査役会設置会社においては、取締役が会計監査人の報酬等を定める場合には、監査役会の同意を得なければならない（399条1項・2項）。

同意に当たっては、過去の報酬実績、日本監査役協会の「会計監査人との連携に関する実務指針」（2006年5月11日制定、2021年7月30日最終改定）等を参考に報酬等を検討することが考えられる。

監査役会の同意は、監査役の過半数をもって行う監査役会の決議でよい（393条1項）。

仮会計監査人の報酬等を定める場合も同様である（399条1項・2項）。

なお、当該事業年度に係る各会計監査人の報酬等について監査役会が同意をした理由は事業報告の記載事項となる（施行規則126条2号）。

d　会計監査人の再任

［記載例3-31］　会計監査人の再任について決議する場合

> 第○号議案　会計監査人の再任の件
> 　議長より、別紙のとおり、当社の会計監査人の解任または不再任の決定の方針に照らし、また、当期に係る会計監査人監査の相当性につき説明があった後、会計監査人として○○監査法人を再任することに関して全監査役に諮ったところ、全員異議なく再任することに承認可決された。
> （別紙略）

会計監査人の任期は、選任後1年以内に終了する事業年度のうち最終のものに関する定時株主総会終結の時までである（338条1項）が、当該株主総会において不再任の決議等特段の決議がなされない限り再任されたものとみなされる（同条2項）。

監査役会設置会社においては、会計監査人を再任しないことを株主総会の議案として提出するには、監査役の過半数をもって行う監査役会の決議により決定する（344条1項・3項、393条1項）（前記 b 参照）。

なお、前述のとおり、株主総会において会計監査人を再任しないことを特段決議しないときは、会計監査人は再任されたものとみなされるので、監査役会において何らの手続きも法定されていない。しかし、監査役会には、会計監査人の選任、解任、不再任議案に対する決定権（344条1項・3項）、解任権（340条1項・4項）があることから、記載例のように会計監査人の適格性を1年ごとに判断するべきである。

e　仮会計監査人の選任

［記載例3－32］　仮会計監査人の選任について決議する場合

第○号議案　一時会計監査人の職務を行うべき者を選任する件

議長から、○○監査法人が業務の都合により○○年○月○日をもって当社会計監査人の職務を辞任した旨の報告があった。このため、当社会計監査人が欠けた状態になっており、後任の会計監査人の選任の必要があるが、代表取締役○○○○氏からは次の定時株主総会までの間に、会計監査人選任のための臨時株主総会を開催する日程的余裕もないとの申入れがあることから、監査役会において一時会計監査人の職務を行うべき者を選任することを諮ったところ、全員一致でその提案に賛成した。

これを受けて、議長から一時会計監査人の職務を行うべき者の候補者として以下のとおり提案があり、全員に諮ったところ、全員異議なく賛成し、本議案は承認可決された。なお、議長より、△△監査法人から、選任されたうえは一時会計監査人の職務を行うべき者への就任を承諾する旨の言を得ているとの報告があった。

一時会計監査人の職務を行うべき者の名称　　△△監査法人

主たる事務所の所在地　東京都○○区○○町○丁目○番○号

………（以下略）

会計監査人が欠けた場合において、遅滞なく株主総会が開催され、会計監査人が選任されないときは、監査役会は、一時会計監査人の職務を行うべき者（以下「仮会計監査人」という）を選任しなければならない（346条4項・6項）。この選任の決議は、監査役の過半数をもって行う（393条1項）。この手続きを怠った場合には、監査役は100万円以下の過料に処せられる（976条22号）。

会計監査人が欠けた場合には、取締役、監査役等の役員の場合とは異なり、任期満了または辞任により会計監査人の職を離れた者が、後任の会計監査人が就任するまでの間会計監査人の権利義務を有するとの会社法上の定めはない。

仮会計監査人の氏名または名称は登記事項であり（911条3項20号）、選任を決議した監査役会の議事録は登記申請書の添付書面となる（商業登記法55条1項1号）。

f　会計監査人の解任

［記載例3-33］　会計監査人の解任について決議する場合

> 第○号議案　会計監査人解任の件
>
> 議長より、当社の会計監査人である○○監査法人においては、○○事件に関与している旨の○○年○月○日付の報道があったこと、その後、同監査法人に事実関係を聴取したところ、概ね報道のとおりであるとの説明があったことが報告された。
>
> よって、○○監査法人は当社会計監査人としてふさわしくないと認められるので会社法第340条第4項にて準用する同条第1項に基づき同法人を解任すべきであるとの提案がなされ、その提案につき審議した結果、全員一致の賛成をもって○○監査法人の当社会計監査人の職を解任することが承認可決された。議長は、これにより、当社の会計監査人が欠けることになり、できるだけ早く、新たな会計監査人を選任する必要があることから、監査役会において会計監査人の候補者を選定するとともに、その選任のための臨時株主総会の開催日程等については、早急に、代表取締役○○○○氏に申入れする旨を述べた。

監査役会は、会計監査人が①職務上の義務に違反し、または職務を怠ったとき、②会計監査人としてふさわしくない非行があったとき、③心身の故障のため、職務の執行に支障があり、またはこれに堪えないとき、のいずれかに該当するときは、会計監査人を解任することができる（340条1項・4項）。会計監査人の解任は、監査役全員の同意により行わなければならないが（340条2項・4項）、必ずしも監査役会の開催は必要ではなく、各監査役の同意があればよい。

なお、解任の効力発生日については、解任の決議をした日とする説と解任の意思表示が到達した日とする説がある。解任の効力発生日に関する疑義を避けるために、解任決議の日に会計監査人に通知しておくことが考えられる。

会計監査人は登記事項であり（911条3項19号）、監査役会による解任の場合は、監査役全員の同意書を登記事項申請書に添付しなければならないとされるが（商業登記ハンドブック478頁）、監査役全員一致で解任を決議し、全員が記名押印した監査役会議事録でも代替することができる。

g　会計監査人解任後の株主総会への報告者の選定

［記載例3-34］　会計監査人解任を株主総会に報告する監査役の選定について決議する場合

> 第○号議案　会計監査人解任を株主総会に報告する監査役選定の件
> 　議長から、○○年○月○日付で監査役全員の同意をもって当社の会計監査人を解任したところであるが、会社法第340条第3項および第4項に基づき、○○年○月○日開催予定の第○期定時株主総会にその旨およびその理由を報告する必要がある旨が説明された。
> 　ついては、その報告者を選定したい旨の発言があり、全員一致で常勤監査役○○○○氏を報告者とすることに賛成したため、同氏を報告者とすることに決定した。

監査役会が会計監査人を解任したときは、監査役会が選定した監査役は、解任後最初に招集される定時株主総会において、解任の旨およびその理由を報告しなければならない（340条3項・4項）。記載例は、その報告者を選定する議事録である。この選定の決議は、監査役の過半数をもって行う（393条1項）。

なお、解任された会計監査人は、当該株主総会に出席して、解任についての意見を述べることができ（345条5項・2項）、その意見があるときには、当該事業年度前の事業年度に係る事業報告としたものを除き事業報告に記載しなければならない（施行規則126条9号ニ）。

6　事故・不祥事等への対応

a　内部通報への対応

［記載例3-35］　内部通報への対応について決議する場合

> 第○号議案　○○に関する内部通報の件
> 　議長より、○○年○月○日付で常勤監査役○○○○氏宛になされた○○に関する内部通報の件の取り扱いについて審議したい旨述べたところ、担当取締役である△△△△氏に対して○○に関する状況について報告を求めるとともに、○○に関する各部門の実情を実査の際に確認することを、全員一致で決定した。

大会社の取締役会は、「取締役の職務の執行が法令及び定款に適合することを確保するための体制その他株式会社の業務並びに当該株式会社及びその子会社から成る企業集団の業務の適正を確保するために必要なものとして法務省令で定める体制の整備」（内部統制システム）について決定しなければならない（362条4項6号・5項）。

監査役設置会社においては、内部統制システムの一環として、「取締役および使用人が監査役に報告をするための体制その他の監査役への報告に関する体制」を定めなければならず、当該体制のうちの1つに監査役を法令違反等についての社内の通報窓口とすることがある。

監査役会は、内部通報を踏まえて、監査の方針、業務および財産の調査の方法等（390条2項3号）を監査役の過半数をもって（393条1項）決定することができる。

b　会社に著しい損害を及ぼすおそれのある事実についての取締役からの報告

［記載例 3-36］　会社に著しい損害を及ぼすおそれのある事実についての取締役からの報告を受け、監査役会がとるべき対応について決定する場合

報告事項　会社に著しい損害を及ぼすおそれのある事実についての取締役からの報告の件

議長より、○○年○月○日に発生した○○大地震に関して、取締役○○○○氏から監査役に報告すべき事項のある旨の申出があったことから、本日の監査役会に出席してもらっている旨の報告があった。

続いて、取締役○○○○氏から、先日の○○大地震により当社○○工場が半壊の被害を受け、現状、操業停止となっていること、およびその復旧には最低でも3カ月が必要なことから、同工場の復旧に必要な補修費用として約○,○○○万円、復旧に至るまでの操業不能による損害として最低約○,○○○万円、合計約○,○○○万円の損害が予想される旨の報告があった。

監査役○○○○氏から、○○工場の従業員の被災状況につき質問があり、取締役○○○○氏から、負傷した従業員数や従業員の自宅の被災状況について、……との報告があった。

上記の報告を受け、監査役としても、至急事実関係の調査および法的問題の検討を行う必要があり、その分担を……とすることを全員一致で決議した。

監査役会設置会社においては、取締役は会社に著しい損害を及ぼすおそれのある事実があることを発見したときは、直ちに、当該事実を監査役会に報告しなければならない（357条1項・2項）。このような報告がなされた場合には、監査役会において述べられた意見または発言があるときは、その意見または発言の内容の概要を議事録に記載しなければならない（施行規則109条3項3号イ）。

報告事項は、報告義務を負う者が、監査役の全員に当該事項を通知したときは、監査役会に報告することを要しないので（395条）、緊急性の高い事項である場合には、取締役は、まずは各監査役に通知をすることも考えられる。

会社に著しい損害を及ぼすおそれのある事実がある場合には、監査役会としては、取締役会からの報告を踏まえて必要な調査を行う等とるべき対応について決定しておくべきである。

c　会計監査人からの取締役の法令違反の報告

[記載例 3-37]　取締役の不正行為についての会計監査人からの報告を受け、監査役会がとるべき対応について決定する場合

> 報告事項　取締役の不正行為についての会計監査人からの報告の件
>
> 議長より、当社会計監査人である○○監査法人から、○○の会計監査の過程で取締役○○○○氏の不正行為を発見したので、監査役会へ報告したい旨の申出があったことから、本日の監査役会に招いた旨の説明があった。
>
> 続いて、○○監査法人の代表社員○○○○氏より、……について……○○担当の取締役○○○○氏がその不正に関わっていた旨の報告が別紙経緯メモに基づいてあった。
>
> 上記の報告を受け、監査役としても、至急事実関係の調査および法的問題の検討を行う必要があり、その分担を……とすることを全員一致で決議した。

監査役会設置会社においては、会計監査人は、その職務を行うに際して、取締役の職務の執行に関し、不正の行為または法令もしくは定款に違反する重大な事実があることを発見したときは、遅滞なく、これを監査役会に報告しなければならない（397条1項・3項）。このような報告がなされた場合には、監査役会において述べられた意見または発言があるときは、その意見または発言の内容の概要を議事録に記載しなければならない（施行規則109条3項3号ハ）。

このような報告に対して、監査役は、事実関係の把握に努めるとともに、原因究明、損害の拡大防止、再発防止等に関する取締役の対応の状況について監視をする必要があることから、必要な調査を行う等監査役がとるべき対応について決定しておくべきである。

7　取締役の責任に関する事項

a　株主からの提訴請求書受領報告

[記載例 3-38]　株主からの提訴請求書受領について報告する場合

> 第○号議案　株主からの提訴請求書受領報告の件
>
> 議長より、○○年○月○日付で株主○○○○氏より、当社取締役○○○○、○○○○および○○○○に対する損害賠償請求訴訟を別紙のとおり提起するよう請求する書面を受領した旨、株主○○○○氏は当社株式を6カ月以上継続して保有していること、提訴請求書の記載内容から当該請求は株主代表訴訟請求の要件を満たしていることが報告された。
>
> 次いで、当該請求が、株主○○○○氏もしくは第三者の不正な利益を図りまたは当社に損害を加えることを目的とするものか否か、取締役○○○○、○○○○および○○○○の3名について、指摘される任務懈怠が認められるかの2点について、事実関係の調査および法的検討を行うこととし、その担当は常勤監査役○○○○氏とした。調査および検討の結果を踏まえて、次回の監査役会において本件に関する方針を検討することが決定された。

株主による取締役の責任追及のための提訴請求を受領する権限は監査役にある（386条2項）。記載例は、株主からの提訴請求書を受領し、請求者である株主が提訴請求の要件を充たしている者であることを報告するとともに、提訴請求に応じるか否かを判断するための調査・検討を監査役会において分担して行うこととした記載例である（[記載例 2-101] 参照）。

取締役に対する責任追及のための提訴請求に応じるか否かは各監査役が独立して行使する権限であるが、監査役会の場においてその対応を協議することや、監査役会において提訴請求に応じるか否か判断するための調査・検討を分担して行うことは差し支えない。監査役会規則（ひな型）12条8号においても、その他訴訟提起等に関する事項について権限を行使する場合には、「事前に監査役会において協議をすることができる」とされている。

b　取締役の責任追及等の訴えの提起請求の審議

［記載例3-39］　株主からの取締役の責任追及の提訴請求に応じないことを決議する場合

第○号議案　株主から取締役の責任を追及する提訴請求があった件 　議長より、○○年○月○日、株主○○○○氏から、取締役○○○○氏、同○○○○氏および同○○○○氏に対する責任を追及する訴えの提起請求があった件に関し、監査役○○○○氏に対して当該請求に係る事実関係、上記取締役の業務執行状況等に関する資料調査および聞取り調査を行った結果を、報告願いたい旨の発言があった。それを受け、監査役○○○○氏は、その結果を別添の調査報告書に基づき報告した。その後、監査役間で慎重な討議を行った結果、株主○○○○氏からの指摘にある取締役の業務執行の違法性は、いずれの取締役についても存在するとの確証は得られず、対象とされた取締役の任務懈怠責任はないと判断されるので、当社としては、この提訴請求に応じないこととすることに監査役全員の意見が一致した。 　株主○○○○氏からは、不提訴の場合は、その理由を通知して欲しい旨の請求があるので、前記報告書に基づき監査役○○○○氏が不提訴理由の通知書を作成し各監査役の同意を得た後に、交付することとした。

監査役設置会社において、株主から取締役の責任追及等の訴えの提起請求があった場合には、監査役が当該会社を代表して、これを受け（386条2項1号）、会社として取締役に対する訴えを提起するかどうかを判断することとなる。この判断は、監査役の多数決によるものではなく、各監査役の独自の判断になるが、通常は、監査役会を開催して議論することとなろう。記載例では、監査役会を開催して、全員一致で訴えを提起しないと決定しているので問題はない。そして、この決定をした場合に、提訴請求をした株主からの請求があれば、遅滞なくその理由を書面または電磁的方法で通知しなければならない（847条4項、施行規則218条）。

この通知義務も各監査役にあるが、不提訴理由について全員の意見が一致しているのであれば、1通の書面をもって通知することに問題ない。

記載例は、不提訴とすることおよびその理由につき、監査役会を開催して審議した場合のものである。

c　株主総会へ提出する取締役の責任免除議案への同意

[記載例 3-40]　株主総会へ提出する取締役の責任免除議案に同意する場合

> 第○号議案　取締役の責任免除に係る議案に同意する件
> 　議長より、○○年○月○日に代表取締役○○○○氏から、会社法第 425 条に基づき、……の件に関して生じた取締役○○○○氏の責任免除に係る議案（詳細は別添資料のとおり）を第○期定時株主総会に提出したいので、各監査役の同意を得たいとの申出があったことを説明し、その適否について全員に諮った。慎重に審議した結果、出席監査役の全員がこの議案の提出に同意した。

監査役設置会社においては、取締役は、株主総会に取締役の責任免除議案を提出するには、各監査役の同意を得なければならない（425 条 3 項 1 号）。手続上、監査役会の決議は要しないが、監査役会における全員一致決議と各監査役の同意は実質的には同じであるので、実務上は監査役会の決議による方法が便利である。

なお、この同意は、監査役会規則（ひな型）11 条 1 項 2 号においても、監査役会における協議を経て行うことができるとされている。

d　取締役の責任免除を取締役会決議で可能とする定款変更議案への同意

[記載例 3-41]　取締役の責任免除を取締役会決議で可能とする定款変更議案に同意する場合

> 第○号議案　取締役の責任免除に係る定款変更議案に同意する件
> 　議長より、代表取締役○○○○氏から、会社法第 426 条に基づく取締役会決議による取締役の責任免除に係る定款変更議案（詳細は別添資料のとおり）を第○期定時株主総会に提出したいので、各監査役の同意を得たいとの申出があったことを説明し、その適否について全員に諮った。慎重に審議した結果、出席監査役の全員がこの議案の提出に同意した。

監査役設置会社においては、取締役会の決議により取締役の責任減免を認める定款変更議案を株主総会に提出するには、各監査役の同意が必要とされる（426条2項、425条3項1号）。

この同意は、監査役会の決議事項ではないが、監査役会規則（ひな型）11条1項3号においては、監査役会における協議を経て行うことができるとされている。

e　取締役（業務執行取締役等であるものを除く）との責任限定契約締結を可能とする定款変更議案への同意

［記載例3-42］　取締役（業務執行取締役等であるものを除く）との責任限定契約締結を可能とする定款変更議案に同意する場合

第○号議案　取締役（業務執行取締役等であるものを除く）との責任限定契約締結に係る定款変更議案に同意する件

議長より、代表取締役○○○○氏から、会社法第427条に基づく取締役（業務執行取締役等であるものを除く）の責任限定契約締結に係る定款変更議案を第○期定時株主総会に提出したいので、各監査役の同意を得たいとの申出があったことを説明し、その適否について全員に諮った。慎重に審議した結果、定款議案に定める額、その他の条件は適切なものと認められるので、出席監査役の全員がこの議案の提出に同意した。

取締役会の決議により取締役（業務執行取締役等であるものを除く）との責任限定契約を認める定款変更議案を株主総会に提出するには、各監査役の同意が必要とされる（427条3項、425条3項1号）。

この同意は、監査役会の決議事項ではないが、監査役会規則（ひな型）11条1項5号においては、監査役会における協議を経て行うことができるとされている。

f　定款規定に基づき取締役会に提出する取締役の責任免除議案への同意

［記載例 3-43］　定款規定に基づき取締役会に提出する取締役の責任免除議案に同意する場合

> 第○号議案　取締役○○○○氏の……の件に関する責任免除議案を取締役会に提出することに同意する件
>
> 議長より、代表取締役○○○○氏から、会社法第 426 条および当社定款第○条の定めに基づき、……の件に関する取締役○○○○氏の責任免除に関する以下の議案を○○年○月○日の取締役会に提出したいので、各監査役の同意を得たいとの申出があったことを説明した。その適否について全員に諮ったところ、出席監査役の全員がこの議案の取締役会への提出に同意した。
>
> 1　責任の原因となった事実の概要、その他の事情
>
> ……
>
> 2　責任免除を受ける取締役の氏名
>
> 取締役　○○○○氏
>
> 3　取締役○○○○氏の賠償責任額および免除することができる額
>
> 賠償の責任を負う額　　　○○○○万円
>
> 免除することができる額　　○○○万円
>
> 同上の算定根拠
>
> ……
>
> 4　責任を免除する理由および免除額
>
> ……

定款規定に基づき取締役の責任免除議案を取締役会に提出するには、各監査役の同意が必要とされる（426 条 2 項、425 条 3 項 1 号）。

この同意は、監査役会の決議事項ではないが、監査役会規則（ひな型）11 条 1 項 4 号においては、監査役会における協議を経て行うことができるとされている。

g　会社が株主代表訴訟の被告取締役に補助参加することへの同意

[記載例3-44]　会社が株主代表訴訟の被告取締役に補助参加することに同意する場合

> 第○号議案　取締役○○○○氏に対する株主代表訴訟につき補助参加する件
>
> 議長より、○○年○月○日付で、株主○○○○氏から取締役○○○○氏に対して提起された……に関する損害賠償訴訟について、代表取締役○○○○氏より、取締役○○○○氏に対して補助参加したい旨の申出があった。その理由は、代表取締役○○○○氏から提出された資料（別添）によれば、……のとおり、……である。これに関して、議長から審議を求め、各監査役にて慎重に協議した結果、全員異議なく同意することに決定した。

会社が被告取締役側に補助参加する場合は、会社と取締役間の利益相反関係はないので、会社を代表するのは原則どおり代表取締役である。ただし、その際には、各監査役の同意が必要となる（849条3項1号）。当該訴訟で取締役側が敗訴することにつき会社が法律上の利害関係を有する場合（民事訴訟法42条）が通例であろうが、その要件は必須ではない。

この同意は、監査役会の決議事項ではないが、監査役会規則（ひな型）11条1項6号においては、監査役会における協議を経て行うことができるとされている。

h　会社が株主代表訴訟において和解することに同意する場合

[記載例3-45]　会社が株主代表訴訟において和解することに同意する場合

> 第○号議案　取締役○○○○氏に対する株主代表訴訟につき和解する件
>
> 議長より、○○年○月○日付で、株主○○○○氏から取締役○○○○氏に対して提起された……に関する損害賠償訴訟について、代表取締役○○○○氏より、株主○○○○氏と和解したい旨の申出があった。その理由は、……である。これに関して、議長から審議を求め、各監査役にて慎重に協議をした結果、全員異議なく同意することに決定した。

改正会社法により、会社が取締役、清算人ならびにこれらの者であったものの責任を追及する訴えに係る訴訟において和解する場合は、各監査役の同意が必要となった（849条の2第1項）。

これは、定款規定に基づき取締役の責任免除議案を取締役会に提出する場合（426条2項、425条3項1号）や会社が株主代表訴訟の被告取締役側に補助参加する場合（849条3項1号）等に各監査役の同意が必要となることと平仄をとるものである。

この同意は、監査役会の決議事項ではないが、監査役会規則（ひな型）11条1項7号においては、監査役会における協議を経て行うことができるとされている。

8　監査役の報酬等の決定

a　監査役の報酬等の決定

［記載例3-46］　監査役の報酬等の決定について協議する場合

第○号議案　監査役の報酬等の額決定の件
議長より、第○期の各監査役の報酬等について、○○年○月○日に開催された第○期定時株主総会にて決議された監査役報酬等総額金○○○○万円を以下のとおり分配する旨全員に諮ったところ、出席監査役の全員の一致により承認可決された。
常勤監査役　○○○○氏　月額金○○万円
常勤監査役　○○○○氏　月額金○○万円
監　査　役　○○○○氏　月額金○○万円
監　査　役　○○○○氏　月額金○○万円
監　査　役　○○○○氏　月額金○○万円

監査役の報酬等は、定款にその額を定めていないときは、株主総会の決議によって定める（387条1項）。監査役が2人以上ある場合に、定款の定めまたは株主総会の決議により各監査役の報酬等の額が定められていないときは、各監査役の報酬等は、定款の定めまたは株主総会の決議により定められた報酬枠の範囲内において監査役の協議により定める（387条2項）。この際には、常勤・非常勤の別、監査業務の分担の状況、取締役の報酬等の内容および水準等を考慮する。

協議とは、全員一致の決定をいう（稲葉・改正会社法265頁、江頭・株式会社法566頁）。報酬等の額の決定は、監査役の協議による他、監査役全員の一致により、特定の監査役に一任したり、監査役の多数決によるものとすることは許される（大隅＝今井301頁、新版注釈会社法⑹489頁〔加美和照〕、江頭・株式会社法566頁）。

b　各監査役の報酬等決定の常勤監査役への一任

［記載例3-47］　監査役の報酬等決定について常勤監査役へ一任することについて協議する場合

第○号議案　監査役の報酬等の額を一任する件
　議長より、第○期の各監査役の報酬等について、○○年○月○日に開催された第○期定時株主総会においてその増額（総額○○○○万円）が承認されたので、当該報酬等総額の範囲内における各監査役の報酬等については、常勤監査役の○○○○氏および○○○○氏に一任することを諮ったところ、全員異議なく承認可決された。
　なお、各監査役の報酬等の決定の結果については、常勤監査役の○○○○氏から各監査役に書面をもって通知することとした。

監査役の報酬等は、定款にその額を定めていないときは、株主総会の決議によって定める（387条1項）。また、監査役が2人以上ある場合に、定款の定めまたは株主総会の決議により各監査役の報酬等の額が定められていないときは、各監査役の報酬等は、定款の定めまたは株主総会の決議により定められた報酬枠の範囲内において監査役の協議により定める（387条2項）。

記載例は、各監査役の報酬等の額の決定を常勤監査役に一任するものである。全監査役の合意があれば、このような一任も許されるものと解される。

9　その他の審議事項

a　特定の監査活動の報告

[記載例 3-48]　特定の監査活動として支店の実地調査について監査役会に報告する場合

> 報告事項　○○支店実地調査の報告の件
> 　議長の指名により、第○期事業年度に係る○○支店の実地調査を行った監査役○○○○氏から、当該調査の概要の報告が別紙に従ってなされ、意見交換を行った。

監査役は、監査役会の求めがあるときは、いつでもその職務の執行の状況を監査役会に報告しなければならない（390条4項）。

記載例のような支店の実地調査の報告の場合、報告すべき事項としては、①実地調査を行った日、②調査項目および調査した書類・帳簿等、③面談者がある場合にはその者の役職および氏名、④調査の結果等が考えられる。

b　経営課題の検討

[記載例 3-49]　経営課題である子会社の種類株式引受について協議する場合

> 第○号議案　子会社の増資引受の件
> 　議長より、○○年○月○日開催予定の取締役会においては、継続審議となっている子会社○○株式会社が発行予定のA種種類株式の引受の件が決議されることから、監査役としての意見を表明すべきか否かについて議論しておきたい旨の説明があった。
> 　意見交換の結果、A種種類株式の引受に応じた場合の当社のメリットおよびデメリットについての検討結果を取締役会の開催に先立ち監査役会に報告するように担当部署に求めることとし、報告内容を踏まえて再度検討することを全員一致で決定した。

監査役は、取締役会に出席して、必要があると認められるときは意見を述べなければならない（383条1項）。また、監査役は取締役の法令・定款違反の行為等により会社に著しい損害が生じるおそれがあるときは、当該取締役に対して、当該行為をやめることを請求することができる（385条1項）。これらの義務の履行や権限の行使は、各監査役が行うものであるが、各監査役において意見交換のうえ、共同で行動することが適切な場合もある。

記載例は、取締役の善管注意義務との関係で問題となりかねない子会社の発行しようとする種類株式の引受けについて、あらかじめ監査役間で意見交換をした場合の例である。

c　中間配当の適法性確認

［記載例3-50］　中間配当が分配可能額の限度内であり適法であることの確認を行う場合

> 第○号議案　第○期の中間配当の適法性の件
>
> 議長より、○○年○月○日開催予定の取締役会に付議予定の当事業年度の会社法454条5項に定める剰余金の配当（中間配当）は、その基準日を定款第○条の定めにより9月30日とし、一株当たり金○○円、総額金○○○○○○円、その効力発生日を○○年12月○日とするとの報告がなされた。
>
> この配当総額については、会社法第461条第2項に定める分配可能額の限度内であることから、中間配当は適法である旨の説明があった。
>
> 監査役全員は、異議なく議長の説明を了承した。

剰余金の配当は、効力発生日における分配可能額を超えてはならない（461条1項8号）という財源規制に服する。中間配当を行った結果として、中間配当を行った日の属する事業年度に係る計算書類において欠損が生じた場合には、これに関する職務を行った業務執行者は、無過失を証明しない限り、会社に対して連帯してその超過額を支払う義務を負う（465条1項10号）。

記載例は、中間配当が決議される取締役会に先立ち、剰余金の分配規制との関係で中間配当の適法性について、監査役会において確認をするものである。

10 監査役会への報告の省略

［記載例 3-51］ 監査役会への報告を省略する場合

監査役会議事録

監査役会への報告事項について、代表取締役○○○○氏から監査役の全員に対して以下のとおり書面をもって通知がされたことから、会社法第 395 条に基づき監査役会への報告が省略された。

1 報告を要しないものとされた事項の内容

……

2 報告を要しないものとされた日

○○年○月○日

3 議事録の作成に係る職務を行った監査役の氏名

常勤監査役○○○○

以上のとおり、監査役会への報告を要しないものとされたので、これを証するため、この議事録を作成する。

○○年○月○日

常勤監査役○○○○ ㊞

報告事項は、報告義務を負う取締役、会計参与、監査役または会計監査人が、監査役の全員に当該事項を通知したときは、監査役会に報告することを要しない（395 条）。

取締役に報告義務がある場合とは、取締役が会社に著しい損害を及ぼすおそれのある事実があることを発見したときであり（357 条 1 項・2 項）、会計参与・会計監査人に報告義務がある場合とは、取締役の職務の執行に関し不正の行為または法令もしくは定款に違反する重大な事実を発見したときである（375 条 1 項・2 項、397 条 1 項・3 項）。

通知により報告が省略された場合であっても議事録の作成を要し、議事録には、①報告を要しないものとされた事項の内容、②報告を要しないものとされた日、③議事録の作成に係る職務を行った監査役の氏名を記載する（施行規則109条4項）。

11　議長の閉会宣言と閉会時刻

［記載例3-52］　閉会宣言と閉会時刻を一連の文章として記載する例

> 以上をもって本日の議事は終了したので、午後○時○分、議長は閉会を宣した。

監査役会は、議長の閉会宣言により閉会となる。閉会宣言までが議事の経過の一部であるため、議事録に記載する。

閉会宣言と閉会時刻は、慣行上、一連の文章として記載される。

12　保証文言

［記載例3-53］　保証文言

> ここに議事の経過の要領および結果を記載し、出席した監査役は記名押印する。

保証文言は、その文章の作成した目的を明確にするため末尾に記載される。

第３章
監査役会議事録記載例

本章には、監査役会議事録の代表例として、監査報告書作成に関する監査役会議事録と株主総会終結後の監査役会議事録の各記載例を掲載している。

各議事録に記載の議事に係る解説については、第２章の［記載例3-8］、［記載例3-20］、［記載例3-24］、［記載例3-46］を参照されたい。

［記載例3-54］　監査報告書作成に関する監査役会議事録記載例

監　査　役　会　議　事　録

１　日　時　　○○年○月○日（○曜日）午前○時
２　場　所　　東京都○○区○○町○番○号　当社本店会議室
３　出席者　　常勤監査役○○○○、監査役○○○○および○○○○の全員
４　議　事

常勤監査役○○○○は議長となり開会を宣し議事に入った。

決議事項
第１号議案　監査報告書作成の件

議長から、第○期事業年度の監査役会の監査報告書作成に当たり、各監査役が実施した監査の方法および結果について報告を求めたところ、各監査役から、それぞれの監査報告書に基づき、業務監査については、当該事業年度の監査の方針、監査の方法および業務分担に従い、それぞれ実施した監査の内容について、関係資料に基づき報告が行われた。また会計監査についても、各監査役が計算書類（貸借対照表、損益計算書、株主資本等変動計算書および個別注記表）および附属明細書ならびに連結計算書類（連結貸借対照表、連結損益計算書、連結株主資本等変動計算書、連結注記表）の監査をそれぞれ実施するとともに、会計監査人から報告・説明を受けるなどして、会計監

査人の監査の方法が相当であることを確認した旨の報告が行われた。

次に、監査報告の内容について審議した結果、別紙のとおり監査役会の監査報告書（※）を作成することに全員異議なく承認可決した。

また、議長から、当監査報告書を取締役および会計監査人に提出することを決定した。

第2号議案　株主総会提出議案および書類に関する調査の件

議長から、第○期定時株主総会提出議案および書類の調査結果について、各監査役の報告を求めたところ、各監査役から法令および定款に適合しており、著しく不当な事項は認められなかった旨の報告がなされ、協議の結果、全員一致して指摘事項はないことを確認した。

以上をもって、本日の議事を終了したので議長は午前○時○分閉会を宣した。

ここに議事の経過の要領および結果を記載し、出席した監査役は記名押印する。

○○年○月○日

○○○○株式会社　監査役会

議長　常勤監査役　○○○○　㊞

監査役　○○○○　㊞

監査役　○○○○　㊞

（※）本議事録は、日本監査役協会の監査報告書ひな型にならい、事業報告、計算書類、連結計算書類に係る監査報告書をすべて一体化して作成する場合の例である。また、法文上は「監査役会の監査報告」であるので、この表現を用いる場合は、「監査役会の監査報告書」を「監査役会の監査報告」に置き換える。

[記載例3-55]　株主総会終結後の監査役会議事録記載例

監　査　役　会　議　事　録

1　日　　時　　○○年○月○日（○曜日）午前○時
2　場　　所　　○○区○○町○丁目○番○号　当社本店会議室
3　出 席 者　　○○常勤監査役、○○監査役、○○監査役
4　議　　事

○○監査役が議長となり開会を宣し議事に入った。

〔決議事項〕

1　常勤監査役選定の件

議長から、常勤監査役の選定を本監査役会にて行いたい旨を諮ったところ、全員の同意があり、○○監査役を常勤監査役に選定することに全員が賛成し、○○監査役は就任を承諾した。

〔協議事項〕

1　退任監査役に対する退職慰労金贈呈の件

議長から、退任監査役○○○○氏に対する退職慰労金贈呈の件につき、本日開催の定時株主総会において、当社所定の一定の基準に従って贈呈すること、かつ、その具体的金額、贈呈の時期および方法については監査役の協議に一任することに承認可決されたので、その協議を本監査役会において行いたい旨を諮ったところ、全員同意し、協議の結果、全員の合意によりその金額、贈呈の時期および方法を決定し、別途協議書を作成した。

2　監査役賞与の配分の件

議長から、本日開催の定時株主総会において承認された監査役賞与の各監査役への配分の件につき、その協議を本監査役会において行いたい旨を諮ったところ、全員同意し、協議の結果、全員の合意により各監査役への配分額を決定し、別途協議書を作成した。

3　監査役報酬の配分の件

議長から、監査役報酬の各監査役への配分の件につき、その協議を本監査役会において行いたい旨を諮ったところ、全員同意し、協議の結果、全員の合意により各監査役への配分額を決定し、別途協議書を作成した。

以上をもって、本日の議事を終了したので議長は午後○時○分閉会を宣し

た。

　ここに議事の経過の要領および結果を記載し、出席した監査役は記名押印する。

　○○年○月○日

○○○○株式会社

議長　常勤監査役　○○○○　㊞

監査役　○○○○　㊞

監査役　○○○○　㊞

第4編

監査等委員会設置会社に関する議事録

第１章　監査等委員会設置会社制度の概要

監査等委員会設置会社は、監査役を置くことができず（327条4項）、監査機関として監査等委員である取締役３名以上による監査等委員会を設置する。監査等委員の過半数は社外取締役でなければならない（331条6項）。この機関設計を利用するためには、取締役会設置会社かつ会計監査人設置会社（327条1項3号・5項）となる必要がある。

監査等委員は取締役であるが（399条の2第2項）、監査等委員会設置会社もしくはその子会社の業務執行取締役もしくは支配人その他の使用人または当該子会社の会計参与もしくは執行役を兼ねることはできない（331条3項）。

監査等委員会設置会社においては、取締役（監査等委員であるものを除く）の任期は、選任後１年以内に終了する事業年度のうち最終のものに関する定時株主総会の終結の時までであり、監査等委員である取締役の任期は、選任後２年以内に終了する事業年度のうち最終のものに関する定時株主総会の終結の時までである。監査等委員である取締役の任期は、定款または株主総会の決議により短縮することはできない（332条3項・4項）。

監査等委員会は、その職務として、①取締役の職務の執行の監査および監査報告の作成、②株主総会に提出する会計監査人の選任および解任等に関する議案の内容の決定、③監査等委員である取締役以外の取締役の選任、解任もしくは辞任または報酬等についての監査等委員会の意見の決定を行う（399条の2第3項）。監査等委員会は合議制の機関であり、監査・監督権限は監査等委員会が有しており、個々の監査等委員が独任性の機関ではない点で監査役とは異なる。

監査等委員会は、内部統制システムを利用した監査を行うことが想定されていることから、必ずしも常勤の監査等委員を選定することは要しない。監査等委員会は、監査等委員である取締役の選任議案への同意権および選任議題・議案提案権を有するとされる点（344条の2第1項・2項）、監査等委員である取締役の選任・解任・辞任に関する意見陳述権および辞任後に辞任に関する意見陳述権を有するとされる点（342条の2第4項）、その報酬等は業務執行に関わる取締役とは区別して定款または株主総会の決議において定め、監査等委員である各取締役の報酬等につき定款または株主総会の決議がないときは、定められた報酬等の総額の範囲内において監査等委員の協議により決定する点（361条2項・3項）において、監査役制度と類似した制度である。また、監査等委員である取締役の解任が、株主総会の特別決議によるものとされる点（344条の2第3項）も、監査役制度と同様である。

一方、取締役の過半数が社外取締役である場合または取締役会の決議によって重要な業務執行の決定の全部または一部を取締役に委任することができる旨の定款の規定がある場合には、指名委員会等設置会社と同様に、取締役会の決議により取締役社長等特定の取締役に重要な業務執行の決定を委任することができるという特徴も有している（399条の13第5項・6項）。具体的には、重要な業務執行（399条の13第4項）のうち、重要な財産の処分および譲受け（399条の13第4項1号）、多額の借財の決定（同項2号）、支配人その他の重要な使用人の選任および解任（同項3号）、支店その他の重要な組織の設置、変更および廃止（同項4号）、社債を引き受ける者の募集に関する重要な事項（同項5号）等の決定を取締役社長等特定の取締役に委任することが認められる。

重要な業務執行の決定を取締役に委任する決議は、個別の事項ごとに決議を行うことも、委任する事項について包括的に決議を行うことも可能である。

また、監査役設置会社および指名委員会等設置会社とは異なる点として、監査等委員会の承認を受けた、会社と監査等委員である取締役以外の取締役との利益相反行為について、取締役の任務懈怠の推定規定（423条3項）は適用されないという特徴を有する（同条4項）。

第2章　監査等委員会設置会社の株主総会議事録と取締役会議事録

第1節　監査等委員会設置会社の株主総会議事録

1　主な記載内容

監査等委員会設置会社における株主総会議事録には、［図表4-1］に示される事項を、その内容としなければならない（318条、施行規則72条3項）。

［図表4-1］　株主総会議事録の記載事項（施行規則72条3項）

①　株主総会が開催された日時および場所（1号）
②　株主総会の議事の経過の要領およびその結果（2号）
③　監査等委員である取締役または会計監査人等により、株主総会において述べられた意見または発言があるときは、その意見または発言の内容の概要（3号）
④　株主総会に出席した監査等委員である取締役、監査等委員である取締役以外の取締役または会計監査人の氏名もしくは名称（4号）
⑤　株主総会の議長がいるときは、議長の氏名（5号）
⑥　議事録の作成に係る職務を行った取締役の氏名（6号）

［図表4-1］のうち、①については、株主総会が開催された場所にいない監査等委員である取締役またはそれ以外の取締役、会計監査人または株主が、株主総会に出席をした場合における当該出席の方法が含まれる（詳細は、前記第1編第1章第2節1⑴参照）。

③については、具体的には次の事項が該当する。なお、c および e は、取締役（監査等委員であるものを除く）の人事および報酬に関して、監

査等委員会による株主総会での意見陳述権を付与することにより、監督機能の強化を図ることとされているものである（監査等委員会の意見の決定に関しては、後記第4章第2節7参照）。

a　監査等委員である取締役または会計監査人によるこれらの者の選解任等および辞任についての意見（施行規則72条3項3号イ・ニ）

b　辞任等をした監査等委員である取締役または会計監査人による、辞任等した旨およびその理由等（同号ロ・ホ）

c　監査等委員会が選定する監査等委員による、監査等委員である取締役以外の取締役の選任等に関する監査等委員会の意見（同号ハ）

d　監査等委員である取締役による、監査等委員である取締役の報酬等についての意見（同号ヘ）

e　監査等委員会が選定する監査等委員による、監査等委員である取締役以外の取締役の報酬等に関する監査等委員会の意見（同号ト）

f　計算関係書類の法令・定款への適合性について会計監査人と監査等委員会または監査等委員との意見が異なる場合における会計監査人の意見（同号ワ）

g　会計監査人が出席を求められた場合における会計監査人の意見（同号カ）

h　監査等委員が、取締役が株主総会に提出しようとする議案等につき、法令・定款違反または著しく不当な事項があると認める場合についての報告（同号ヨ）

2　株主総会議事録の記載例

次に記載するものは、監査等委員会設置会社における定時株主総会議事録であり、個別審議方式の場合の記載例である。

［記載例4-1］　株主総会議事録の記載例（個別審議方式の場合）

第○期定時株主総会議事録

1　開催日時　　○○年○月○日（○曜日）午前○時

2　開催場所　　東京都○○区○○町○番○号　当社本店○階会議室
3　出席株主数および議決権数
議決権を行使することができる株主の数
その議決権数
本日出席の株主数（議決権行使書によるものを含む）
その議決権数
4　出席した取締役
出席取締役（監査等委員であるものを除く）
○○○○、○○○○、……および○○○○の○名
出席監査等委員である取締役
○○○○、○○○○、……および○○○○の○名
5　株主総会の議長　代表取締役社長○○○○
6　議事の経過の要領およびその結果
定刻、取締役社長○○○○は、定款第○条の定めに基づき議長席に着き開会を宣した。
議長は、出席株主数および議決権数について事務局から報告させ、本総会の各議案の決議に必要な定足数を充たしている旨を述べた。

報告事項
1　第○期（○○年○月○日から○○年○月○日まで）事業報告の内容、連結計算書類の内容ならびに会計監査人および監査等委員会の連結計算書類監査結果報告の件
2　第○期（○○年○月○日から○○年○月○日まで）計算書類の内容報告の件
議長が連結計算書類の監査結果を含め監査等委員会に監査報告を求めたところ、監査等委員である取締役○○○○から、当事業年度の監査報告は別添の「第○期定時株主総会招集ご通知」○頁の監査等委員会の監査報告書謄本に記載のとおりである旨の報告がなされた。また、連結計算書類の監査結果について、同じく○頁から○頁の会計監査人および監査等委員会の監査報告書謄本に記載のとおりである旨の報告がなされた。
続いて、議長から、事業報告、連結計算書類および計算書類の内容につい

て、別添の「第○期定時株主総会招集ご通知」○頁から○頁に基づき報告がなされた。

次いで、議長は報告事項について出席株主に質問を求めたところ、株主○○○○氏から……の件について質問があり、議長から、……の回答がなされた。

以上をもって報告事項に関する質疑が終了したので、各議案の審議に入った。

決議事項

第1号議案　剰余金の配当の件

(略)

第2号議案　定款一部変更の件

(略)

第3号議案　取締役（監査等委員であるものを除く。）○名選任の件

議長から、取締役（監査等委員であるものを除く。以下、本議案において同じ。）○名全員は本総会終結の時をもって任期満了となるので、新たに「第○期定時株主総会招集ご通知」○頁から○頁に記載の取締役候補者○名を取締役に選任したい旨を説明し、議場に諮ったところ、出席株主の議決権の過半数の賛成をもって○○○○、○○○○、○○○○、……および○○○○の○名が取締役に選任された。

被選者はそれぞれ就任を承諾した。

第4号議案　監査等委員である取締役○名選任の件

議長から、監査等委員である取締役○○○○および○○○○は本総会終結の時をもって任期満了となるので、新たに「第○期定時株主総会招集ご通知」○頁から○頁に記載の監査等委員である取締役候補者○○○○および○○○○を監査等委員である取締役に選任したい旨および本議案の提出には監査等委員会の同意を得ている旨を説明し、議場に諮ったところ、出席株主の議決権の過半数の賛成をもって○○○○および○○○○の○名が監査等委員である取締役に選任された。

被選者はそれぞれ就任を承諾した。

第5号議案　補欠の監査等委員である取締役○名選任の件

議長から、監査等委員である取締役の員数を欠くこととなる場合に備え、

「第○期定時株主総会招集ご通知」○頁に記載の補欠の監査等委員である取締役候補者○○○○を補欠の監査等委員である取締役に選任したい旨および本議案の提出には監査等委員会の同意を得ている旨を説明し、議場に諮ったところ、出席株主の議決権の過半数の賛成をもって○○○○が補欠の監査等委員である取締役に選任された。

第6号議案　役員賞与の支給の件

議長から、当事業年度の業績等を総合的に勘案し、役員賞与として取締役（監査等委員であるものを除く。）○名に対し総額○○○円（うち社外取締役分○○円）を支給することとしたい旨を説明し、議場に諮ったところ、出席株主の議決権の過半数の賛成をもって原案どおり承認可決された。

第7号議案　取締役（監査等委員であるものを除く。）の報酬額改定の件

議長から、取締役（監査等委員であるものを除く。以下、本議案において同じ）の報酬額は、○○年○月○日開催の第○回定時株主総会において、取締役報酬額を年額○○○円以内（うち社外取締役分は○○○円以内）と承認され現在に至っているが、経済情勢の変化その他諸般の事情を考慮して取締役報酬額を年額○○○円以内（うち社外取締役分は年額○○○円以内）に改定したい旨を述べ、取締役の報酬額には、従来どおり使用人兼務取締役の使用人分給与は含まない旨を説明し、議場に諮ったところ、出席株主の議決権の過半数の賛成をもって原案どおり承認可決された。

第8号議案　監査等委員である取締役の報酬額改定の件

議長から、監査等委員である取締役の報酬額は、○○年○月○日開催の第○回定時株主総会において、年額○○○円以内と承認され現在に至っているが、経済情勢の変化その他諸般の事情を考慮して監査等委員である取締役の報酬額を年額○○○円以内に改定したい旨を説明し、議場に諮ったところ、出席株主の議決権の過半数の賛成をもって原案どおり承認可決された。

以上をもって、報告事項および決議事項のすべてが終了したので、議長は午前○時○分閉会を宣した。

ここに議事の経過の要領およびその結果を明確にするため、本議事録を作成する。

○○年○月○日

○○○○株式会社
議事録の作成に係る職務を行った取締役
代表取締役社長○○○○　㊞

（注）上記記載に係る注意事項については、［記載例 1-99］株主総会議事録記載例を参照されたい。なお、監査等委員会の指名・報酬等に関する意見等があれば記載する。

第２節　監査等委員会設置会社の取締役会議事録

１　主な記載内容

監査等委員会設置会社における取締役会議事録には、［図表 4-2］に示される事項を、その内容としなければならない（369 条 3 項、施行規則 101 条 3 項）。

［図表 4-2］　取締役会議事録の記載事項（施行規則 101 条 3 項）

① 取締役会が開催された日時および場所
② 特別取締役による取締役会であるときは、その旨
③ 定款等で定められた招集権者が招集した場合以外の場合は、その旨
④ 取締役会の議事の経過の要領およびその結果
⑤ 決議を要する事項について特別の利害関係を有する取締役がいるときは、当該取締役の氏名
⑥ 会社法で定める一定の規定により取締役会において述べられた意見または発言があるときは、その意見または発言の内容の概要
⑦ 取締役会に出席した会計監査人または株主の氏名または名称
⑧ 取締役会の議長がいるときは、議長の氏名

［図表 4-2］のうち、①については、取締役会が開催された場所にいない監査等委員である取締役またはそれ以外の取締役、会計監査人または株主が、取締役会に出席をした場合における当該出席の方法が含まれる（詳

細は、前記第１編第１章第２節１(1)参照)。

③については、具体的には次の場合が該当する。

a　招集権者以外の取締役の招集請求を受けて招集された取締役会（366条２項）

b　招集権者以外の取締役が招集した取締役会（366条３項）

c　監査等委員会が選定した監査等委員が招集した取締役会（399条の14）

2　取締役会議事録の記載例

(1)　定時株主総会の招集について決定する場合

[記載例４-２]　定時株主総会の招集について決定する場合

取　締　役　会　議　事　録

１　日　　時　　○○年○月○日（○曜日）午前○時○分

２　場　　所　　東京都○○区○○町○番○号　当社本店○階会議室

３　出 席 者　　取締役（監査等委員であるものを除く）○○○○、○○○○、○○○○、○○○○、……および○○○○の全員
監査等委員である取締役○○○○、取締役○○○○および○○○○の全員

４　議　　事

取締役社長○○○○は議長となり開会を宣し議事に入った。

決議事項

第○号議案　第○期定時株主総会招集の件

議長より、当社第○期定時株主総会に関し、以下のとおり招集したい旨および株主総会参考書類に記載すべき事項については別紙の株主総会参考書類のとおりとし、軽微な修正については、取締役社長に一任する旨を諮ったところ、全員異議なく承認した。

１　日　　時　　○○年○月○日　午前○時

２　場　　所　　当社本店○階会議室

３　目的事項

報告事項　1　第○期（○○年○月○日から○○年○月○日まで）事業報告の内容、連結計算書類の内容ならびに会計監査人および監査等委員会の連結計算書類監査結果報告の件

2　第○期（○○年○月○日から○○年○月○日まで）計算書類の内容報告の件

決議事項

第1号議案　剰余金処分の件

第2号議案　定款一部変更の件

第3号議案　取締役（監査等委員である取締役を除く。）○名選任の件

第4号議案　監査等委員である取締役○名選任の件

第5号議案　補欠の監査等委員である取締役○名選任の件

第6号議案　役員賞与の支給の件

第7号議案　取締役（監査等委員であるものを除く。）の報酬額改定の件

第8号議案　監査等委員である取締役の報酬額改定の件

以上をもって、議案の審議を終了したので議長は午前○時○分閉会を宣した。

ここに議事の経過の要領および結果を記載し、出席した取締役は記名押印する。

○○年○月○日

○○○○株式会社　取締役会

議長　代表取締役社長○○○○　㊞

専務取締役○○○○　㊞

常務取締役○○○○　㊞

取締役○○○○　㊞

取締役○○○○　㊞

取締役○○○○　㊞

取締役・監査等委員（常勤）○○○○　㊞

取締役・監査等委員○○○○　㊞

取締役・監査等委員○○○○　㊞

⑵　定時株主総会直後に取締役会を開催する場合

［記載例４－３］　定時株主総会直後に取締役会を開催する場合

取　締　役　会　議　事　録

１　日　　時　　○○年○月○日（○曜日）午前○時○分

２　場　　所　　東京都○○区○○町○番○号　当社本店○階会議室

３　出 席 者　　取締役（監査等委員であるものを除く）○○○○、○○○○、○○○○、○○○○、……および○○○○の全員

監査等委員である取締役○○○○、○○○○および○○○○の全員

４　議　　事

出席取締役の互選により○○○○氏が議長となり開会を宣し議事に入った。

決議事項

第１号議案　代表取締役選定の件

議長から、本日開催の第○期定時株主総会において取締役（監査等委員であるものを除く。）全員任期満了による改選の結果、代表取締役を選定したい旨を述べたところ、取締役○○氏から○○○○氏を推薦する旨の提案があり、出席取締役全員異議なくこれを承認した。被選者は就任を承諾した。

第２号議案　役付取締役選定の件

議長から、本日開催の定時株主総会において取締役（監査等委員であるものを除く。）全員任期満了により改選の結果、取締役○名の選任があったので、定款第○条の規定に基づき、取締役社長に○○○○氏、取締役副社長に○○○○氏、専務取締役に○○○○氏ならびに常務取締役に○○○○および○○○○の両氏を選定したい旨を諮ったところ、出席取締役全員異議なくこれに賛成し、被選者はいずれも就任を承諾した。

第３号議案　職務代行順位決定の件

議長から、定款第○条および第○条の規定に基づき、取締役社長に事故あるときの株主総会の招集権者および議長の職務代行順位を以下のとおり決定したい旨を諮ったところ、出席取締役全員異議なくこれを承認可決した。

第１順位　専務取締役　○○○○

第２順位　常務取締役　○○○○

第４号議案　業務執行取締役選定の件

議長から、本日開催の第○期定時株主総会の終結の時をもって取締役（監査等委員であるものを除く。）全員の任期が満了しその改選が行われたため、下記のとおり業務執行取締役を選定したい旨を諮ったところ、出席取締役全員異議なくこれを承認可決した。

地　位	氏　名	担　当
専務取締役	○○○○	経営企画担当
常務取締役	○○○○	人事・総務担当
取締役	○○○○	財務担当
取締役	○○○○	営業担当

第５号議案　取締役に対する賞与配分の件

議長から、本日開催の定時株主総会において役員賞与支給議案として承認された取締役（監査等委員であるものを除く。）に対する賞与金の配分につき決定したい旨を述べたところ、取締役（監査等委員であるものを除く。）○○○○氏から具体的金額の決定については、監査等委員会および報酬諮問委員会への答申結果を踏まえて、別紙のとおりとしたい旨の提案があり、出席取締役全員異議なくこれを承認可決した。(注)

第６号議案　取締役（監査等委員であるものを除く。）の報酬額改定の件

議長から、○○年○月○日開催の第○期定時株主総会において、取締役（監査等委員であるものを除く。）の報酬額改定の件として承認可決された年額報酬の範囲内で、○○年○月以降の各取締役（監査等委員であるものを除く。）の報酬額の具体的金額につき決定したい旨を述べたところ、取締役（監査等委員であるものを除く。）○○○○氏から具体的金額の決定については、監査等委員会および報酬諮問委員会への答申結果を踏まえて、別紙のとおりとしたい旨提案があり、出席取締役全員異議なくこれを承認可決した。(注)

<以下略>

（注） 別紙の内容については、取締役社長に一任する場合もある。

（※） その他必要に応じて、責任限定契約の締結手続き、D&O保険の付保手続き、利益相反取引の承認等を行う。

第3章　監査等委員会議事録に関する総論

第1節　意義

1　監査等委員会の意義

(1)　概要

監査等委員である取締役は、指名委員会等設置会社における監査委員とは違い、株主総会の決議で選任される。さらに、その報酬等は、定款で定めない限り株主総会の決議により定められる。これらは、監査等委員である取締役以外の取締役と区別して決議される（329条2項、361条2項）。したがって、監査等委員会は監査役会と同様に、取締役会から一定程度独立したものとして位置づけられている（坂本三郎ほか「平成26年改正会社法の解説（Ⅱ）」商事法務2042号25頁）。

監査等委員会は、監査等委員である取締役3名以上で構成され、そのうち過半数は社外取締役（2条15号）でなければならない（331条6項）。また、すべての監査等委員で組織される（399条の2第1項）。

監査役会では常勤監査役の選定が義務づけられているのに対し（390条3項）、監査等委員会では常勤監査等委員の選定は義務づけられていない。これは、監査等委員会では内部統制システムを利用した組織的監査に重点が置かれているからである。

399条の2第3項では、監査等委員会の職務が、①取締役の職務の執行の監査および監査報告の作成、②会計監査人の選解任等に関する議案の内容の決定、③監査等委員である取締役以外の取締役の選解任等および報酬等についての意見の決定であることが明確にされている。

⑵ 監査等委員会の職務

a 取締役の職務の執行の監査および監査報告の作成

監査等委員会は、取締役の職務の執行につき、適法性という観点から監査を行うとともに、妥当性・効率性の観点からも監査を行う。後者は、監査等委員である取締役は取締役会の構成員として、その議決権を有することに起因する。監査等委員会は、内部統制システムが適切に構築・運営されているかを監視し、他方で当該システムを利用して必要な情報を入手し、必要に応じて内部統制部門に具体的指示を行い監査を行う（坂本・一問一答55頁）。

監査等委員会は監査報告を作成し（施行規則130条の2第1項）、その内容は監査等委員会の決議をもって定めなければならない（同条2項）。監査等委員は、各々監査報告を作成する必要はなく、この点で監査役の役割との相違がある。

b 会計監査人の選解任等に関する議案の内容の決定

監査等委員会は、株主総会に提出する会計監査人の選任および解任ならびに会計監査人を再任しないことに関する議案の内容を決定する（399条の2第3項2号）。当該権限は、監査等委員会の専属であり、取締役会は、監査等委員会が決定した当該議案の内容の変更等を行うことはできない。

c 監査等委員である取締役以外の取締役の選解任等および報酬等についての意見の決定

監査等委員会は、監査等委員である取締役以外の取締役の選解任・辞任および報酬等についての意見を決定する必要があり（399条の2第3項3号）、監査等委員会が選定する監査等委員は、株主総会において、その意見を述べることができる（342条の2第4項、361条6項）。ここでいう報酬等は、上記の権限が指名委員会等設置会社における報酬委員会に準ずる経営評価の役割が期待される関係上、その全員に支給する総額ではなく、報酬等の内容についての決定に関する方針（361条7項）を含む個人別の報酬等を意味する（江頭・株式会社法618頁）。

⑶ 決議方法と決議事項

監査等委員会の決議は、議決に加わることができる監査等委員の過半数が出席し、その過半数をもって行う（399条の10第1項）。また、特別の利害関係を有する監査等委員は、決議に加わることはできない（同条2項）。

監査等委員会の決議事項としては、前記⑵における各事項のほかに、会計監査人の報酬等に対する同意（399条1項・3項）、仮会計監査人の選任（346条4項・7項）、監査等委員である取締役以外の取締役が行う会社との利益相反取引の承認（423条4項）、所定の権限等を行使する監査等委員の選定（340条3項・5項、342条の2第4項、361条6項、399条の3第1項・2項等）などが挙げられる。なお、監査等委員の全員の同意が必要な事項、すなわち、会計監査人の解任（340条2項・5項）、取締役の会社に対する責任の一部免除等の議案の提出（425条3項2号、426条2項、427条3項）、株主代表訴訟につき会社が被告側に補助参加する申出をすること（849条3項2号）については、監査役会と同様に監査等委員会の決議は必須ではないものと考えられる。

2 議事録作成の意義

監査等委員会議事録は、株主総会議事録および取締役会議事録（以下、この章において、両議事録を併せて「株主総会議事録等」という）と同様に議事の経過の要領およびその結果を中心に記載する（399条の10第3項、施行規則110条の3）。法令に基づき、正確かつ明確な記載がなされることで、証拠力が備わり訴訟上の証拠資料となるとともに、株主等による閲覧・謄写の請求対象となる。ただし、株主総会議事録等と異なり、商業登記申請時の添付書類となる場合は限定される（第3編第2章第3節5e）。

監査等委員会の決議に参加した監査等委員であって、監査等委員会議事録に異議をとどめないものは、その決議に賛成したものと推定される（399条の10第5項）。この定めの趣旨は取締役会議事録におけるものと同様である。

監査等委員である取締役は、監査等委員会議事録に記載・記録すべき事項を記載・記録せず、または虚偽の記載・記録をしたときは、100万円以下の過料に処せられる（976条7号）。

第2節　議事録作成の実務

1　主な記載内容

(1)　通常の監査等委員会の場合

会社法では、監査等委員会議事録は、［図表4-3］に示される事項を、その内容としなければならない（399条の10第3項、施行規則110条の3第3項）。

［図表4-3］　監査等委員会議事録の記載事項（施行規則110条の3第3項）

①　監査等委員会が開催された日時および場所
②　監査等委員会の議事の経過の要領およびその結果
③　決議を要する事項について特別の利害関係を有する監査等委員がいるときは、その氏名
④　会社法で定める一定の規定により監査等委員会で述べられた意見または発言があるときは、その意見または発言の内容の概要
⑤　監査等委員会に出席した取締役または会計監査人の氏名または名称
⑥　監査等委員会の議長が存するときは、議長の氏名

［図表4-3］のうち、①については、監査等委員会が開催された場所にいない監査等委員、取締役（監査等委員であるものを除く）または会計監査人が、監査等委員会に出席をした場合における当該出席の方法が含まれる。その取扱いは、監査役会における場合（第3編第1章第2節1(1)）と同様である。

④については、具体的には次の場合が該当する。

a　取締役による会社に著しい損害を及ぼすおそれのある事実の報告（357条1項・3項）

b　会計監査人による取締役の職務の執行に関する不正の行為または法令

もしくは定款に違反する重大な事実の報告（397条1項・4項）

(2) 監査等委員会における報告の省略

監査等委員会においても、監査役会と同じく（第3編第1章第2節1(2)）、監査等委員全員の同意の意思表示があったとしても、監査等委員会の決議があったとみなすことはできない。一方、監査等委員全員に対して監査等委員会に報告すべき事項が通知されたときは、当該事項を監査等委員会へ報告することは要しない（399条の12）。この場合の監査等委員会議事録は、［図表4-4］に示される事項がその内容となる。

［図表4-4］ 報告が省略された場合の監査等委員会議事録の記載事項（施行規則110条の3第4項）

① 監査等委員会への報告を要しないものとされた事項の内容
② 監査等委員会への報告を要しないものとされた日
③ 議事録の作成に係る職務を行った監査等委員の氏名

2 作成義務者

監査等委員会議事録の作成者については、監査役会議事録におけるものと同様に特段の定めはない。もっとも、常勤監査等委員がいる場合はその者が作成し、いない場合はあらかじめ監査等委員会の決議により選定された監査等委員に委ねることが考えられる。また、監査等委員会の職務を補助すべき取締役および使用人が置かれているときは、これらの者に作成の実務を委ねることもあり得る。

監査等委員会における報告の省略がなされた場合の議事録には、［図表4-4］のとおり、「議事録の作成に係る職務を行った監査等委員の氏名」が、その内容となっている。

3 作成時期

監査等委員会議事録の作成時期や期限については、明文の定めはないが、株主総会議事録等と同様に、商業登記の変更に関連して、2週間以内での作成を目安とすべきであろう（備置期間の考え方につき、第3編第1章第2節3）。

4　記名押印

監査等委員会議事録が書面をもって作成されているときは、出席した監査等委員は、これに署名し、または記名押印しなければならない（399条の10第3項、電磁的記録をもって作成されている場合および議事録に異議をとどめない場合の取扱いならびに議事録に押印する印鑑の取扱いについては、第3編第1章第2節4を参照）。

5　電磁的記録による作成

監査等委員会の議事録は、電磁的記録（26条2項括弧書）をもって作成することができる（施行規則110条の3第2項、電磁的記録の定義等については、第3編第1章第2節5を参照）。

6　様式および体裁

第3編第1章第2節6を参照されたい。

第3節　備置きと閲覧・謄写請求

1　備置き

会社は、監査等委員会議事録を、監査等委員会の日から10年間、書面または電磁的記録にて、本店に備え置かなければならない（399条の11第1項、株主総会議事録とは異なり、支店への備置きは求められていない）。監査等委員会への報告を省略した場合であっても、議事録の作成は必要であり、その備置きが求められる。

監査等委員会議事録を備置きしなかった場合は、100万円以下の過料に処せられる（976条8号）。

2 閲覧・謄写請求

株主（親会社の株主等（親会社社員（31条3項括弧書））を含む）は、権利を行使するため必要があるときに、また、会社の債権者は、取締役の責任を追及するため必要があるときに、裁判所の許可を得て、監査等委員会議事録の閲覧または謄写の請求をすることができる（399条の11第2項・3項）。ここで、監査等委員会議事録が書面で作成されているときは、当該書面が請求の対象となり、電磁的記録で作成されているときは、当該電磁的記録に記録された情報の内容を法務省令で定める方法により表示したものが請求の対象となる。法務省令で定める方法とは、電磁的記録に記録された事項を紙面または映像面に表示する方法とされる（施行規則226条25号、その具体的方法として、第1編第1章第4節2）。

監査等委員会議事録は、閲覧または謄写請求にあたっては、事前に裁判所の許可が必要となる。裁判所は、閲覧または謄写をすることにより、会社またはその親会社もしくは子会社に著しい損害を及ぼすおそれがあると認めるときは、当該請求の許可をすることができない（399条の11第4項）。一方、裁判所が許可をした場合は、会社は閲覧または謄写を拒否することはできないのは、取締役会議事録における場合と同様と考えられる。正当な理由がないのに、閲覧・謄写の請求を拒んだときは、過料の制裁がある（976条4号）。

裁判所の許可を得て閲覧または謄写の請求がなされた場合のポイント（閲覧・謄写・謄抄本交付請求書への記載要請、本人確認、個別株主通知の確認）は、株主総会における場合と同様である（第1編第1章第4節2）。

なお、閲覧・謄写の請求に対し、請求者間において不平等が生じないよう統一的な取扱いに留意しつつ、会社判断で謄抄本を交付する場合がある。この場合を含め、閲覧・謄写等の請求への対応に際し、その事務負担および発生費用等を勘案し、手数料を申し受けることもあり得る。

第４章　監査等委員会議事録の記載内容と記載例

第１節　役員の出席状況

１　監査等委員の出席状況

［記載例４-４］　監査等委員の出席状況についての例

３　出席者
　当社本店○○会議室
　　常勤監査等委員○○○○、監査等委員○○○○および○○○○
　当社大阪支店○○会議室
　　監査等委員○○○○
　監査等委員総数○名
　出席監査等委員○名
以上により、定足数は満たされた。

監査等委員会議事録には、監査等委員会に出席した監査等委員が署名または記名押印等をしなければならないことから（399条の10第３項・４項）、監査等委員会における監査等委員の出席の状況は、監査等委員の署名または記名押印等で確認することができる。

もっとも、監査等委員会の決議は、議決に加わることができる監査等委員の過半数が出席し、その過半数をもって行うことから（399条の10第１項）、監査等委員会議事録においては、署名または記名押印等とは別に、出席した監査等委員の氏名を記載し、監査等委員の総数と出席監査等委員の数を記載したうえで、定足数を充たしていることを明記することが有益である。なお、特別の利害関係を有する監査等委員は、議決に加わることができない（同条２項）。

なお、当該場所に存しない監査等委員、取締役（監査等委員であるものを除く）、会計参与または会計監査人が監査等委員会に出席をした場合における当該出席の方法も記載事項であり、テレビ会議システム等による出席方法がこれに当たる（前記第3編第2章第2節3参照）。

2　監査等委員会に出席した取締役（監査等委員であるものを除く）、会計参与または会計監査人の氏名または名称

［記載例4-5］　出席した取締役（監査等委員であるものを除く）についての例

> 3　出席者
> 　常勤監査等委員○○○○、監査等委員○○○○および○○○○
> 　監査等委員総数○名
> 　出席監査等委員○名
> 　取締役（監査等委員であるものを除く）○○○○
> 以上により、定足数は満たされた。

取締役（監査等委員であるものを除く）は、監査等委員会の要求があったときは、監査等委員会に出席し、監査等委員会が求めた事項について説明をしなければならず（399条の9第3項）、また、監査等委員会に報告すべき事項があるために監査等委員会に出席をした取締役（監査等委員であるものを除く）、会計参与または会計監査人がある場合には、その氏名または名称を記載しなければならない（施行規則110条の3第3項5号）。

取締役（監査等委員であるものを除く）が監査等委員会に対して報告義務を負うのは、会社に著しい損害を及ぼすおそれのある事実があることを発見したときである（357条）。また、会計監査人が監査等委員会に対して報告義務を負うのは、取締役の職務の執行に関し、不正の行為または法令もしくは定款に違反する重大な事実があることを発見したときである（397条1項・4項）。

第２節　議事の経過の要領およびその結果

1　議長の就任および開会宣言

[記載例 4-6]　議長の就任および開会宣言の例（委員長が就任する場合）

4　議　事 監査等委員会規程（規則）○条の定めにより、監査等委員会委員長○○○○が議長となり、開会を宣した。

監査等委員会に議長が存する場合には、議長の氏名を記載しなければならないが（施行規則110条の3第3項6号）、監査等委員会規程では、監査等委員会委員長が監査等委員会の議長を務める旨を置くことが通常である。したがって、議事の経過の一部である開会宣言と併せて委員長が議長となる旨を記載する。

[記載例 4-7]　議長の就任および開会宣言の例（仮議長とする場合）

4　議　事 監査等委員○○○○氏が互選により仮の議長となり、開会を宣した。

監査等委員会委員長が不在の場合は、仮議長を立てる方法がある。

2　監査等委員会の体制・方針に関する事項

a　監査等委員会委員長の選定

[記載例 4-8]　監査等委員会委員長の選定を決議する場合

第○号議案　監査等委員会委員長選定の件 ××委員より、当社監査等委員会規程（規則）第△条第△項に基づき、監査等委員会委員長に○○委員を推薦する旨の提案があり、全員異議なく承認可決した。

監査等委員である取締役全員改選した後の監査等委員会では、監査等委員会規程（規則）に定める委員長が不在であることから、委員長を選定するものである。なお、監査等委員会委員長は監査等委員会の招集者となり、また監査等委員会の議長となることが多い。

b　常勤の監査等委員の選定

[記載例4-9]　常勤監査等委員の選定を決議する場合

> 第○号議案　常勤監査等委員選定の件
> 　議長より、本日開催の株主総会において監査等委員の一部が任期満了により改選され、あらたに監査等委員○名が就任したので、情報収集と監査の実効性確保の観点から常勤の監査等委員を置くことの必要性がある旨、およびあらためて常勤監査等委員を選定したい旨説明し、全員に諮ったところ、次のとおり選定することに全員異議なく承認可決された。被選定者は、その就任を承諾した。
> 　　常勤監査等委員　○○○○氏

監査等委員会は、常勤の監査等委員の選定義務はないが、常勤監査等委員の選定は、監査等委員会の決議をもって行う方法が考えられる。常勤の監査等委員は、登記事項でもないので、就任を承諾する旨の記載は登記手続きとの関係で必要となるものではないが、監査役会設置会社では常勤の義務を負うことから就任承諾が必要と解される（監査役会設置会社における常勤監査役に関する記述として、新版注釈会社法(6) 626頁〔神崎克郎〕）ことを勘案し、常勤の監査等委員の場合も就任承諾を得ておくことが考えられる。なお、事業報告において、常勤の監査等委員の選定の有無およびその理由の開示が必要となる（施行規則121条10号イ）。

常勤の監査等委員の選定が義務づけられない理由としては、指名委員会等設置会社の監査委員会が、内部統制システムが適切に構築・運用されているかを監視し、必要に応じて内部統制部門に対して具体的指示を行うという方法で監査を行うことが想定されているため、常勤者を置かなくとも情報収集には問題がないものとされていることから、監査等委員会設置会社も同様とされている（坂本・一問一答38頁）。一方で、監査を行う機関による社内の情報の把握について、常勤者が重要な役割を果たしているとの指摘もある（坂本・一問一答39頁）。日本監査役協会の調査によれば、監査等委員会設置会社626社における常勤の監査等委員の全体平均人数は1.05名とされている（日本監査役協会「役員等の構成の変化などに関する第21回インターネット・アンケート（監査等委員会設置会社版）」(2021年5月17日）13頁)。

c 監査費用計画の策定

［記載例4-10］ 監査に要する費用予算を決議する場合

> 第○号議案 第○期の監査に要する費用予算の決定の件
>
> 議長より、第○期（○○年○月○日から○○年○月○日まで）の監査に要する費用を監査等委員会規程（規則）第○条に基づき代表取締役に提出するにあたって、その内容について、別紙により説明し、全員に諮ったところ全員異議なく承認可決された。
>
> 議長から、承認可決された費用予算を、代表取締役に対して提出する旨の報告があった。

記載例は、監査に要する費用を予算として監査等委員会で決定して、会社に請求する場合の例である。

監査等委員がその職務の執行に要する費用として会社に請求を行ったものについては、会社は当該費用が監査等委員の職務の執行に必要でないことを証明しない限り、その支払いを拒むことはできないため（399条の2第4項)、監査費用の予算を監査等委員会で承認したとしても、各監査等委員は監査に必要である限り、予算には拘束されない。

なお、監査等委員会監査等基準においては、監査等委員会は、その職務上必要と認める費用については、あらかじめ予算を計上しておくことが望ましく、また監査費用の支出にあたっては、その効率性および適正性に留意しなければならない旨が指摘されている（日本監査役協会「監査等委員会監査等基準」(2015年9月29日制定、2021年12月16日最終改定）12条2項・

5 項)。

3　定時株主総会に向けた対応

a　期末監査日程の確認・決定

［記載例 4-11］　期末監査日程について決議する場合

第○号議案　第○期事業年度の期末監査日程の件
　議長より、第○期事業年度末を迎えるにあたり、第○回定時株主総会の開催予定日を○○年6月○日として、別紙のとおり監査日程を予定している旨の説明があった。
　議長より、本件につき承認を求めたところ、異議なく全監査等委員一致で原案通り可決された。

別紙

3月 31日	事業年度末
4月○○日	選定された監査等委員が、取締役（監査等委員であるものを除く）から計算書類等および事業報告を受領
5月○○日	選定された監査等委員が、会計監査人から会計監査報告受領
5月○○日	監査等委員会開催（監査等委員会監査報告作成のための審議・決定）
5月○○日	選定された監査等委員が、監査等委員会監査報告を取締役（監査等委員であるものを除く）および会計監査人に通知
5月○○日	計算書類承認の取締役会（決算取締役会）
5月○○日	決算発表
6月○○日	第○回定時株主総会

　記載例は、定時株主総会に向けて監査等委員会監査報告を作成するための監査日程を監査等委員会で確認し、決定するものである。監査等委員会監査報告作成のための審議を行う監査等委員会開催日を中心に、取締役(監査等委員であるものを除く)、会計監査人との計算書類等の受け渡しの予定日を確認し、各監査等委員が行うべき作業を踏まえて、その具体的な日

程を確認することが重要である。なお、各種書類の通知・受領は、監査等委員会が選定した監査等委員が行うか、選定しない場合は監査等委員のいずれかの者となる（施行規則132条5項3号、計算規則125条、130条5項3号、132条1項）。

b　監査等委員会監査報告の作成

[記載例4-12]　監査等委員会監査報告の内容を決議する場合

> 第○号議案　第○期事業年度　監査等委員会監査報告作成の件
>
> 議長より、第○期事業年度の監査等委員会の監査報告書作成に当たり、監査等委員会が定めた監査等委員会監査等基準に従い、業務執行取締役等から内部統制システムの構築・運用状況等について報告を受けた。また会計監査についても、各監査等委員が計算書類（貸借対照表、損益計算書、株主資本等変動計算書および個別注記表）および附属明細書ならびに連結計算書類（連結貸借対照表、連結損益計算書、連結株主資本等変動計算書、連結注記表）の監査をそれぞれ実施するとともに、会計監査人から報告・説明を受けるなどして、会計監査人の監査の方法が相当であることを確認した旨の報告が行われた。
>
> 次に、監査報告の内容について審議した結果、別紙のとおり監査等委員会の監査報告書（※）を作成することに全員異議なく承認可決した。
>
> 議長より、「事業報告およびその附属明細書ならびに計算関係書類の作成に関する職務を行った監査等委員以外の取締役および会計監査人に対して、監査報告の内容の通知をすべき監査等委員」として○○委員長が指定されており、委員長より監査等委員会監査報告を特定取締役および会計監査人に提出する旨が併せて報告された。

（※）　本議事録は、日本監査役協会の監査報告書ひな型にならい、事業報告、計算書類、連結計算書類に係る監査報告書をすべて一体化して作成する場合の例である。また、法文上は「監査等委員会の監査報告」であるので、この表現を用いる場合は、「監査等委員会の監査報告書」を「監査等委員会の監査報告」に置き換える。

監査等委員会の監査報告は、監査等委員会が作成し（施行規則130条の2第1項、計算規則128条の2第1項）、その内容は監査等委員会の決議によって定めなければならない（施行規則130条の2第2項、計算規則128条の2第2項）。記載例のほか、監査等委員会監査報告に記載するのと同様に監査の結果を箇条書きにすることも考えられる。

なお、上記例は、監査等委員会が選定した監査等委員が監査報告の内容を特定取締役および会計監査人に通知することを前提としている（施行規則132条5項3号イ、計算規則132条1項）。

c　株主総会提出議案および書類の調査

［記載例4－13］　株主総会提出議案および書類について審議し、指摘すべき事項がないことを確認する場合

> 第○号議案　第○期定時株主総会提出議案および書類調査の件
> 　議長より、第○期定時株主総会に付議される議案および提出される書類等に関して、法令もしくは定款に違反し、または著しく不当な事項が存在しないかにつき、審議したい旨提案があった。協議の結果、全員一致により、指摘すべき事項はないことを確認した。

監査等委員は、取締役が株主総会に提出しようとする議案、書類・電磁的記録について法令もしくは定款に違反し、または著しく不当な事項があると認めるときは、その旨を株主総会に報告しなければならない（399条の5、施行規則110条の2）。

4　監査等委員である取締役選任に関する事項

a　監査等委員である取締役選任議案への同意

［記載例4－14］　監査等委員である取締役選任議案に同意する場合

> 第○号議案　監査等委員である取締役選任議案に同意する件
> 　議長より、○○年○月○日代表取締役○○○○氏から、来る○○年○月○日開催予定の第○期定時株主総会に、○○○○氏を候補者とする監査等委員である取締役選任議案（略歴等詳細は別紙のとおり）を提出したいので、監査等委員会の同意を得たい旨の申出があったことを述べ、全員に諮った。出

席監査等委員全員にて慎重に審議した結果、全員が異議なく、この議案の提出に同意する旨を述べた。

取締役（監査等委員であるものを除く）は、監査等委員である取締役の選任に関する議案を株主総会に提出するには、監査等委員会の同意を得なければならない（344条の2第1項）。

取締役（監査等委員であるものを除く）から同意書の提出を求められている場合には、同意書を交付する。

これらの手続きについては、補欠の監査等委員である取締役選任議案に関しても同様である。

5　会計監査人の選任・解任・不再任への対応

a　会計監査人選任議案の決定

[記載例4-15]　会計監査人選任議案を株主総会に提出する場合

第○号議案　会計監査人選任議案決定の件

議長より、来る○○年○月○日開催予定の第○期定時株主総会に、○○監査法人を候補者とする会計監査人選任議案を提出したい旨の提案があった。○○監査法人の沿革、実績、監査体制、監査報酬の水準、独立性に関する事項等の資料をもとに審議した結果、会計監査人としての独立性および専門性を有しており、当社の監査品質の確保が可能であると判断したことから、出席監査等委員の全員が異議なく、この議案を第○期定時株主総会に提出することを決定した。

株主総会に提出する会計監査人の選任および解任ならびに会計監査人を再任しないことに関する議案の内容の決定は、監査等委員会が行う（399条の2第3項2号、施行規則77条3号、81条2号）。

なお、株主総会参考書類では、監査等委員会が当該候補者を会計監査人の候補者とした理由の記載が必要である（施行規則77条3号）。決定に当たっては、監査法人（または公認会計士）の概要、欠格事由の有無、品質管理の基準等について検討することが考えられる（日本監査役協会「会計監査人との連携に関する実務指針」(2006年5月11日制定、2021年7月30日最終改定)、「会計監査人の選解任等に関する議案の内容の決定権行使に関する監査役の対応指針」(2015年3月5日) 等参照)。

b　会計監査人の報酬等の決定への同意

[記載例4-16]　会計監査人の報酬等の決定について同意する場合

> 第○号議案　会計監査人の報酬等に同意する件
> 　議長より、代表取締役○○○○氏から、第○期の会計監査人の報酬等について、金○○○○万円としたいので、会社法399条第1項および第3項の規定に従い監査等委員会の同意を得たい旨の提案があったことを述べ、全員に諮った。前期の監査実績を踏まえ、新年度の監査計画における監査時間、配員計画および報酬額の見積もりの相当性等につき慎重に審議した結果、報酬額として妥当と判断し、出席監査等委員の全員がこの金額に同意することに異議なく、承認可決された。

会計監査人との契約の締結は、業務執行の一環として取締役(監査等委員であるものを除く) または代表取締役に権限がある。しかし、報酬額の決定までも取締役会等に一任すると、その額が不当に低額な場合には監査の質を落とすおそれがあるし、逆に過度に高額の報酬を提供する場合には監査の独立性を害するおそれがある。このような弊害を生じさせないために、監査等委員会設置会社においては、取締役(監査等委員であるものを除く) が会計監査人の報酬等を定める場合には、監査等委員会の同意を得なければならない(399条1項・3項)。

同意に当たっては、過去の報酬実績、日本監査役協会の「会計監査人との連携に関する実務指針」(2006年5月11日制定、2021年7月30日最終改定) 等を参考に報酬等を検討することが考えられる。

監査等委員会の同意は、監査等委員の過半数をもって行う監査等委員会の決議による(399条の10第1項)。

仮会計監査人の報酬等を定める場合も同様である(399条1項・3項)。なお、当該事業年度に係る各会計監査人の報酬等について監査等委員会が同意した理由は、事業報告の記載事項となっている（施行規則126条2号）。

c　会計監査人の再任

［記載例4－17］　会計監査人の再任について決議する場合

> 第○号議案　会計監査人の再任の件
> 　議長より、別紙のとおり、当社の会計監査人の解任または不再任の決定の方針に照らし、また、当期に係る会計監査人監査の相当性につき説明があった後、会計監査人として○○監査法人を再任することに関して全監査等委員に諮ったところ、全員異議なく再任することに承認可決された。
> 　（別紙略）

会計監査人の任期は、選任後1年以内に終了する事業年度のうち最終のものに関する定時株主総会終結の時までである（338条1項）が、当該株主総会において不再任の決議等特段の決議がなされない限り再任されたものとみなされる（同条2項）。

また、会計監査人を再任しないことを株主総会の議案として提出するには、監査等委員会の決議により決定することを要する（399条の2第3項2号）。

なお、前述のとおり、株主総会において会計監査人を再任しないことを特段決議しないときは、会計監査人は再任されたものとみなされるので、監査等委員会においても何らの手続きも法定されていない。しかし、監査等委員会には、会計監査人の選任、解任、不再任議案に対する決定権（399条の2第3項2号）、解任権（340条1項・5項）があることから、記載例のように会計監査人の適格性を1年ごとに判断するべきである。

6　監査等委員である取締役の報酬等の決定

a　監査等委員である取締役の報酬等の決定

［記載例4-18］　監査等委員である取締役の報酬等の決定について協議する場合

第○号議案　監査等委員である取締役の報酬等の額決定の件
　議長より、第○期の各監査等委員である取締役の報酬等について、○○年○月○日に開催された第○期定時株主総会にて決議された監査等委員である取締役の報酬等総額金○○○○万円を以下のとおり分配する旨全員に諮ったところ、出席監査等委員の全員の一致により承認可決された。
　常勤監査等委員　○○○○氏　月額金○○万円
　常勤監査等委員　○○○○氏　月額金○○万円
　監査等委員　　　○○○○氏　月額金○○万円
　監査等委員　　　○○○○氏　月額金○○万円
　監査等委員　　　○○○○氏　月額金○○万円

　各監査等委員である取締役の報酬等について定款の定めまたは株主総会の決議がないときは、当該報酬等は、361条1項および2項に基づく報酬等の範囲内において、監査等委員である取締役の協議によって定める(361条3項)。この際には、常勤・非常勤の別、監査業務の分担の状況、取締役（監査等委員であるものを除く）の報酬等の内容および水準等を考慮する。

　協議とは、全員一致の決定をいう（稲葉・改正会社法265頁、江頭・株式会社法544頁)。報酬等の額の決定は、監査等委員である取締役の協議によるほか、監査等委員である取締役全員の一致により、特定の監査等委員である取締役に一任したり、監査等委員である取締役の多数決によるものとすることは許されるものと考えられる（監査役に関する記述として、大隅＝今井301頁、新版注釈会社法(6) 489頁〔加美和照〕、江頭・株式会社法544頁)。なお、監査等委員である取締役は、株主総会において、監査等委員である取締役の報酬等について意見を述べることができる（361条5項)。

b　各監査等委員である取締役の報酬等決定の常勤監査等委員への一任

[記載例 4-19]　監査等委員である取締役の報酬等決定について常勤監査等委員へ一任することについて協議する場合

> 第○号議案　監査等委員である取締役の報酬等の額を一任する件
> 　議長より、第○期の各監査等委員である取締役の報酬等について、○○年○月○日に開催された第○期定時株主総会においてその増額（総額○○○○万円）が承認されたので、当該報酬等総額の範囲内における各監査等委員である取締役の報酬等については、常勤監査等委員の○○○○氏および○○○○氏に一任することを諮ったところ、全員異議なく承認可決された。
> 　なお、各監査等委員である取締役の報酬等の決定の結果については、常勤監査等委員の○○○○氏から各監査等委員に書面をもって通知することとした。

各監査等委員である取締役の報酬等について定款の定めまたは株主総会の決議がないときは、当該報酬等は、361条1項および2項に基づく報酬等の範囲内において、監査等委員である取締役の協議によって定める(361条3項)。

記載例は、各監査等委員である取締役の報酬等の額の決定を常勤監査等委員に一任するものである。全監査等委員の合意があれば、このような一任も許されるものと解される。

c　各監査等委員である取締役の賞与配分

[記載例 4-20]　監査等委員である取締役の賞与配分について協議する場合

> 第○号議案　監査等委員である取締役の賞与額決定の件
> 　議長より、本日開催された第○期定時株主総会にて監査等委員である取締役賞与（総額○○○○万円）が承認可決されたことに伴い、各監査等委員である取締役への配分について協議したい旨を提案したところ、出席監査等委員の全員の一致により以下のとおり決定した。
> 　常勤監査等委員　○○○○氏　○○○万円
> 　常勤監査等委員　○○○○氏　○○○万円

監査等委員	○○○○氏	○○○万円
監査等委員	○○○○氏	○○○万円
監査等委員	○○○○氏	○○○万円

監査等委員である取締役の賞与も監査等委員である取締役の報酬等（361条1項・2項）に該当するので、前記 a の報酬等の決定と同様の規律に基づき決定する。

7 取締役（監査等委員であるものを除く）の指名および報酬等への対応

a 取締役（監査等委員であるものを除く）の指名に対する意見陳述権

［記載例 4-21］ 取締役（監査等委員であるものを除く）候補者案へ答申する場合

> 第○号議案 取締役（監査等委員であるものを除く）候補者案への答申の件
>
> 議長より、○○年○月○日代表取締役○○○○氏から、来る○○年○月○日開催予定の第○期定時株主総会に先立ち、取締役（監査等委員であるものを除く）候補者案（略歴等詳細は別紙のとおり）につき諮問があり、監査等委員会の答申を得たい旨の申出があったことを述べ、全員に諮った。出席監査等委員全員にて慎重に審議した結果、各候補者は当社の取締役（監査等委員であるものを除く）選任方針に合致するものであり、その資質・実績面から勘案して適任である旨、この取締役（監査等委員であるものを除く）候補者案に対して監査等委員会として賛同する旨および会社法第342条の2第4項に基づく意見陳述権を行使しない旨の答申をすることを、全員異議なく決定した。

監査等委員会が選定する監査等委員は、株主総会において、取締役（監査等委員であるものを除く）の選任もしくは解任または辞任について監査等委員会の意見を述べることができるとされており（342条の2第4項）、株主総会招集の取締役会決議に先立ち、代表取締役等はあらかじめ監査等委員会に諮問し、監査等委員会の決定に基づく（399条の2第3項3号）答申を得ておくことが考えられる。監査等委員会が、代表取締役等から答申書の提出を求められている場合には、答申書を交付する。

また、当該意見は、現経営陣に対して否定的な意見である場合に述べられれば足りるわけではなく、監査等委員会の肯定的な意見を述べるとすることも考えられる（塚本英巨『監査等委員会導入の実務』（商事法務、2015）228頁）。任意の指名諮問委員会が設置されている場合は、同委員会のメンバーである監査等委員が同委員会での検討状況について情報提供することが望ましい。その場合は、その旨を言及することが考えられる。諮問および答申手続きのかわりに、取締役（監査等委員であるものを除く）の指名に関する監査等委員会の同意手続きをとることも考えられる。なお、342条の2第4項の規定による監査等委員会の意見があるときは、その意見の内容の概要を、株主総会参考書類における取締役（監査等委員であるものを除く）の選任または解任に関する議案において記載しなければならないとされている（施行規則74条1項3号、78条3号）。

b　取締役（監査等委員であるものを除く）の報酬等に対する意見陳述権

［記載例4-22］　取締役（監査等委員であるものを除く）の報酬配分案へ答申する場合

> 第○号議案　取締役（監査等委員であるものを除く）の報酬配分案への答申の件
>
> 議長より、○○年○月○日代表取締役○○○○氏から、来る○○年○月○日開催予定の第○期定時株主総会に先立ち、取締役（監査等委員であるものを除く）の報酬配分案（詳細は別紙のとおり）につき諮問があり、監査等委員会の答申を得たい旨の申出があったことを述べ、全員に諮った。出席監査等委員全員にて慎重に審議した結果、当社の報酬の方針に合致するものであり、報酬配分案は同業他社水準や当社の業績動向を勘案して適切である旨、この報酬配分案に対して監査等委員会として賛同する旨および会社法第361条第6項に基づく意見陳述権を行使しない旨の答申をすることを、全員異議なく決定した。

監査等委員会が選定する監査等委員は、株主総会において、取締役（監査等委員であるものを除く）の報酬等について監査等委員会の意見を述べることができるとされており（361条6項）、報酬額改定議案を株主総会に提出するか否かにかかわらず、代表取締役等はあらかじめ監査等委員会に取締役（監査等委員であるものを除く）報酬配分案につき諮問し、監査等委員会の決定に基づき（399条の2第3項3号）、答申を得ておくことが考えられる。監査等委員会が、代表取締役等から答申書の提出を求められている場合には、答申書を交付する。

また、監査等委員会の肯定的な意見を述べるとすることも考えられる（塚本・前掲書236頁）。任意の報酬諮問委員会が設置されている場合は、同委員会のメンバーである監査等委員が同委員会での審議状況について情報提供することが望ましい。その場合は、その旨を言及することが考えられる。

なお、361条6項の規定による監査等委員会の意見があるときは、その意見の内容の概要を、株主総会参考書類における取締役（監査等委員であるものを除く）の報酬等に関する議案において記載しなければならないとされている（施行規則82条1項5号）。

8　重要な業務執行の決定の委任

［記載例4-23］　重要な業務執行の決定を取締役に委任する場合

議案　重要な業務執行の決定の委任および取締役会規程（規則）一部改正の件

議長より、当社の業務執行の機動性の向上を図るため、職務決定権限規程（規則）を別紙1のとおり改正し、当社定款第○条の定めに基づき、会社法第399条の13第5項に定める重要な財産の処分および譲受けおよび同2号に定める多額の借財等重要な業務執行の決定の一部を取締役社長に委任したい旨、また、これに伴い、取締役会付議基準を定める取締会規程（規則）を別紙2のとおり改正したい旨を説明し、賛否を諮ったところ、出席取締役全員異議なくこれを承認可決した。

別紙1　職務決定権限規程（規則）の変更案 別紙2　取締役会規程（規則）別表取締役会付議基準の変更案

監査等委員会設置会社は、監査役設置会社と異なり、取締役の過半数が社外取締役である場合、または、定款の定めがある場合には、取締役会の決議によって、法定のものを除く重要な業務執行の決定の全部または一部を取締役に委任することができる（399条の13第5項・6項）。委任可能な範囲は、指名委員会等設置会社において執行役に委任することができる範囲と同様であり、機動的な意思決定に基づき、業務執行の機動性の向上が期待される。監査等委員会設置会社では、監査等委員会が選定する監査等委員に監査等委員以外の取締役の選解任、報酬等に関する意見陳述権（342条の2第4項、361条6項）が認められているため、重要な業務執行の決定を取締役に委任することができると考えられている（岩原紳作「「会社法制の見直しに関する要綱案」の解説〔I〕」商事法務1975号10頁）。

具体的な委任手続きについては、取締役の職務内容を定めた職務決定権限規程（規則）等を改正することで、委任事項および受任者を明確にすることが考えられる。委任の方法として、全ての委任事項を一義的に取締役社長へ委任する方法や、各事業ごとに担当取締役へ委任する方法、また、取締役社長へ委任した後に社長決裁で他の取締役に再委任することで各担当取締役への委任を柔軟に行う方法もある。日本監査役協会の調査によると、重要な業務の執行の決定を取締役に委任している会社は、403社（全体の58.6％）であった（日本監査役協会「役員等の構成の変化などに関する第21回インターネット・アンケート集計結果（監査等委員会設置会社版）」（2021年5月17日）59頁）。

重要な業務執行の決定を取締役に委任することで、取締役会の付議事項が削減されるため、通常は、取締役会付議基準を定める取締会規程（規則）の改正を併せて決議することとなる。記載例では、重要な業務執行の決定の取締役への委任の目的として業務執行の機動性の向上が記載されているが、これと併せて、取締役会付議事項を削減することで、取締役会を監督機能に特化し、中長期的戦略等の審議充実化も期待できる旨に言及することも考えられる。CGコードでは、具体的な経営戦略や経営計画等について建設的な議論が求められており【原則4-1】、それを目的とした取締役会付議事項の削減はガバナンスの向上へ向けた取組みのひとつでもあろう。

9 利益相反取引の承認手続き

［記載例4-24］ 監査等委員会による利益相反取引の承認手続きの場合

第○号議案 監査等委員会による取締役の自己取引の承認の件

取締役○○○○より、別紙のとおり、取締役××氏から、同氏保有の不動産を当社が購入すること、およびその条件につき説明があり、本件取引を実施するに際し、取締役会決議に先立ち、監査等委員会による承認を得たい旨、説明があった。

議長から、本件内容について全員に諮ったところ、出席監査等委員の全員の一致により、本件取引の承認を決定した。

（別紙）不動産の購入について

以上

356条1項2号または3号の取引（いわゆる利益相反の直接取引と間接取引）によって会社に損害が生じたときは、当該取引をすることを決定した取締役および当該取引に関する取締役会の承認の決議に賛成した取締役は、その任務を怠ったものと推定するとされているところ（423条3項）、利益相反取引をしようとする取締役（監査等委員であるものを除く）が当該取引につき監査等委員会の承認を受けたときは、適用しないこととなっている（423条4項。監査等委員会の事前の承認が必要であるとして、坂本・一問一答46頁）。これは、監査等委員会設置会社に限り設けられたものである。

この利益相反取引に関する取締役会の承認と監査等委員会の承認のどちらを先とすべきかについての定めはない。実際上は、取締役会の承認が先行することになると考えられるとの見解がある（塚本英巨『監査等委員会導入の実務』（商事法務、2015）244頁）。また、取締役会を先行して開催する場合には、後に開催される監査等委員会で承認されない可能性が残ることから、監査等委員会の承認を先行させることのメリットがあるとする見解がある（福岡真之介＝髙木弘明『監査等委員会設置会社のフレームワークと運営実務』（商事法務、2015）172頁）。

なお、監査等委員会が利益相反取引を承認した場合であっても、取締役会の承認は不要とはならない（坂本・一問一答46頁注3）。

10　監査等委員会への報告の省略

［記載例4-25］　監査等委員会への報告を省略する場合

監査等委員会議事録

監査等委員会への報告事項について、代表取締役○○○○氏から監査等委員の全員に対して以下のとおり書面をもって通知がされたことから、会社法399条の12に基づき監査等委員会への報告が省略された。

1　報告を要しないものとされた事項の内容

……

2　報告を要しないものとされた日

○○年○月○日

3　議事録の作成に係る職務を行った監査等委員の氏名

常勤監査等委員○○○○

以上のとおり、監査等委員会への報告を要しないものとされたので、これを証するため、この議事録を作成する。

○○年○月○日

常勤監査等委員○○○○　㊞

報告事項は、報告義務を負う取締役、会計参与または会計監査人が、監査等委員の全員に当該事項を通知したときは、監査等委員会に報告することを要しない（399条の12）。

取締役に報告義務がある場合とは、取締役が会社に著しい損害を及ぼすおそれのある事実があることを発見したときであり（357条1項・3項）、会計参与・会計監査人に報告義務がある場合とは、取締役の職務の執行に関し不正の行為または法令もしくは定款に違反する重大な事実を発見したときである（375条1項・3項、397条1項・4項）。

通知により報告が省略された場合であっても議事録の作成を要し、議事録には、①報告を要しないものとされた事項の内容、②報告を要しないものとされた日、③議事録の作成に係る職務を行った監査等委員の氏名を記載する（施行規則110条の3第4項）。

第５章　監査等委員会議事録記載例

本章には、監査等委員会議事録の代表例として、株主総会終結後の監査等委員会議事録の記載例を掲載している。

以下の議事録に記載の議事に係る解説については、第４章の［記載例4-7］、［記載例4-8］、［記載例4-9］、［記載例4-18］、［記載例4-20］も参照されたい。

［記載例4-26］　株主総会終結後の監査等委員会議事録記載例

監査等委員会議事録

１　日　時　　○○年○月○日（○曜日）午前○時
２　場　所　　○○区○○町○丁目○番○号　当社本店会議室
３　出席者　　○○常勤監査等委員、○○監査等委員、○○監査等委員
　　　　　　　監査等委員総数○名　出席監査等委員○名
　　　　　　　以上により、定足数は満たされた。
４　議　事
　監査等委員○○○○氏　互選により仮の議長となり、開会を宣した。

〔決議事項〕
第○号議案　監査等委員会委員長選定の件
　××委員より、当社監査等委員会規程（規則）第□条第□項第□号に基づき、監査等委員長に○○委員を推薦する旨の提案があり、全員異議なく承認可決した。
第○号議案　常勤監査等委員選定の件
　議長より、本日開催の株主総会において監査等委員の一部が任期満了により改選され、あらたに監査等委員○名が就任したので、情報収集と監査の実

効性確保の観点から常勤の監査等委員を置くことの必要性がある旨、および
あらためて常勤監査等委員を選定したい旨説明し、以下のとおり選定する旨
全員に諮ったところ、全員異議なく承認可決された。被選定者は、その就任
を承諾した。

常勤監査等委員　○○○○氏

第○号議案　監査等委員である取締役の報酬等の額決定の件

議長より、第○期の各監査等委員である取締役の報酬等について、○○年
○月○日に開催された第○期定時株主総会にて決議された監査等委員である
取締役の報酬等総額金○○○○万円を以下のとおり分配する旨全員に諮った
ところ、出席監査等委員の全員の一致により承認可決された。

常勤監査等委員　○○○○氏　月額金○○万円
常勤監査等委員　○○○○氏　月額金○○万円
監査等委員　　　○○○○氏　月額金○○万円
監査等委員　　　○○○○氏　月額金○○万円
監査等委員　　　○○○○氏　月額金○○万円

第○号議案　監査等委員である取締役の賞与額決定の件

議長より、本日開催された第○期定時株主総会にて監査等委員である取締
役賞与（総額○○○○万円）が承認可決されたことに伴い、各監査等委員で
ある取締役への配分について協議したい旨を提案したところ、出席監査等委
員の全員の一致により以下のとおり決定した。

常勤監査等委員　○○○○氏　○○○万円
常勤監査等委員　○○○○氏　○○○万円
監査等委員　　　○○○○氏　○○○万円
監査等委員　　　○○○○氏　○○○万円
監査等委員　　　○○○○氏　○○○万円

第○号議案　退任監査等委員である取締役に対する退職慰労金支給の件

議長より、本日開催の第○期定時株主総会において、退任監査等委員であ
る取締役○○○○氏に対して当社の定める基準に従い、退職慰労金を支給す
ることとし、その具体的な金額、支給の時期、方法等は監査等委員である取
締役の協議によることが承認可決されたことに伴い、これらの事項について
協議したい旨の申出があり、当社「監査等委員退職慰労金支給基準」に基づ

き支給金額、支給の時期、方法が示された。

監査等委員全員にて協議をした結果、全員異議なく以下のとおり決定した。

金額　○○○○万円

時期　○○年○月○日

方法　全額を一括して銀行口座への振込により支払う

第○号議案　○年度　監査の方針および計画に関する事項決定の件

○○委員長より、監査等委員会規程（規則）第○条第○項第○号に基づき、別紙○のとおり○年度の監査の方針および計画に関する事項を決定したい旨の提案があり、審議を行った結果、全員異議なく承認可決し、○年度の監査の方針および計画に関する事項を決定した。

なお併せて、○○委員長より、会社法第399条の9第2項に基づき、別紙○記載の監査等委員会開催にあたっては、招集の手続きを経ることなく開催したい旨の提案があり、全員異議なく同意した。

第○号議案　監査等委員会の所定の権限等を行使する監査等委員の選定および指定の件

議長より、所定の権限等を行使する監査等委員を以下のとおり選定（下記eについては指定）したい旨の説明がなされ、全員異議なく承認可決された。

（注1）

a　取締役会を招集することのできる監査等委員（会社法399条の14）

△△委員

b　取締役（監査等委員であるものを除く）および使用人に対して職務の執行に関する報告を求め、または会社の業務および財産の状況を調査することができる監査等委員（会社法399条の3第1項）　○○委員長

（注2）

c　子会社に対し事業の報告を求め、または子会社の業務および財産の状況を調査することができる監査等委員（会社法399条の3第2項）

○○委員長

d　会社と取締役（監査等委員であるものを除く）との間の訴訟において、会社を代表する監査等委員（会社法399条の7第1項2号）　○○委員長

e　計算関係書類を作成した取締役（監査等委員であるものを除く）から、計算関係書類の提供を受ける監査等委員（会社計算規則125条）

○○委員長

f　事業報告およびその附属明細書の作成に関する職務を行った取締役（監査等委員であるものを除く）に対して、監査報告の内容の通知をすべき監査等委員（会社法施行規則132条5項3号イ）　○○委員長

g　会計監査報告の内容の通知を受ける監査等委員（会社計算規則130条5項3号イ）　○○委員長

h　計算関係書類を作成した取締役（監査等委員であるものを除く）および会計監査人に対し、監査報告の内容を通知する監査等委員（会社計算規則132条1項）　○○委員長

i　会計監査人に対して監査に関する報告を求めることができる監査等委員（会社法397条2項および4項）　○○委員長

j　会計監査人を解任した旨および解任の理由を解任後最初に招集される株主総会に報告する監査等委員（会社法340条3項および5項）　○○委員長

k　取締役（監査等委員であるものを除く）の選解任・辞任に関する監査等委員会の意見を株主総会で述べる監査等委員（会社法342条の2第4項）　○○委員長

l　取締役（監査等委員であるものを除く）の報酬等に関する監査等委員会の意見を株主総会で述べる監査等委員（会社法361条6項）　○○委員長

以上をもって、本日の議事を終了したので議長は午後○時○分閉会を宣した。

ここに議事の経過の要領および結果を記載し、出席した監査等委員は記名押印する。

○○年○月○日

○○○○株式会社　監査等委員会

議長・委員長・常勤監査等委員　○○○○　㊞

監査等委員　○○○○　㊞

監査等委員　○○○○　㊞

（注1）　個別の項目ごとに選定等を行わず、「監査等委員会規程第○条の選定監査等委員および第○条の特定監査等委員については、××委員長とする」といった決議方法も考えられ

る。

（注 2） 監査等委員会は、会社法に基づき、監査等委員会の決定に基づき、特定の事項についての権限を行使する監査等委員を選定する。特定の監査等委員ではなくすべての監査等委員を選定することも可能。

株主総会・取締役会・監査役会の
議事録作成ガイドブック〔第3版〕

2013年6月27日　初　版第1刷発行
2016年1月21日　第2版第1刷発行
2019年3月31日　第2版補訂版第1刷発行
2022年3月31日　第3版第1刷発行

編　者　三井住友信託銀行
　　　　ガバナンスコンサルティング部

発行者　石　川　雅　規

発行所　株式会社　商　事　法　務

〒103-0025 東京都中央区日本橋茅場町 3-9-10
TEL 03-5614-5643・FAX 03-3664-8844〔営業〕
TEL 03-5614-5649〔編集〕
https://www.shojihomu.co.jp/

落丁・乱丁本はお取り替えいたします。　印刷／広研印刷㈱

ISBN978-4-7857-2956-1
*定価はカバーに表示してあります。